*Pour Adrien, qui comme chacun de nous,
a un jour été fasciné par les dinosaures.*

*Il serait impossible de nommer tous ceux qui depuis deux siècles déchiffrent
les archives fossiles et dévoilent peu à peu le passé de la Terre et de ses habitants.
De Georges Cuvier à Charles Darwin, de Alfred Wegener à Stephen J. Gould,
d'innombrables paléontologues, biologistes et géologues auscultent les roches,
reconstruisent des squelettes d'animaux disparus et élaborent de fécondes théories.
Ce livre leur doit tout, sauf les erreurs !*

*Merci à Jose-Javier Alvaro de l'université de Lille-I ; Willem de Vos du Muséum des sciences naturelles de
Bruxelles ; Philip Gingerich, University of Michigan ; Paul C. Sereno, University of Chicago
et Raymond R. Rogers, Macalester Collège, Saint Paul, Minnesota pour leurs photos
et leur aimable collaboration.*

Édition et iconographie : Catherine Destephen
Conception graphique maquette : Didier Gatepaille
Relecture et correction : Hélène Duffau
Photogravure : Graphocoop 47 Agen

Dépôt légal : 1er trimestre 2012
ISBN : 978-2-7459-5515-9
Imprimé chez TWP à Singapour.

Les
Dinosaures
et autres animaux
préhistoriques

Jean-Baptiste de Panafieu

Illustrations :

Philippe Archer, Anne Eydoux, Gian Paolo Faleschini, Donald Grant,

Camilla Torsoli, Nathaële Vogel, Michael Welply

MiLAN

Sommaire

D ans la mémoire des hommes, les pigeons ont toujours donné
naissance à des pigeons et les baleines à des baleines. Pourtant,
enfouis dans les couches profondes de la Terre, des squelettes
de pierre révèlent d'autres mondes peuplés d'espèces inconnues :
des dinosaures aux lourdes cuirasses, d'étranges scorpions marins,
des oiseaux aux dents pointues, des baleines quadrupèdes. Les fossiles
nous font remonter le temps, traverser des durées inimaginables, faites
de millions et de milliards d'années. Ils nous montrent des paysages
disparus, des continents de roches et de lave sans le moindre brin
d'herbe, des forêts de fougères géantes et des pôles couverts de fleurs.

En réalité, les pigeons ne descendent pas de pigeons mais de petits
dinosaures carnivores. Les baleines avaient pour ancêtres des prédateurs
aux longues mâchoires et aux pieds chaussés de sabots. L'étude
des fossiles nous a prouvé que les espèces se transformaient au cours
du temps. Cette évolution animale est difficile à percevoir, car elle
s'étend sur des durées qui dépassent le temps des civilisations humaines.
Après plus de deux siècles de travail, les paléontologues peuvent
nous dessiner le passé de la Terre. Ils racontent la naissance de la vie,
l'apparition de nouvelles espèces et leur extinction. Ils commencent
à comprendre comment des reptiles ont donné naissance à des oiseaux
et les singes à des humains.

Nous faisons partie de ce monde et nous avons, nous aussi, évolué
comme les autres animaux. Parmi les fossiles, nous pouvons découvrir
les portraits de nos ancêtres : Toumaï et Proconsul, puis, en remontant
le temps, des petites musaraignes cachées dans les arbres du Jurassique,
des poissons cuirassés du Dévonien, de minuscules vers des rivages
du Cambrien. Notre évolution nous a aussi donné le pouvoir d'agir
sur notre histoire et sur celle des animaux, nos lointains cousins.

Fossile de triceratops.

Reconstitutions

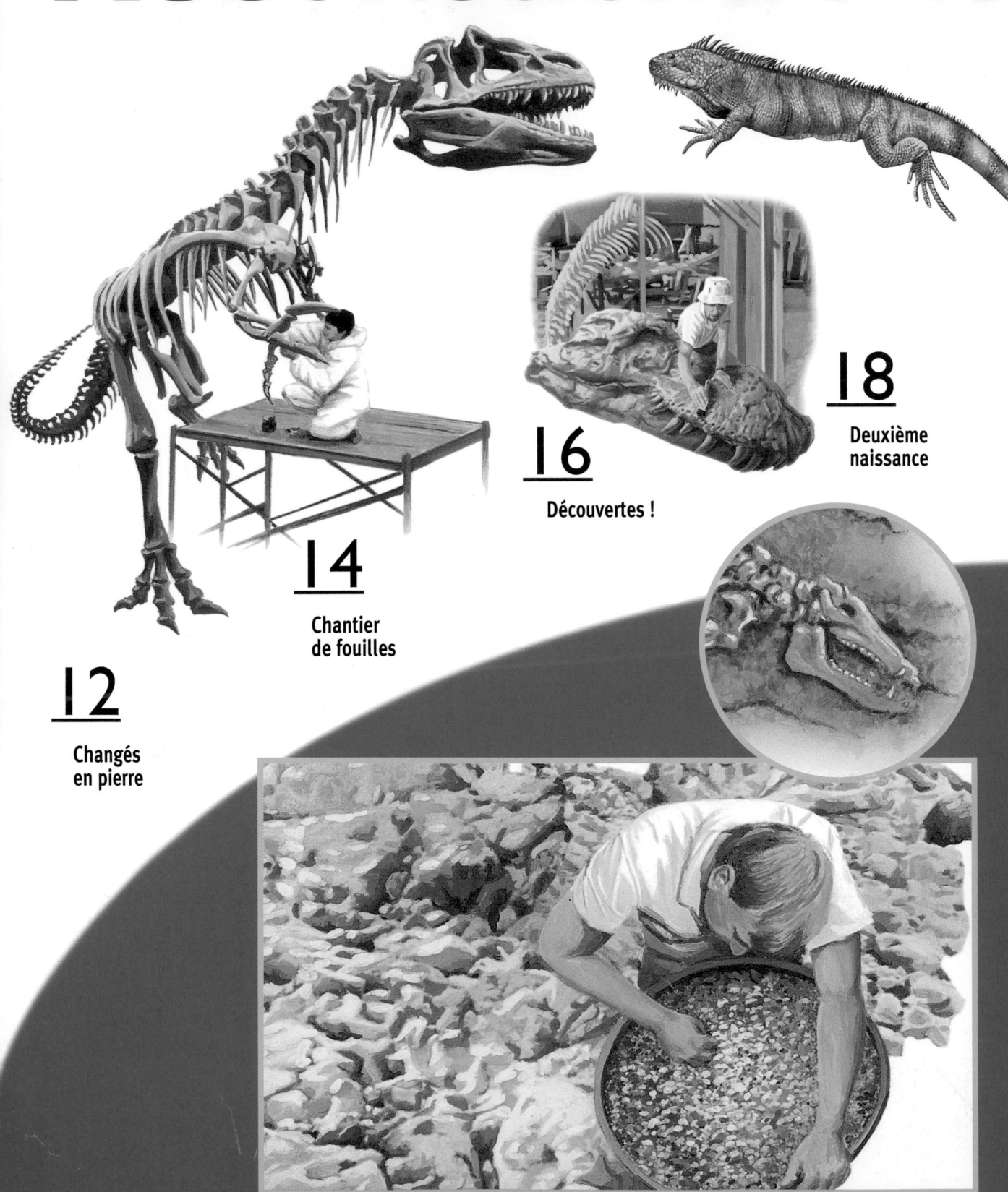

Presque tout ce que nous savons sur les animaux préhistoriques nous a été révélé par l'étude des fossiles. Mais ces êtres transformés en pierre sont rares, souvent incomplets ou déformés. Il faut lire la roche et l'interpréter, comme on lirait un livre en langue étrangère. Les paléontologues parviennent à compléter les manques. Ils remettent de la chair autour des os et redonnent vie aux espèces disparues.

Changés en pierre

Un sanglier est mort dans un marais.

Dans la nature, la plupart des animaux disparaissent rapidement après leur mort. Mais il arrive parfois qu'ils se conservent enfouis dans le sol et se transforment peu à peu en fossiles.

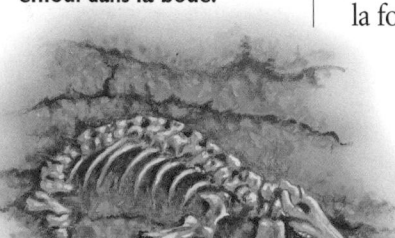

Son squelette se trouve peu à peu enfoui dans la boue.

Candidat fossile

Une harde de sangliers tente de traverser les eaux tumultueuses d'une rivière en crue. L'un d'entre eux, plus faible que les autres, s'épuise et se noie. Son cadavre finit par s'échouer au fond de l'eau, dans un méandre plus calme. Là, il est dévoré par une multitude de petits animaux charognards et se décompose sous l'action des bactéries. Son squelette est recouvert par la boue qui se dépose peu à peu. Ce sanglier est devenu un excellent candidat à la fossilisation, mais il faudra attendre quelques millions d'années pour le constater !

Transformations

Lors des crues suivantes, le fleuve dépose de nouvelles couches de boue. Sous la pression, l'eau est expulsée du sédiment qui se durcit lentement. Des réactions chimiques se produisent entre la roche et le squelette. Atome par atome, la matière osseuse est remplacée par des éléments minéraux. L'os entier devient de la pierre, tout en gardant sa forme initiale. Des milliards de fossiles dorment ainsi sous nos pieds, parfois ramenés en surface par l'érosion.

Le sédiment et les os se transforment lentement en pierre.

Empreinte du corps d'un poulpe.

Le dur et le mou

Les organes durs se fossilisent bien plus facilement que les parties molles des animaux. Ainsi, la plupart des fossiles sont des dents, des os, des carapaces ou des coquilles. Il arrive pourtant que les organes mous soient préservés. Cela peut se produire si l'animal est enfoui juste après sa mort et rapidement soustrait à l'action des bactéries, par exemple s'il est enseveli par une pluie de cendres volcaniques ou une coulée de boue. Un sédiment très tendre peut également conserver l'empreinte des nageoires d'un poisson ou de la peau d'un dinosaure. Des animaux totalement dépourvus de squelette, comme les pieuvres ou les méduses, ont laissé leur empreinte dans des sédiments très fins.

Fossile de tricératops.
Les squelettes complets
sont extrêmement rares.

Certains fossiles ne sont pas les restes d'animaux
ou de plantes, mais le résultat de leur activité,
comme les traces de pattes sur un sol mou
ou les excréments d'un animal.

LES MOTS DES FOSSILES

Le mot fossile vient du latin *fossilis*, qui signifie « qui est
extrait de la terre ». On emploie aujourd'hui ce terme
pour désigner les restes d'un microbe, d'une plante
ou d'un animal conservé, plus ou moins modifié, depuis
des milliers ou des millions d'années. La fossilisation
est la transformation en fossile d'un être vivant ou
de ses traces. L'étude des fossiles est la paléontologie,
un mot formé à partir du grec ancien et qui signifie
« science des anciens êtres vivants » (*paleos* : ancien ;
ontos : être vivant ; *logos* : discours, science).

CONSERVATION

Tous les fossiles
ne sont pas
conservés dans
la roche. Des insectes
se font parfois piéger
dans la résine qui coule
sur le tronc de certains
arbres (pins, sapins).
Une fois durcie, celle-
ci peut préserver
les animaux à peu
près intacts pendant
des dizaines de
millions d'années.
De même,
le sol de la
Sibérie reste
gelé toute
l'année et conserve
des cadavres de
mammouths et de
rhinocéros depuis
plusieurs milliers
d'années.

Des raretés

Même lorsque les fossiles sont très abondants sur un site, ils ne représentent
qu'une infime partie des animaux qui ont vécu dans le passé. La fossilisation
est un phénomène rare qui demande des conditions très particulières. S'il n'est
pas rapidement enfoui, même un squelette
de grande taille est peu à peu fragilisé
par le soleil et la pluie, et finalement
transformé en poussière.
Les animaux aquatiques se
conservent plus souvent que
les animaux terrestres et les
grands os résistent mieux
que les petits, ce qui peut
donner une idée fausse
des faunes disparues.

Ce bébé mammouth, surnommé Dima,
a été découvert en Sibérie en 1977. Conservé
dans le sol gelé depuis plus de 10 000 ans,
il est presque intact !

Chantier de fouilles

UN TRAVAIL D'ÉQUIPE

Sur un même site sont réunis plusieurs paléontologues, spécialistes de groupes zoologiques différents. Des géologues étudient les roches afin de connaître le climat et la végétation de l'époque à laquelle vivaient les animaux dont ils trouvent les fossiles. Les sédiments marins peuvent donner des informations sur la température de l'eau ou la présence de courants. Parfois, des palynologues recueillent des échantillons pour étudier les grains de pollen fossiles, très utiles pour identifier les plantes.

Carte géologique du Grand Canyon (États-Unis). Les couleurs indiquent l'âge des roches.

Une mission paléontologique se prépare des mois à l'avance. Pour prospecter un nouveau site, il faut d'abord recueillir toutes les informations nécessaires, puis réunir une équipe complète.

À fleur de sol

Le paléontologue choisit un site de prospection pour des raisons variables. Il peut décider de fouiller systématiquement une zone à la suite de la découverte inattendue d'un fossile intéressant. Il peut également choisir de compléter l'étude géologique d'une région encore mal connue. La première difficulté consiste à trouver des affleurements, c'est-à-dire des endroits où la roche se trouve exposée à l'air libre et non enfouie sous plusieurs mètres de terre. Les carrières et les falaises sont souvent des zones favorables. Les régions désertiques sont également propices car les roches ne sont pas masquées par la végétation.

Où et quand ?

Les paléontologues utilisent des cartes géologiques qui leur donnent des informations sur la nature des roches et sur leur âge. En effet, les fossiles ne sont pas présents partout dans le sous-sol. Les anciennes coulées de lave ou les roches d'origine profonde, comme le granite, n'en contiennent pas, car elles ont été portées à des températures bien trop fortes pour la préservation des fossiles. À l'inverse, les argiles et le sable qui se sont déposés au fond des mers ou des lacs, en sont souvent riches. Il faut aussi tenir compte de l'âge des terrains : ainsi, le spécialiste des dinosaures s'intéressera aux roches qui se sont formées à l'ère secondaire, alors que le chercheur de trilobites prospectera des terrains datant de l'ère primaire.

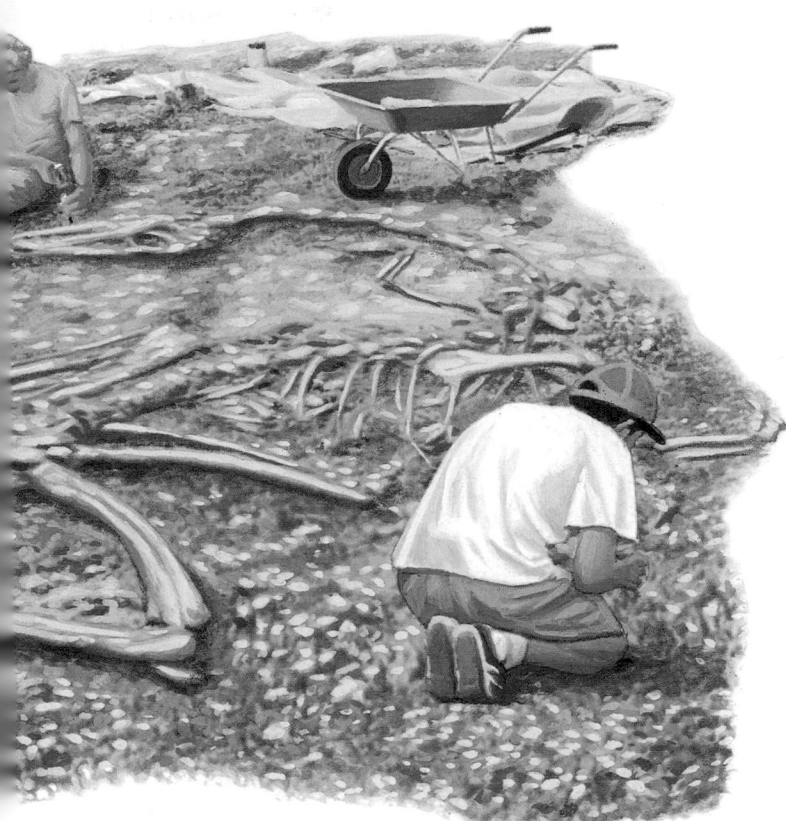

Les carottes sont particulièrement utiles pour étudier les sédiments mous, marins ou d'eau douce.

Recherche

La plupart du temps, les fossiles affleurent à la surface du sol. Mais les chercheurs retirent parfois les couches supérieures avec une pelleteuse ou un marteau piqueur, par exemple lorsque les fossiles sont enfouis en profondeur. Dans certaines roches, ils sont réduits à une empreinte très mince. Pour les trouver, il faut débiter la pierre en lames fines. Dans le cas de petits fossiles dispersés dans du sable, les paléontologues utilisent des tamis. En mer, il faut faire appel à d'autres techniques, comme le carottier : c'est un ensemble de tubes métalliques que l'on enfonce dans le sédiment afin d'en extraire un cylindre, la « carotte ». Cela ne permet pas d'étudier les grands fossiles, mais c'est très utile pour étudier les microfossiles qui se sont déposés de plusieurs dizaines à plusieurs centaines de mètres de profondeur.

FOUILLES DE TIROIRS

Depuis plus de 2 siècles, les chercheurs accumulent les fossiles qu'ils ont découverts au cours de leurs expéditions. Faute de temps, ou parce qu'ils ne correspondent pas à la spécialité du paléontologue qui les a trouvés, certains échantillons ne sont pas étudiés et sont peu à peu oubliés dans les réserves des laboratoires. Des découvertes étonnantes ont ainsi été réalisées dans les tiroirs des muséums !

Le tamisage permet d'isoler des petits fossiles tels que les dents de mammifères.

Découvertes !

Un nouveau fossile vient d'être découvert ! Le vrai travail commence alors, car il faut le dégager de la roche sans l'abîmer. Ce travail minutieux, parfois fastidieux, peut demander plusieurs mois.

Un site de fouille du Crétacé inférieur, en Thaïlande.

Prélèvement de fragments de coquille d'un œuf de dinosaure (Espéraza, France).

Le gisement

Un des chercheurs a trouvé un fragment d'os qui émerge de la roche. Avant de commencer à le dégager, il faut évaluer ses dimensions et sa position. S'agit-il d'un os isolé ou d'un squelette entier ? Est-ce un individu seul ou fait-il partie d'un groupe ? Les réponses à ces questions sont importantes pour éviter d'endommager des pièces qui sont peut-être uniques ! Des sondages effectués sur le gisement permettent de délimiter la surface à prospecter. Au fur et à mesure que les fossiles sont dégagés, un dessinateur situe leur position sur un plan détaillé. Chaque objet découvert est photographié et numéroté avant même d'être extrait de la roche. Toutes ces précautions sont importantes car les opérations de fouilles détruisent définitivement le gisement. Il faut donc préserver le maximum d'informations au cours du travail.

Extraction

Les techniques de fouille dépendent de la nature de la roche et de la taille des fossiles. À mesure que l'on se rapproche, on passe du marteau et du burin à des outils plus précis : aiguille, grattoir et petites brosses dures. Lorsque les pièces sont fragiles, il faut les consolider en les imprégnant de « colle » liquide à chaque étape des opérations de dégagement. Il est parfois nécessaire d'extraire un grand bloc contenant l'ensemble du fossile, qui sera alors totalement dégagé au laboratoire.

Les petits fossiles sont mis en boîte et les plus gros sont protégés par un « emballage » de plâtre. Tous sont soigneusement étiquetés.

L'ÉTIQUETTE

Une étiquette est immédiatement associée au fossile, indiquant sa localisation géographique et sa position dans les couches de terrain. En effet, les fouilles aboutissent parfois à la collecte de plusieurs milliers de pièces qui seront ensuite dispersées dans plusieurs laboratoires. Un fossile mal étiqueté sera impossible à situer et il ne servira plus à grand-chose.

Emballage

En général, les fossiles ne sont pas étudiés sur le chantier. Après une observation rapide, les petits sont mis en sachet ou dans des boîtes, enveloppés de coton ou de papier journal. Les grosses pièces sont consolidées à l'aide de bandelettes de plâtre ou de coques plastiques moulées sur place. Lorsque les vibrations dues aux outils risquent de les abîmer, on met en place ces protections avant même le dégagement complet des fossiles. Si ce travail d'extraction n'est pas suffisamment soigneux, des informations importantes risquent d'être perdues.

Sur ce site du Montana (États-Unis), les fossiles étaient si fragiles qu'il fallait les entourer de bandes de plâtre au fur et à mesure du travail d'extraction.

Deuxième naissance

À la fin du chantier de fouilles, l'essentiel reste à faire… au laboratoire. Il ne s'agit pas seulement de nettoyer convenablement les fossiles, mais aussi d'identifier les animaux et, pour ceux qui seraient encore inconnus, de reconstituer leur anatomie et leur mode de vie. Pour des espèces disparues depuis des millions d'années, c'est presque une deuxième naissance !

LES MÉTAMORPHOSES DE L'IGUANODON

Lors des premières tentatives de représentation de l'iguanodon, vers 1830, les naturalistes l'ont considéré comme un animal quadrupède pourvu d'une corne sur le museau. À la suite de la découverte de plusieurs squelettes complets, ils ont constaté que ce dinosaure possédait 2 « cornes » qui étaient en fait ses pouces ! D'après les dimensions des membres, ils ont estimé qu'il se tenait plutôt comme un kangourou, en appui sur ses pattes postérieures et sa queue. Un siècle après, des études plus précises ont montré qu'il se déplaçait probablement à 4 pattes, mais pouvait facilement se dresser sur ses membres postérieurs.

Marrella, un arthropode primitif de 2 cm de long parfaitement préservé (Canada, – 520 millions d'années).

Nettoyage

Au laboratoire, le paléontologue retire avec précaution la coque de protection du fossile. Il achève de le dégager au moyen de petits burins, d'aiguilles ou de grattoirs en acier, en faisant attention à ne pas le toucher. Il utilise aussi des fraises de dentiste. Le sédiment peut également être dissous au moyen d'un acide, si celui-ci n'attaque pas le fossile. Les paléontologues font parfois appel à des techniques plus fines telles que des cuves à ultrasons.

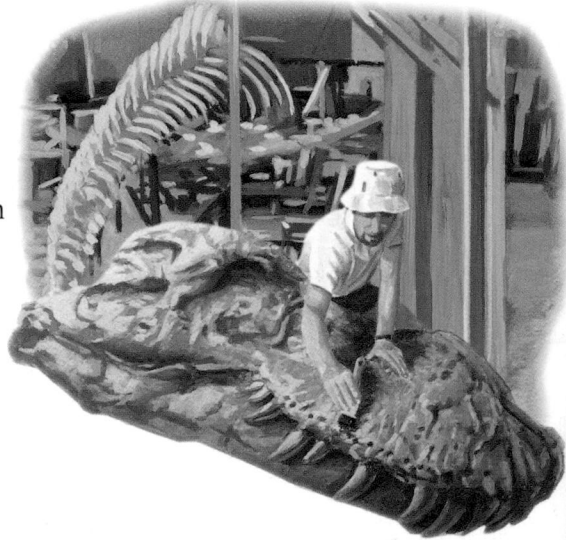

Sous la loupe

Le chercheur peut alors commencer la description détaillée de l'animal. Il s'agit de le situer par rapport à ceux déjà connus, fossiles ou actuels. Selon sa taille, il peut être nécessaire d'observer des détails à la loupe ou au microscope. Il est possible de révéler des organes cachés dans la roche en utilisant d'autres techniques d'observation : scanner, radiographie, lumière ultraviolette, etc. Le paléontologue complète son analyse en dessinant l'animal, en partie ou en totalité. Il pourra alors communiquer sa découverte à l'ensemble de la communauté scientifique en publiant un article dans une revue spécialisée.

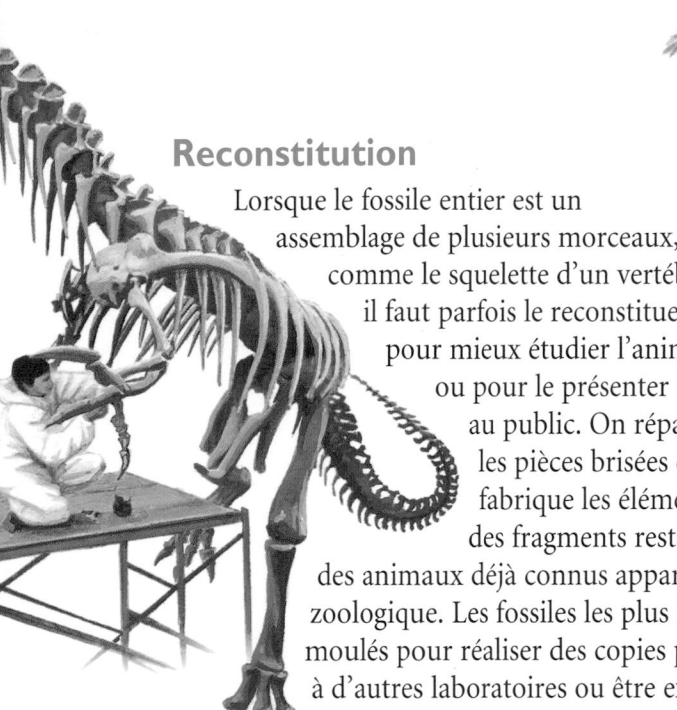

Reconstitution

Lorsque le fossile entier est un assemblage de plusieurs morceaux, comme le squelette d'un vertébré, il faut parfois le reconstituer pour mieux étudier l'animal ou pour le présenter au public. On répare les pièces brisées et on fabrique les éléments manquants en s'aidant des fragments restants, ou en s'inspirant des animaux déjà connus appartenant au même groupe zoologique. Les fossiles les plus intéressants sont parfois moulés pour réaliser des copies pouvant être envoyées à d'autres laboratoires ou être exposées dans les musées.

Page de gauche, l'Iguanodon imaginé en 1830, avec sa corne nasale.
Ci-dessus, la vision « moderne » du même animal.

Une nouvelle peau

Quand il s'agit d'un grand vertébré, par exemple un dinosaure, l'examen des os donne des informations sur la posture de l'animal. Les cartilages des articulations et les tendons des muscles ont laissé des empreintes sur les os. Leur surface et leur disposition permettent de se représenter la structure des muscles et le type de mouvements que pouvait effectuer l'animal. Toutes ces informations sont utilisées pour des analyses informatiques ou pour la réalisation de sculptures. Les reconstitutions peuvent évidemment être remises en cause par de nouvelles découvertes !

Dans cet atelier sont fabriqués les moulages de fossiles de dinosaures qui seront présentés au public. Ces espèces proviennent de Chine et du Canada.

Climat et milieu

– 400 millions d'années

LAURUSSIA

GONDWANA

– 250 millions d'années

PANGÉE

– 100 millions d'années

LAURASIE

GONDWANA

– 60 millions d'années

Présent

Lors des fouilles, les chercheurs recueillent des indices sur le milieu dans lequel vivaient les animaux, sur leur comportement et sur les relations entre les espèces. Avec ces éléments, ils tentent de reconstituer des mondes disparus.

Traces et débris

Les paléontologues ne se contentent pas de collecter les quelques « beaux » fossiles qu'ils peuvent trouver, les plus complets ou les mieux conservés. Lorsqu'une espèce est représentée par un grand nombre de fossiles, cela permet d'estimer sa variabilité ou d'étudier sa croissance. Certains événements ont laissé des traces sur les restes des animaux : morsures de prédateurs, maladies, stries d'usure sur les dents. Certains débris moins esthétiques sont pourtant très utiles : contenus fossilisés des estomacs, éléments non digérés trouvés dans les excréments fossiles… Tous ces indices permettent d'imaginer le comportement des animaux et de reconstituer les chaînes alimentaires.

Un puzzle en mouvement

Un des objectifs de la paléontologie est de comprendre comment les animaux ont évolué tout au long de l'histoire de notre planète. Pour cela, il faut comparer les espèces qui se succèdent au cours du temps et connaître leur répartition à la surface de la Terre. Or, les continents n'ont pas toujours eu la même forme qu'aujourd'hui. Ils se sont parfois fracturés en plusieurs « plaques », qui se sont lentement séparées. Les faunes ainsi isolées ont alors évolué de façon distincte. Au contraire, lorsque deux plaques entraient à nouveau en contact, les animaux pouvaient coloniser des espaces neufs. Les paléontologues ont donc besoin d'informations provenant d'autres disciplines scientifiques, comme la géophysique, qui étudie le mécanisme de déplacement des continents (la « tectonique des plaques »).

RONGEURS RÉVÉLATEURS

Les petits mammifères comme les rongeurs ou les musaraignes sont facilement identifiables à leurs dents. Ils donnent de précieuses informations sur l'environnement, car les espèces sont très spécialisées et se déplacent peu. Certaines d'entre elles sont par exemple caractéristiques de milieux ouverts (prairies), alors que d'autres signalent la présence d'une forêt. Les grands animaux sont plus mobiles et peuvent facilement passer d'un type d'environnement à un autre. Ils sont donc moins utiles pour reconstituer les paysages anciens.

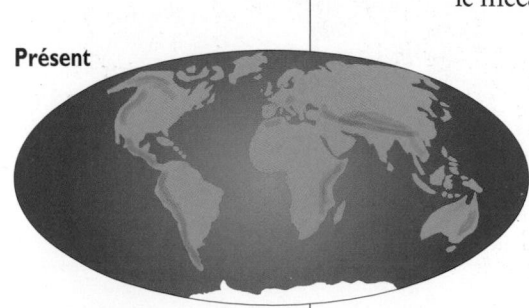

Paléo environnements

Pour reconstituer l'environnement dans lequel vivaient les animaux de la préhistoire, les chercheurs examinent l'ensemble des fossiles qu'ils trouvent sur un site. Un animal isolé ne donne pas des informations très sûres : même si on le compare à ses parents actuels, les préférences écologiques de sa famille ont pu changer au cours du temps. En revanche, avec l'ensemble des espèces, le risque de se tromper est moindre. Pour les fossiles marins, cette comparaison permet aussi d'estimer la profondeur de l'eau, car les faunes d'eau profonde sont en général différentes de celles qui vivent près du littoral. Les chercheurs examinent également les plantes fossiles qui fournissent des indications sur le climat qui régnait à l'époque.

Foraminifères marins observés au microscope électronique.

Les rides de sable caractéristiques d'une plage ont été fossilisées. Cette roche montre que la région était située au bord de la mer.

FORAMINIFÈRES THERMOMÈTRES

L'analyse chimique des fossiles de foraminifères, minuscules animaux marins, est très utile pour l'étude des anciens climats. En effet, les atomes d'oxygène qu'ils contiennent existent sous 2 formes différentes, que l'on peut distinguer avec un spectromètre. Les proportions de ces 2 types d'oxygène indiquent la température moyenne des océans à l'époque où vivaient ces animaux. On peut ainsi retracer les variations globales du climat au cours de plusieurs millions d'années.

Les cousins

La seule observation des fossiles est insuffisante pour connaître le comportement des animaux disparus. Les paléontologues essaient souvent de les comparer aux espèces actuelles, mais ce n'est pas toujours possible.

Conodontes reconstitués et l'enigmatique fossile.

ÉNIGME

Pendant 150 ans, on s'est interrogé sur de minuscules fossiles, les conodontes. Ils ne ressemblaient à rien de connu mais étaient très utiles pour dater les terrains de l'ère primaire. En 1983, un fossile entier fut découvert (dans les collections du musée d'Édimbourg !). Il s'agissait d'un vertébré primitif, portant dans la bouche les fameux conodontes qui servaient probablement à renforcer les branchies et à filtrer la nourriture.

Le ventre en l'air

Le squelette d'un mammouth est similaire à celui d'un éléphant d'aujourd'hui. Il est donc assez facile d'imaginer la façon dont cet animal se déplaçait et se nourrissait, même s'il vivait dans un environnement très différent. Mais certains animaux fossiles n'ont pas le moindre parent vivant. C'est le cas d'une espèce qui vivait il y a plus de 500 millions d'années, un animal si étrange qu'il a été nommé *Hallucigenia* ! Selon sa première description,

Hallucigenia.

il se déplaçait sur des sortes d'échasses et portait des tentacules sur le dos. Puis une dissection sous la loupe a révélé que cet animal de 2 mm de long possédait deux rangées de tentacules. On le représente aujourd'hui dans le sens inverse, les épines étant probablement des protections et non des pattes.

Un cousin pour les ammonites

Les ammonites étaient des mollusques marins qui vivaient à l'ère secondaire. Elles ont disparu depuis 65 millions d'années. L'examen des fossiles ne permet pas de savoir à quoi ressemblait l'animal vivant et comment il se comportait. Cependant, il existe encore un parent des ammonites, le nautile,

Nautile actuel.

Ammonite fossile.

La structure de leurs coquilles révèle l'existence d'une proche parenté entre nautiles et ammonites.

un animal assez rare confiné dans quelques zones de l'océan Pacifique. Ce mollusque est apparenté aux pieuvres et aux seiches. Comme elles, il capture ses proies avec des tentacules munis de ventouses. Il se déplace au moyen d'un siphon, une sorte de tuyau souple par lequel il projette de l'eau. Les paléontologues supposent donc que les ammonites possédaient des tentacules et se déplaçaient également à l'aide d'un siphon.

Imaginer l'inconnu

Lors de leur découverte, les dinosaures ont d'abord été représentés comme des lézards ou des iguanes géants, puisqu'on supposait qu'ils leur étaient apparentés. Mais contrairement aux reptiles actuels, ils ne rampent pas, car leurs membres sont situés sous leur corps et non sur les côtés. De plus, la différence d'échelle rend impossible toute comparaison sérieuse. Finalement, les paléontologues ont préféré les comparer à des animaux appartenant à d'autres groupes zoologiques, mais dont la forme et le mode de vie étaient plus proches des leurs. C'est ainsi que l'éléphant sert de modèle pour le déplacement des grands dinosaures quadrupèdes.

Au milieu du XIXᵉ siècle, les fossiles étaient trop peu nombreux pour donner une image précise des dinosaures.

Iguane actuel.

L'autruche a servi de modèle pour la reconstitution de certains dinosaures dont le squelette ressemble beaucoup à celui des oiseaux coureurs. Cette comparaison est d'autant plus réaliste que les oiseaux sont étroitement apparentés aux dinosaures.

Au fond du temps

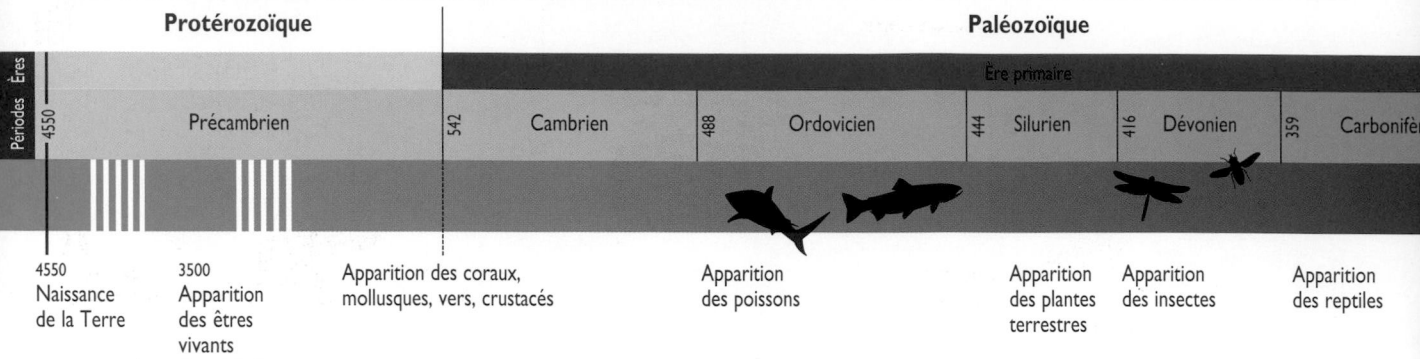

	Protérozoïque		Paléozoïque				
Ères			Ère primaire				
Périodes	Précambrien	Cambrien	Ordovicien	Silurien	Dévonien	Carbonifèr
4550		542	488	444	416	359

4550
Naissance
de la Terre

3500
Apparition
des êtres
vivants
(bactéries)

Apparition des coraux,
mollusques, vers, crustacés

Apparition
des poissons

Apparition
des plantes
terrestres

Apparition
des insectes

Apparition
des reptiles

ÉCHELLE DES TEMPS GÉOLOGIQUES ET ZOOLOGIQUES (en millions d'années).

Quel est l'âge de la Terre ? Quand les dinosaures ont-ils disparu ? Lequel de ces deux fossiles est le plus ancien ? Le temps est l'une des grandes difficultés de la paléontologie ! Les chercheurs disposent aujourd'hui d'une panoplie d'horloges géologiques.

DE POTASSIUM EN ARGON

Le potassium est un élément présent dans de nombreuses roches. Il existe sous plusieurs formes, dont l'une, le potassium 40 (ou ^{40}K) est radioactive. Lorsqu'un atome de ^{40}K se désintègre, il se transforme en argon (^{40}Ar). La moitié du ^{40}K se désintègre en 1,25 milliards d'années. La proportion de ces 2 éléments dans la roche permet donc de connaître son âge. Cette méthode, dite du potassium-argon, s'emploie pour déterminer la datation des roches volcaniques entre 10 et 100 millions d'années, par exemple pour estimer l'âge de fossiles situés entre 2 coulées volcaniques que l'on sait dater.

La montagne Sainte-Victoire est formée d'un empilement de strates calcaires. Les plus anciennes sont situées à la base.

Temps relatif

Lorsque du sable ou de l'argile se dépose au fond d'un lac, les couches les plus récentes se situent au-dessus des plus anciennes. Dans certains cas, du fait des mouvements de l'écorce terrestre, des roches plus anciennes peuvent venir en recouvrir de plus récentes, mais en général, plus les roches sont profondes, plus les fossiles que l'on y trouve sont anciens. On dispose ainsi d'une échelle de temps « relative » qui permet de classer les animaux selon leur ordre d'apparition, mais qui ne donne aucune information sur l'âge réel des fossiles.

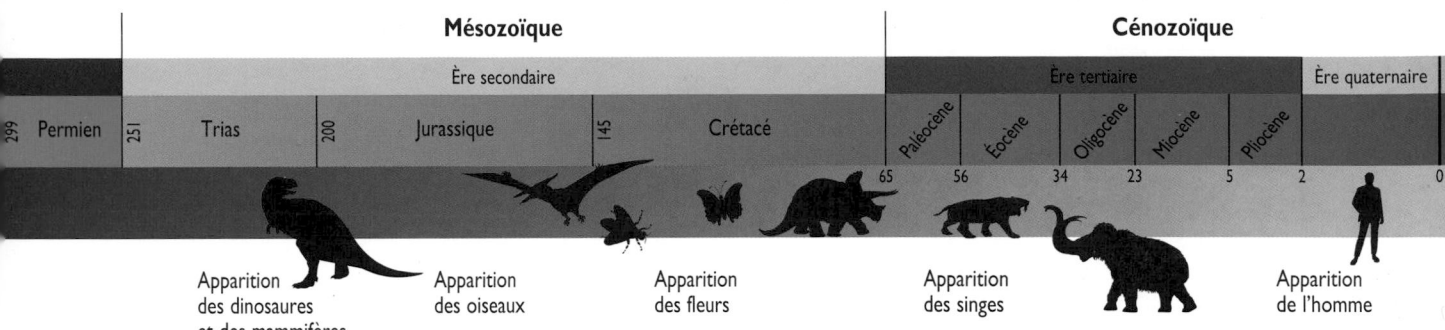

Mésozoïque   **Cénozoïque**

Ère secondaire   Ère tertiaire   Ère quaternaire

299 Permien	251 Trias	200 Jurassique	145 Crétacé	Paléocène	Éocène	Oligocène	Miocène	Pliocène	
			65	56	34	23	5	2	0

Apparition des dinosaures et des mammifères   Apparition des oiseaux   Apparition des fleurs   Apparition des singes   Apparition de l'homme

Calendrier fossile

Pendant très longtemps, les paléontologues n'ont pas pu dater les roches. Ils utilisaient les fossiles pour les situer les unes par rapport aux autres. Certains animaux marins ont vécu dans le monde entier et pendant une courte période. Les roches dans lesquelles se trouvent leurs fossiles ont le même âge, quel que soit leur pays d'origine. Les naturalistes du XIXe siècle ont ainsi nommé les époques du passé de la Terre en fonction des fossiles qu'ils y découvraient.

Des chronomètres radioactifs

La plupart des roches et des fossiles contiennent des quantités infimes d'éléments radioactifs qui se transforment peu à peu en se désintégrant. Les proportions des différents éléments ou les traces des désintégrations permettent de dater le moment de la formation de ces roches. On connaît alors leur âge « absolu », c'est-à-dire leur âge réel, avec plus ou moins de précision selon la méthode employée. L'uranium, le strontium et le potassium sont le plus souvent utilisés pour les périodes les plus anciennes, et le carbone 14 pour les périodes récentes (moins de 50 000 ans). Les paléontologues disposent de plusieurs techniques qu'ils choisissent en fonction de la roche et de la période qu'ils étudient.

LES DIFFÉRENTES ÉCHELLES DE DATATION (en millions d'années).

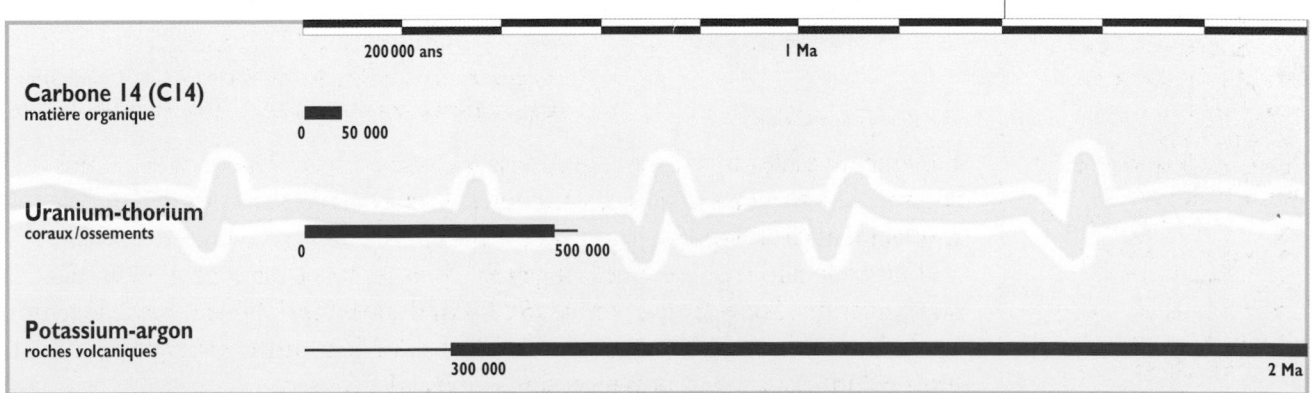

	200 000 ans	1 Ma

Carbone 14 (C14) matière organique
0   50 000

Uranium-thorium coraux/ossements
0   500 000

Potassium-argon roches volcaniques
300 000   2 Ma

La naissance de la préhistoire

Malgré son étendue de plusieurs milliards d'années, la préhistoire n'existe pas depuis très longtemps ! Les hommes ont d'abord dû admettre que le monde n'est pas aussi stable qu'on pourrait le croire et qu'il a subi des changements prodigieux au cours de périodes d'une durée presque inimaginable. Lorsque les fossiles ont été reconnus comme les témoins du passé de la Terre, les naturalistes ont pu commencer à écrire la préhistoire de notre planète.

Entre science et religion

D'après Pline (Ier siècle ap. J.-C.), les glossopètres (en grec, « langues de pierre ») tombaient du ciel lors des éclipses de lune. Il s'agissait en réalité de dents de requins fossiles.

Il nous semble aujourd'hui évident que les fossiles sont les restes d'anciens animaux transformés en pierre. Cette « évidence » suppose pourtant des connaissances qui n'ont été acquises que récemment dans l'histoire des sciences. Pendant des siècles, les hommes se sont interrogés sur ces étranges figures prises dans la roche.

Les jeux de la Terre

Certains philosophes de l'Antiquité ont déjà l'intuition de ce que sont réellement les fossiles. Dès le VIe siècle av. J.-C., Anaximandre affirme qu'il s'agit des restes d'animaux déposés par la mer à une époque très ancienne et transformés en pierre au cours du temps. Mais tous ne partagent pas ce point de vue. Aristote, au IVe siècle av. J.-C., pense que c'est la terre elle-même qui les produit sous l'effet d'une force interne. Comme les fossiles sont souvent très différents des animaux actuels, ils sont considérés comme des « jeux » de la nature, des pierres qui ont par hasard pris des formes animales.

Pendant l'Antiquité, des marins trouvent sur les îles de Méditerranée des crânes énormes et percés d'un trou central. Ils sont considérés comme les restes des Cyclopes, des géants munis d'un œil unique. Ce sont en fait des crânes d'éléphants nains, une espèce disparue depuis quelques milliers d'années.

Savants surveillés

Jusqu'à la fin du Moyen Âge, les idées d'Aristote ne sont pas remises en question. Elles sont en effet acceptables pour l'Église, qui surveille avec vigilance les écrits des savants sur l'origine du monde. Seules sont admises les opinions qui ne contredisent pas les textes bibliques, considérés comme le récit d'événements réels. Selon la Bible, la Terre et tous les êtres vivants ont été créés par Dieu, à une date fixée par certains théologiens à 6 000 ans av. J.-C. Cette création étant parfaite, il est impensable d'imaginer que des espèces aient disparu, d'autant plus que la Bible ne raconte aucune extinction. Toute contestation risque alors d'être considérée comme une hérésie et de mener le savant trop curieux sur le bûcher.

**Pour Bernard Palissy
(1510-1589), le Déluge
ne paraît pas une
explication suffisante.
Les fossiles de poissons
pourraient ainsi être
les restes d'une espèce
victime d'une pêche
trop intense.**

Naissance du passé

La Bible offre tout de même une interprétation : les fossiles seraient les traces
du Déluge, une inondation qui a provoqué la mort de la presque totalité des êtres
vivants. Cette « explication » bloque en fait la recherche car elle suppose un
événement unique et qui se serait produit il y a fort peu de temps. De plus,
elle laisse de côté la question des espèces
inconnues. Le naturaliste Buffon
(1707-1788) intervient dans ce débat
d'une façon indirecte mais importante.
Comme il suppose que la Terre s'est
formée à partir d'une masse de roche
en fusion, il cherche à calculer son âge
en mesurant la durée de refroidissement
de globes de métal chauffés à blanc. Ses
premières estimations sont de plusieurs
millions d'années, mais craignant la
réaction de l'Église, il propose une
durée de 75 000 ans. C'est encore peu,
mais la Terre a enfin un passé.

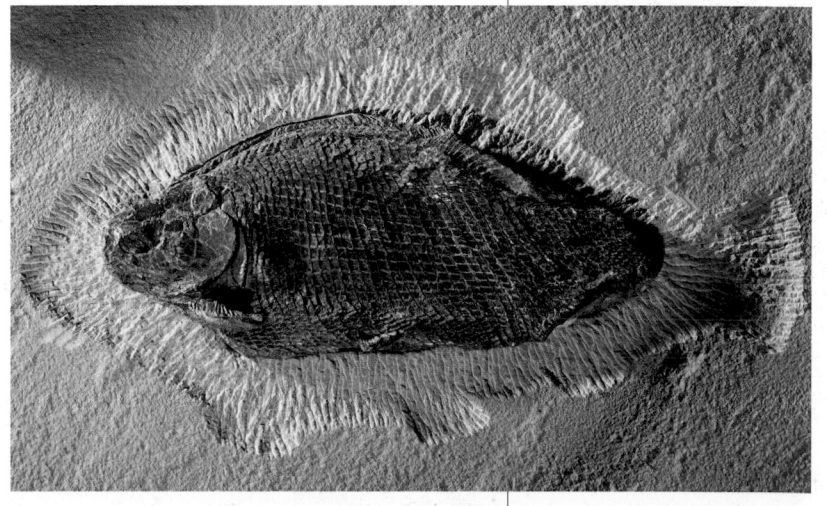

Reconstitution
du mosasaure,
un reptile marin
de l'ère secondaire,
décrit par Cuvier.

Catastrophes

Au XIVᵉ siècle , plus de doute, les fossiles sont les restes d'animaux dont les espèces n'existent plus. Mais cela fait surgir de nouvelles questions. Comment ces animaux ont-ils disparu ? Et les espèces fossiles ont-elles des liens de parenté avec les espèces actuelles ?

Anatomie comparée

Les naturalistes ne peuvent souvent étudier que des fragments de fossiles. Les squelettes sont incomplets, brisés, parfois mélangés. Le zoologiste Georges Cuvier (1769-1832) fonde une nouvelle discipline, l'anatomie comparée. Il montre que les espèces actuelles ou fossiles ne sont pas construites n'importe comment. Un animal avec un crâne et des dents de lion ne peut pas avoir de sabots : il doit posséder des griffes pour saisir ses proies et des articulations lui permettant de courir pour les poursuivre. Appliquant ses principes aux fossiles, il reconstitue des centaines de squelettes avec une grande rigueur.

Cuvier est l'un des plus importants naturalistes du XIXᵉ siècle.

Cachalot ou varan ?

Vers 1770, un fossile étrange est découvert dans une carrière de Maastricht (Pays-Bas). Le « grand animal de Maastricht » est d'abord pris pour un cachalot puis considéré comme une sorte de crocodile. En 1808, Cuvier en fait une analyse précise et le décrit comme un varan marin géant, qui ne ressemble à aucun animal actuel. Ce fossile sera par la suite nommé mosasaure (« reptile de la Meuse »). Cuvier confirme ainsi que de nombreuses espèces n'ont plus aucun équivalent dans la faune actuelle et qu'il s'agit donc d'espèces disparues.

Ce fossile de sarigue trouvé dans une carrière proche de Paris a fourni à Cuvier la preuve que des marsupiaux avaient vécu en Europe dans un passé reculé.

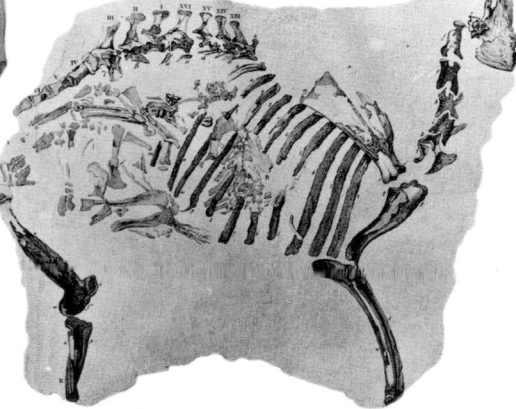

Fossile de paléothérium. Pour Cuvier, cet animal aujourd'hui inconnu était l'une des espèces disparues lors d'une « révolution » du globe.

Catastrophes !

Les géologues se rendent compte que ces animaux inconnus n'ont pas tous vécu à la même époque. Les roches qui enfermaient le mosasaure ne contiennent aucun mammifère, alors que les terrains situés au-dessus en sont riches. Cuvier a bien conscience qu'ils n'ont pas pu tous périr en même temps lors d'un unique Déluge. Il suppose alors que la surface de la Terre a plusieurs fois subi des « révolutions », c'est-à-dire des événements catastrophiques qui ont bouleversé les continents et englouti des faunes entières. Après chaque catastrophe, de nouvelles espèces sont apparues. Mais de nombreux géologues préfèrent s'en tenir aux « causes actuelles ». Pour expliquer l'histoire de la Terre, ils ne retiennent que des phénomènes réels, tels qu'on peut les observer aujourd'hui.

Fixes

Autre point de désaccord, le « fixisme » de Cuvier. Celui-ci considère en effet que les espèces, une fois créées, ne se transforment pas mais restent « fixes » jusqu'à ce qu'une catastrophe universelle provoque leur extinction. D'autres naturalistes pensent au contraire que les animaux se transforment au cours du temps. Mais Cuvier est un personnage important dans la société française de cette époque et pèse de tout son poids sur le milieu scientifique. Quant au grand public, il se passionne pour ces catastrophes qui lui paraissent si romantiques !

LES 27 RÉVOLUTIONS

Après la mort de Cuvier, les idées catastrophistes persistent quelque temps, mais avec les progrès de la géologie, l'histoire de la Terre semble de plus en plus complexe. Vers 1850, Alcide d'Orbigny dénombre ainsi 27 catastrophes et autant de créations successives ! Cette théorie est alors peu à peu abandonnée. Ce n'est qu'à la fin du XXe siècle qu'elle réapparaît sous une nouvelle forme, avec l'hypothèse d'une météorite géante responsable de la disparition des dinosaures.

Cuvier avait comparé l'ibis actuel aux momies d'ibis trouvées en Égypte. N'observant aucune différence entre eux, il concluait que l'ibis n'avait pas évolué. En fait, il s'était écoulé trop peu de temps pour cela.

Des ancêtres dans la roche

Tout au long du XIXᵉ siècle, une idée nouvelle parcourt le monde scientifique. D'abord laissée de côté faute de preuves, elle se renforce peu à peu grâce à l'accumulation des observations et des découvertes. Elle finit par apparaître au grand jour devant la société tout entière : la théorie de l'évolution vient de naître. Les fossiles ne sont plus seulement des espèces disparues : ils sont les ancêtres des animaux actuels et les nôtres !

Lamarck est l'un des premiers à exposer publiquement l'idée d'évolution (le « transformisme »), mais ses explications ne convainquent pas les autres naturalistes.

Darwin propose un mécanisme pour expliquer l'évolution des espèces : la sélection naturelle.

Lamarck

Lamarck (1744-1829), collègue de Cuvier au Muséum d'histoire naturelle, étudie les invertébrés fossiles, notamment les mollusques. Leurs coquilles ne semblent pas confirmer les idées catastrophistes de Cuvier. Elles montrent des changements progressifs au cours du temps, sans rupture ni remplacement d'une faune par une autre. Plus elles sont récentes, plus elles ressemblent aux coquilles actuelles. Contrairement à Cuvier, Lamarck considère que les fossiles représentent les ancêtres des animaux actuels et que les espèces subissent des transformations au cours du temps.

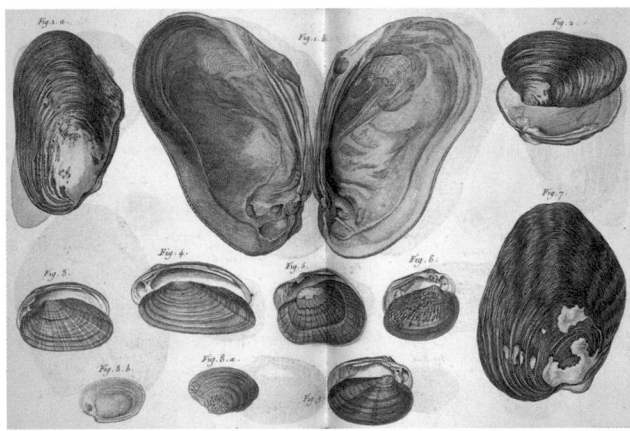

Fossiles de mollusques décrits par Lamarck.

Darwin

En 1831, Charles Darwin (1809-1882) embarque à bord du *Beagle*, un navire qui part pour un voyage d'exploration de 5 ans. À son retour en Angleterre, le jeune naturaliste publie un récit de son tour du monde, puis cherche à étayer les théories qu'il a commencé à développer au cours de son voyage. Pendant 23 ans, il accumule les données concernant l'histoire des animaux et des végétaux. En 1859, il publie *L'Origine des espèces,* un livre dans lequel il expose ce qui deviendra la base de la théorie de l'évolution. Il explique notamment comment les espèces se transforment sous l'action de la sélection naturelle.

Fossile de glyptodonte. Apparenté aux tatous, il vivait en Amérique du Sud, il y a 2 millions d'années.

Tatou actuel.

Les fossiles, preuves de l'évolution

En Angleterre, le livre de Darwin provoque un scandale énorme. Même si l'auteur ne cite pas notre propre espèce, le public ne s'y trompe pas : d'après Darwin, l'homme descend d'un singe ! C'est inacceptable pour les esprits les plus marqués par la religion, mais Darwin convainc peu à peu la plupart des naturalistes. Ses idées se répandent partout en Europe puis dans le monde entier. Les paléontologues commencent à chercher les relations de parenté entre les espèces. Leur discipline devient un des piliers de la théorie de l'évolution, car seuls les fossiles permettent de se faire une image des anciennes faunes qui ont peuplé notre planète.

UN DOUBLE SCANDALE

Dans *La filiation de l'homme et la sélection liée au sexe*, Darwin poursuit son travail et montre la parenté de notre espèce avec les autres animaux. Il rompt donc totalement avec l'histoire biblique de la création de l'Homme. Ce n'est pas la seule cause de l'opposition des milieux religieux. En effet, selon sa théorie, l'évolution se fait au hasard, en fonction des contraintes de l'environnement des espèces, mais sans but préétabli. Pour ses opposants, cela signifie qu'il nie toute intervention divine dans la marche du monde.

Fossile de *Megatherium*. Apparenté aux paresseux, il était bien plus grand et vivait à terre (Amérique du Sud, – 35 millions d'années jusqu'à – 10 000 ans)

Paresseux actuel. Pour Darwin, la présence des tatous et des paressseux en Amérique du Sud est l'une des preuves de leurs liens de parenté avec les espèces géantes qu'il avait pu observer au cours de son voyage.

L'invention des dinosaures

Gideon Mantell décrivait soigneusement les fossiles qu'il découvrait dans la campagne anglaise. Il avait bien reconnu la nature reptilienne des dents de l'iguanodon.

Alors que les débats font rage sur l'histoire de la Vie et de la Terre, des géologues et des amateurs scrutent le sol à la recherche des fossiles. Quelques os surprenants, et les dinosaures sortent de terre !

Dans la campagne anglaise

En 1824, William Buckland (1784-1856), un naturaliste anglais qui enseigne la géologie à l'université d'Oxford, décrit une mandibule et quelques os. Il nomme l'ensemble *Megalosaurus*, c'est-à-dire « grand lézard », car il pense que ces os appartiennent à un varan géant. À la même époque, Gideon Mantell (1790-1852), médecin et paléontologue amateur, étudie de grosses dents ramassées par sa femme sur un tas de pierres. Il leur trouve une ressemblance avec des dents d'iguane et appelle l'animal *Iguanodon* (« dent d'iguane »). *Megalosaurus* et *Iguanodon* sont considérés comme deux reptiles géants mais ne sont pas encore des dinosaures.

Son activité de pasteur laissait à William Buckland le temps de se consacrer à sa passion, les fossiles.

DINOSAURES OU DRAGONS ?

Les dinosaures font rêver : gigantesques et terrifiants, mais heureusement inoffensifs ! Ils rappellent les histoires de dragons que l'on raconte partout, de la Chine à l'Europe. Pourtant, il s'est écoulé 63 millions d'années entre la mort du dernier dinosaure et les premiers pas du premier homme. Ils ne se sont donc jamais rencontrés ! Bien avant l'invention des dinosaures, de nombreux os de grande taille ont été découverts en Europe. Selon les régions, ils ont été attribués à des saints, à des géants, à des rois mythiques… ou à des dragons !

Reconstitution de *Megalosaurus* et un fragment de mâchoire. Aujourd'hui encore, on ne sait pas grand-chose de ce grand carnivore qui hantait les rivages européens au Jurassique.

Dino Park

C'est l'anatomiste anglais Richard Owen (1804-1892) qui réunit ces animaux et quelques autres dans un nouveau groupe zoologique, différent des lézards. En 1842, il les baptise dinosaures (« reptiles terrifiants »). Même si aucun squelette entier n'a encore été trouvé, la taille des dents et des os isolés montre qu'ils mesurent plus de 10 m de long. Owen fait réaliser des reconstitutions grandeur nature à un sculpteur, et les expose à Londres dans le parc du Crystal Palace. Ce premier « parc préhistorique » connaît un grand succès. Les animaux ont cependant des allures de rhinocéros ou de varans géants, car Owen suppose que les dinosaures sont quadrupèdes.

Les sculptures du Crystal Palace. Aux côtés des dinosaures, on reconnaît des ptérosaures et des plésiosaures, des reptiles fossiles qui venaient également d'être découverts.

Le troupeau d'iguanodons de Bernissart, exposé à Bruxelles (Belgique).

Enfin complets

Le premier squelette presque complet est un hadrosaure, trouvé en 1858 dans le New Jersey (États-Unis). Il apparaît alors que ce parent de l'iguanodon est un animal bipède et non quadrupède. Il est monté en position de vie et exposé à New York en 1868. Dix ans plus tard, les mineurs du puits de Bernissart, en Belgique, découvrent des os énormes enfouis dans une couche d'argile, à 322 m de profondeur. Les ingénieurs de la mine font appel à des géologues qui identifient les squelettes grâce à leurs dents. Après plusieurs mois de travail, plusieurs dizaines d'individus sont extraits de la mine, dont certains sont pratiquement entiers. Un premier iguanodon est monté en position bipède et exposé au public. À l'occasion, on remet sa corne nasale à sa vraie place, celle du pouce !

La course à l'os

Banquet dans un iguanodon au Crystal Palace, vers 1854. Les dinosaures nous fascinent depuis plus de 150 ans !

Edward D. Cope.

Othniel C. Marsch (au centre en haut) et son équipe. Parmi leurs outils, des pelles et... des fusils !

À la fin du XIXᵉ siècle, les dinosaures, les mammouths, les paresseux géants exercent une véritable fascination pour le grand public. Les foules se pressent dans les expositions qui présentent leurs squelettes et les chercheurs de fossiles se multiplient.

Paléo duel

Si les premiers dinosaures ont été trouvés en Europe, c'est en Amérique que la course à l'os prend une envergure énorme. De 1870 à 1900, la paléontologie américaine est marquée par la rivalité de deux chercheurs, Edward D. Cope et Othniel C. Marsh. Ces paléontologues commencent à travailler ensemble mais entrent, par la suite, en concurrence. Dès qu'un site intéressant est signalé, ils montent des expéditions de recherche avec des équipes de fouilleurs, parfois armés ! Chacun tentant de surpasser l'autre, les deux chercheurs d'os décrivent des centaines d'espèces de poissons, de mammifères et surtout de dinosaures. Les espèces les plus célèbres, telles que les diplodocus ou les tricératops, sont les témoins de cette rivalité.

Le géant africain

En 1907, des fossiles sont découverts en Tanzanie (qui était alors une colonie allemande). Comme chaque pays tient à posséder ses propres dinosaures, le muséum de Berlin n'a pas de mal à financer une énorme expédition. De 1909 à 1912, des paléontologues et des ingénieurs organisent plusieurs campagnes de fouilles sur le site de Tandaguru. Ils embauchent les centaines d'ouvriers indispensables pour creuser les trous, préparer les os et les porter. Il faut quatre jours de marche pour arriver au port où ils sont embarqués pour l'Allemagne. Le montage du brachiosaure, à partir de plusieurs squelettes différents, demandera ensuite 20 ans de travail. C'est encore aujourd'hui le plus grand squelette complet : il mesure presque 12 m de haut et 23 m de long.

Voitures et chameaux

Au début du XXᵉ siècle, de nombreux paléontologues sont convaincus que l'homme est apparu en Asie. En 1922, le Muséum américain d'histoire naturelle organise une expédition en Mongolie avec pour objectif principal de trouver des fossiles de nos ancêtres. Une caravane de 8 voitures à chenilles et 150 chameaux traverse la Chine et la Mongolie, en passant par le désert de Gobi. L'expédition ne trouve aucun fossile humain, mais à côté de quelques minuscules mammifères, elle découvre les premiers nids de dinosaures, ainsi que de nombreuses espèces telles que *Protoceratops*, *Oviraptor* ou *Velociraptor*.

Gertie, le premier dino animé.

DINOMANIA

La mode des dinosaures ne date pas d'hier ! Le premier film présentant des dinosaures est *Gertie le dinosaure*, un dessin animé réalisé en en 1912 aux États-Unis. La plupart des pays ont gravé des timbres à l'effigie des dinosaures. Aux États-Unis, des écoles d'art appliqué sont consacrées à la représentation de ces grands reptiles et à la production d'objets en forme de tyrannosaures ou de diplodocus.

Les découvreurs d'aujourd'hui

Aujourd'hui, les paléontologues prospectent le monde entier et ne sont arrêtés que par les guerres et le manque de crédits de recherche. Une découverte spectaculaire fait parfois sortir de l'ombre leur activité, mais la préhistoire ne se réduit pas aux dinosaures !

Les géants

En Patagonie (Argentine), des os de dinosaures gigantesques ont été découverts à plusieurs reprises. Il ne s'agit que d'os isolés, mais leur taille laisse supposer que les animaux dépassaient largement la taille des plus grandes espèces connues. Au Baloutchistan (Pakistan), c'est un gigantesque cousin des rhinocéros, le balouchithérium, qui est récemment sorti de terre.

Reconstitution du balouchithérium.

CHOIX DE CHERCHEURS

Les dinosaures, les mammouths ou les hommes fossiles plaisent particulièrement au grand public. Ils attirent donc aussi les sponsors qui financent les muséums et les équipes de recherche. Les autres animaux sont moins connus, mais parfois bien plus importants pour comprendre l'histoire de la Vie. Les paléontologues s'intéressent surtout aux époques les plus anciennes, lorsque sont apparus les premiers animaux. Ils choisissent les régions où prospecter et les techniques employées en fonction de l'objet de leurs recherches.

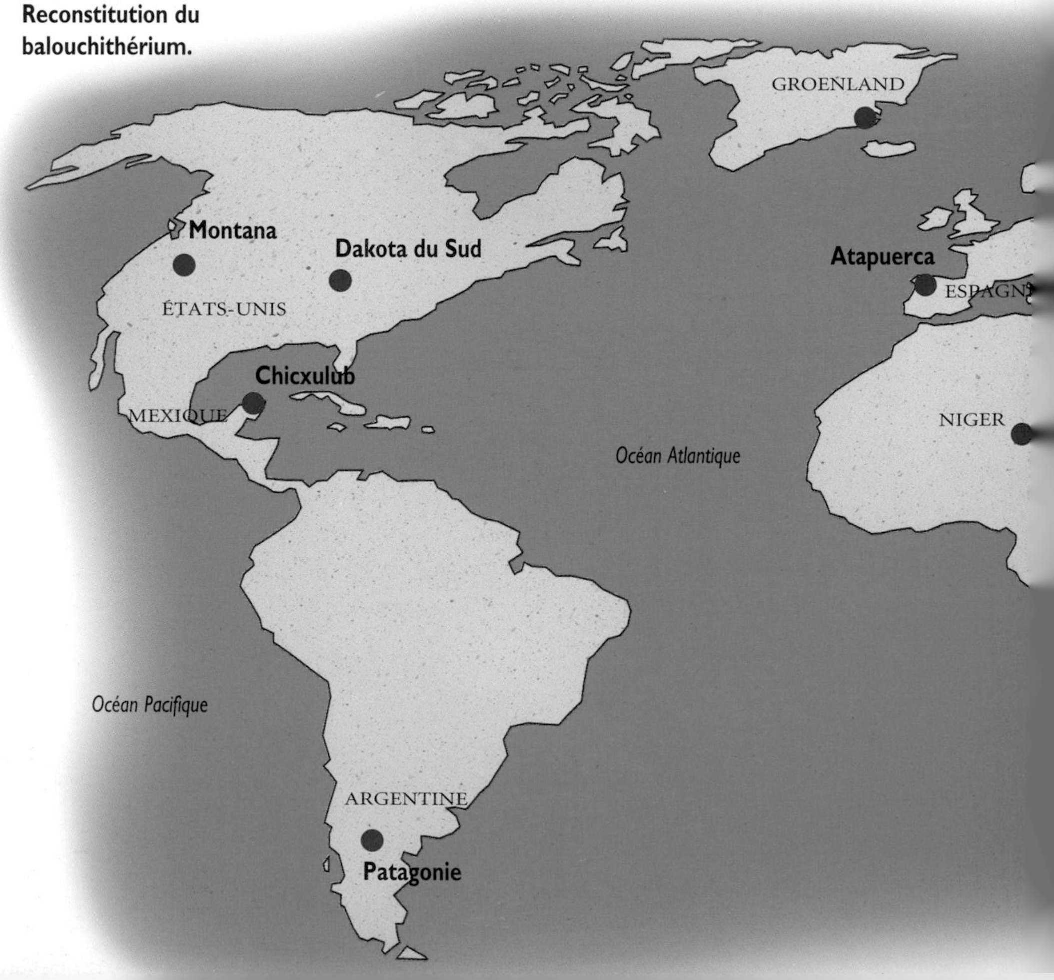

GROENLAND

Montana

Dakota du Sud

Atapuerca

ÉTATS-UNIS

ESPAGNE

Chicxulub

NIGER

MEXIQUE

Océan Atlantique

Océan Pacifique

ARGENTINE

Patagonie

Les minuscules

Au sud de la Chine, les paléontologues ont repéré des embryons d'animaux qui mesurent moins d'un demi-millimètre de long. Malgré leur taille, ils éclairent une période cruciale de l'évolution des animaux. De même, les innombrables fossiles des boues sous-marines révèlent les variations ancienne du climat, des informations importantes pour en comprendre les changements actuels.

Les étonnants

Également en Chine, mais au nord-est, les découvertes de dinosaures à plumes se sont multipliées, confirmant leur parenté avec les oiseaux. L'Afrique révèle aussi des surprises aux chercheurs qui sortent des sentiers battus. C'est au Tchad qu'a été découvert le plus ancien hominidé bipède, ancêtre de l'homme ou du gorille.

Les polaires

Aujourd'hui, toutes les régions du monde se révèlent riches en fossiles. Même les pôles n'ont pas toujours été des étendues glacées et désertiques. On a ainsi trouvé des poissons et des salamandres géantes au Groenland et des dinosaures dans l'Antarctique.

Archæoraptor.

FAUX FOSSILES

Comme les fossiles se vendent parfois à prix d'or, certains sont tentés de les fabriquer plutôt que de les chercher ! C'est ainsi qu'en 1999, un paléontologue décrivit un nouveau dinosaure, Archaeoraptor. Trouvé en Chine, il possédait des plumes ce qui en faisait une véritable rareté. Mais une analyse approfondie du fossile montra qu'il était fait de 2 squelettes différents, un oiseau et un petit dinosaure carnivore qui avaient été habilement réunis.

Quelques-uns des sites paléontologiques où ont été réalisées des découvertes importantes ces dernières années.

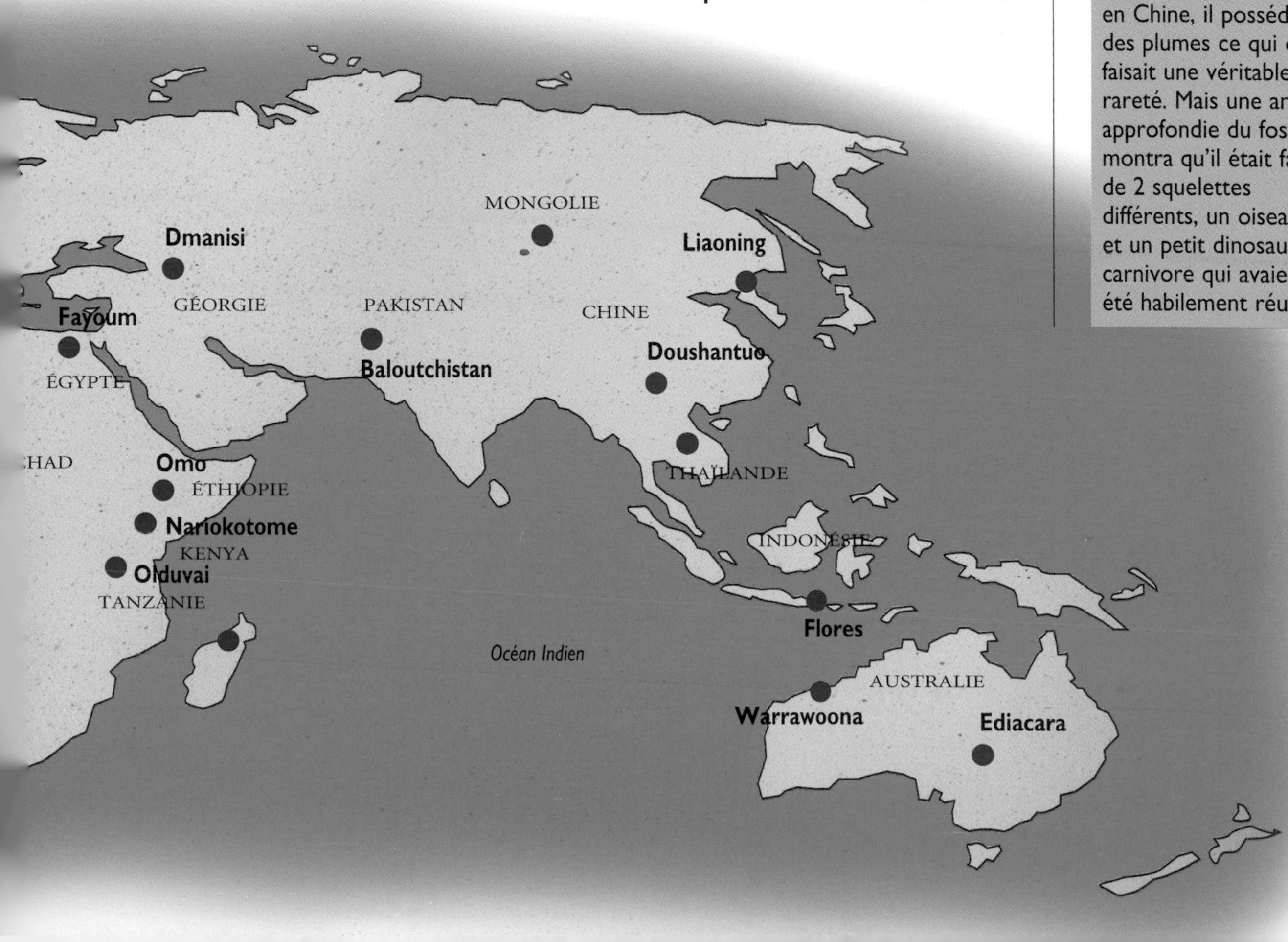

MONGOLIE

Dmanisi

Liaoning

GÉORGIE

PAKISTAN

CHINE

Fayoum

ÉGYPTE

Baloutchistan

Doushantuo

HAD

Omo

ÉTHIOPIE

THAÏLANDE

Nariokotome

KENYA

INDONÉSIE

Olduvai

TANZANIE

Flores

Océan Indien

AUSTRALIE

Warrawoona

Ediacara

L'évolution des animaux

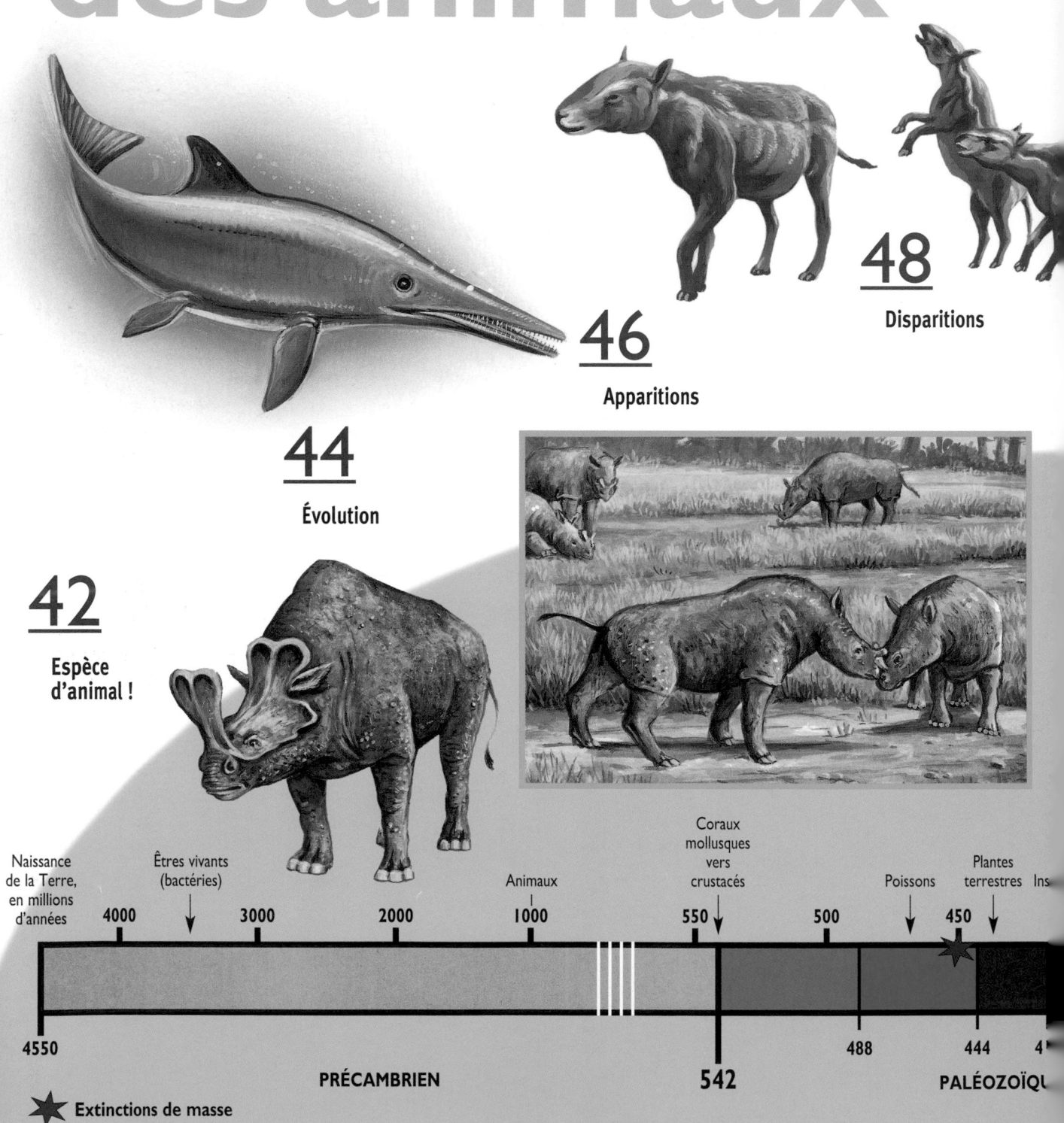

48
Disparitions

46
Apparitions

44
Évolution

42
Espèce
d'animal !

Naissance
de la Terre,
en millions
d'années

Êtres vivants
(bactéries)

Animaux

Coraux
mollusques
vers
crustacés

Poissons

Plantes
terrestres

Ins

4000   3000   2000   1000   550   500   450

4550   542   488   444   4

PRÉCAMBRIEN   PALÉOZOÏQU

★ Extinctions de masse

Les animaux préhistoriques ne sont pas seulement une collection d'étranges espèces disparues. Parmi eux se trouvent aussi les ancêtres de toutes les espèces actuelles. L'étude des fossiles permet de mieux comprendre comment les animaux se sont transformés au cours du temps, comment ils ont évolué. Les biologistes cherchent aussi à comprendre les mécanismes de ces transformations.

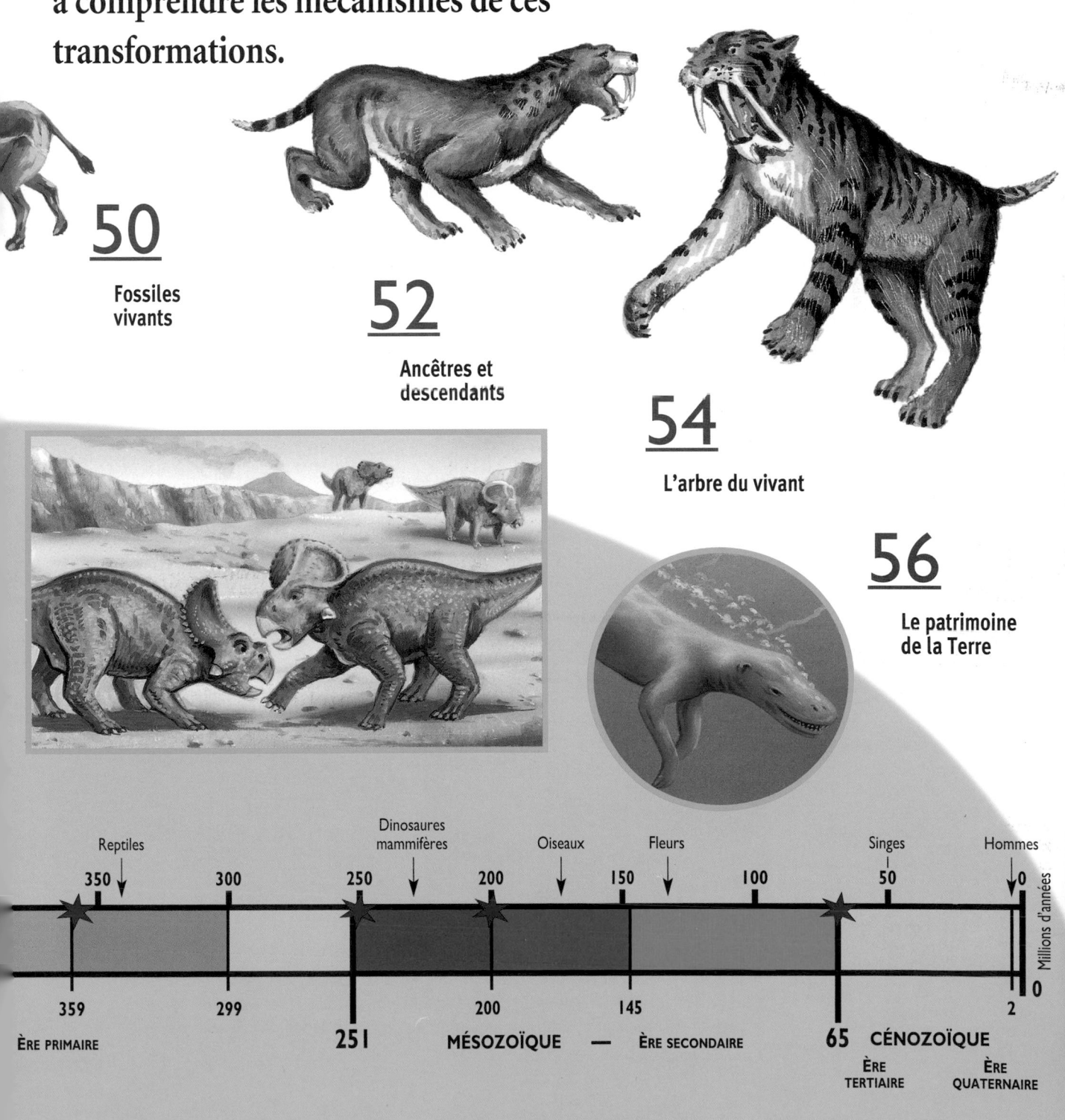

50

Fossiles vivants

52

Ancêtres et descendants

54

L'arbre du vivant

56

Le patrimoine de la Terre

			Dinosaures mammifères		Oiseaux	Fleurs		Singes	Hommes
Reptiles									
350	300	250		200	150	100		50	0

Millions d'années

0

| 359 | 299 | | 200 | 145 | | 65 | | 2 |

251

ÈRE PRIMAIRE

MÉSOZOÏQUE — ÈRE SECONDAIRE

CÉNOZOÏQUE

ÈRE TERTIAIRE

ÈRE QUATERNAIRE

Espèce d'animal !

Les zoologistes et les paléontologistes,
qui étudient les animaux actuels ou fossiles,
utilisent quotidiennement le terme « espèce ».
Ce mot banal est en réalité très difficile à définir,
car la prodigieuse variabilité du vivant se laisse
difficilement enfermer dans une notion trop stricte.

Crâne de
tyrannosaure.
Cette espèce est connue
en Amérique du Nord,
par plusieurs squelettes
presque complets.

Le mulet, hybride stérile
d'un âne et d'une jument.

Espèces actuelles

Dans la faune actuelle, une espèce est l'ensemble des animaux qui peuvent se reproduire entre eux ou qui descendent les uns des autres. Cette définition réunit sous le même nom plusieurs générations successives. Elle regroupe aussi les animaux vivants dans des régions éloignées et qui, s'ils pouvaient se rencontrer, seraient susceptibles d'avoir ensemble des petits (en supposant qu'ils soient de sexes opposés). Si deux groupes d'animaux se ressemblent mais ne peuvent pas se reproduire entre eux, alors on considère qu'ils constituent deux espèces différentes. Cette notion paraît donc simple, mais il existe des cas intermédiaires. Ainsi, certaines espèces distinctes se reproduisent parfois entre elles, par exemple, à la frontière de leurs territoires respectifs. Leurs petits, appelés hybrides, survivent moins bien que les parents ou sont stériles. Le mélange reste limité et les deux espèces restent distinctes.

LE CHIHUAHUA ET LE SAINT-BERNARD

Les chiens sont très différents les uns des autres, mais appartiennent à la même espèce puisqu'ils peuvent tous se reproduire entre eux (du moins en théorie). Cette diversité est favorisée par les éleveurs qui retiennent toutes les « nouveautés » qui apparaissent dans les portées. Dans la nature, il est rare que les espèces soient aussi variables.

Porc white-large et porc vietnamien : comme chez la plupart des espèces domestiques , il existe des cochons très divers, grâce à la sélection opérée par les éleveurs. Ils peuvent tous se croiser entre eux et constituent une seule espèce (avec le sanglier, leur ancêtre).

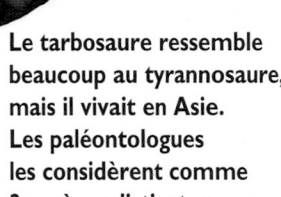

Espèces fossiles

Dans le cas des fossiles, il est évidemment impossible d'utiliser le critère de reproduction. Les paléontologues s'en tiennent à la ressemblance entre les animaux, mais ils ne disposent que des organes durs, ceux qui peuvent se fossiliser. Or, il arrive que deux espèces se distinguent non par leur squelette mais par leur comportement : elles ne se reproduisent pas à la même saison ou bien leur parade nuptiale est différente. Dans ce cas, deux fossiles seront confondus par erreur en une même espèce. Il arrive aussi que dans une même espèce, le jeune ne ressemble pas du tout à l'adulte ou le mâle à la femelle. Une autre difficulté, plus fondamentale, est due à l'évolution elle-même : comme les espèces se transforment au cours du temps, il n'est pas toujours facile de déterminer où une espèce commence et où elle finit.

Le tarbosaure ressemble beaucoup au tyrannosaure, mais il vivait en Asie. Les paléontologues les considèrent comme 2 espèces distinctes.

Chez *Protoceratops*, les paléontologues reconnaissent 2 formes distinctes, considérées comme les mâles et les femelles d'une même espèce.

Biodiversité

La biodiversité, c'est-à-dire le nombre d'espèces vivantes, n'a jamais été aussi élevée qu'aujourd'hui. D'après les fossiles trouvés à chaque époque géologique, la biodiversité semble avoir globalement augmenté au cours du temps. Mais le nombre de fossiles reflète-t-il la réalité ? On peut imaginer que les plus anciens semblent moins nombreux parce qu'on les trouve moins facilement. Le nombre de découvertes dépend aussi du nombre de spécialistes de la période considérée. Une estimation de l'évolution de la biodiversité marine a été réalisée en tenant compte de ces sources d'erreur : le nombre d'espèces ne semble pas avoir changé depuis près de 500 millions d'années, mais tous les paléontologistes ne sont pas d'accord.

ESTIMATIONS

Près de 2 millions d'espèces vivantes ont été décrites mais il en existe bien plus, encore inconnues. Les estimations varient selon les zoologistes de 5 à 50 millions d'espèces. Les géologues connaissent plusieurs centaines de milliers d'espèces fossiles, qui ne représentent qu'une faible fraction de toutes les espèces qui ont vécu sur Terre. Certains spécialistes pensent qu'il a vécu entre 5 et 50 milliards d'espèces différentes ! La plupart d'entre elles n'ont probablement laissé aucun fossile.

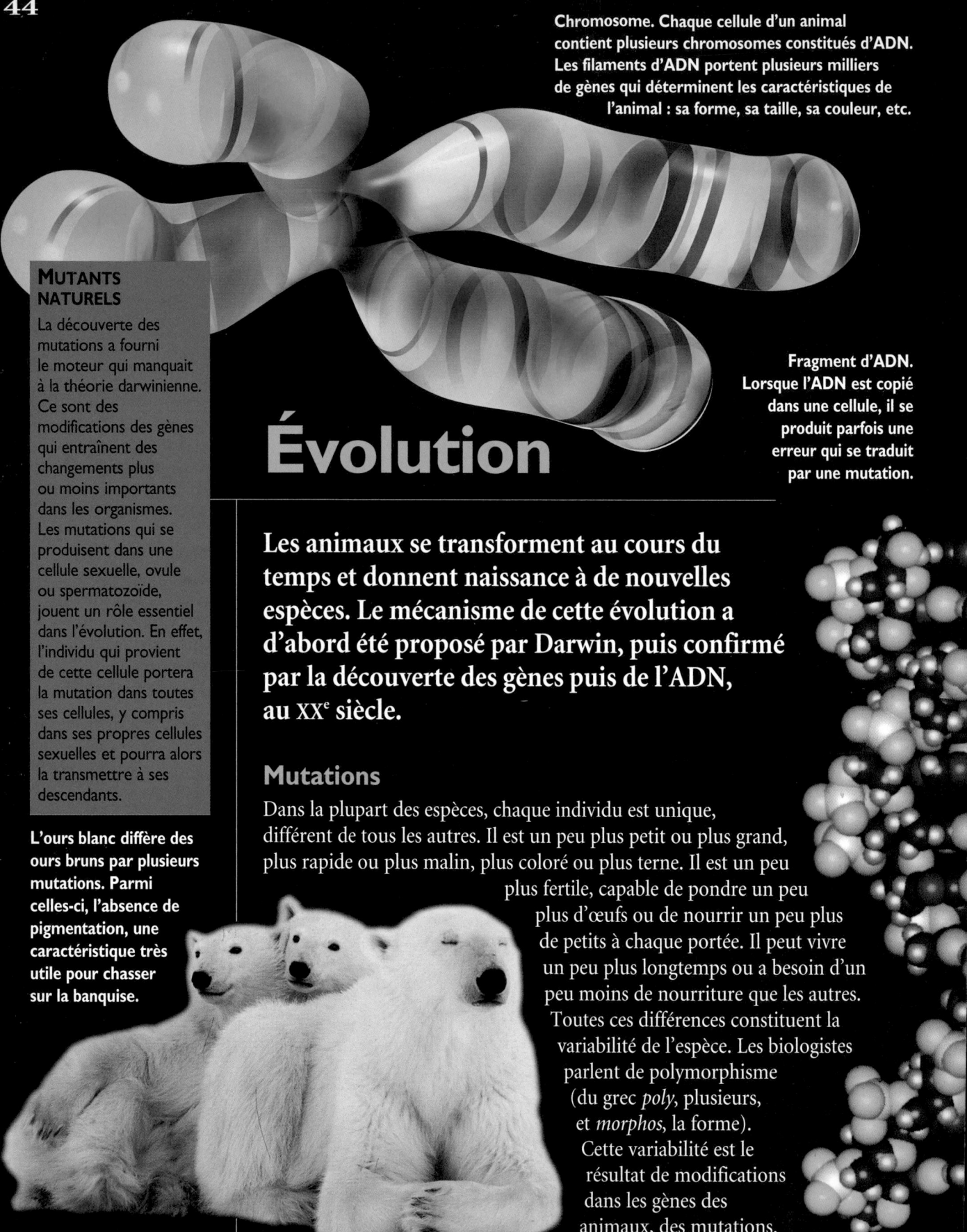

Chromosome. Chaque cellule d'un animal contient plusieurs chromosomes constitués d'ADN. Les filaments d'ADN portent plusieurs milliers de gènes qui déterminent les caractéristiques de l'animal : sa forme, sa taille, sa couleur, etc.

MUTANTS NATURELS

La découverte des mutations a fourni le moteur qui manquait à la théorie darwinienne. Ce sont des modifications des gènes qui entraînent des changements plus ou moins importants dans les organismes. Les mutations qui se produisent dans une cellule sexuelle, ovule ou spermatozoïde, jouent un rôle essentiel dans l'évolution. En effet, l'individu qui provient de cette cellule portera la mutation dans toutes ses cellules, y compris dans ses propres cellules sexuelles et pourra alors la transmettre à ses descendants.

Évolution

Fragment d'ADN. Lorsque l'ADN est copié dans une cellule, il se produit parfois une erreur qui se traduit par une mutation.

Les animaux se transforment au cours du temps et donnent naissance à de nouvelles espèces. Le mécanisme de cette évolution a d'abord été proposé par Darwin, puis confirmé par la découverte des gènes puis de l'ADN, au XXe siècle.

Mutations

Dans la plupart des espèces, chaque individu est unique, différent de tous les autres. Il est un peu plus petit ou plus grand, plus rapide ou plus malin, plus coloré ou plus terne. Il est un peu plus fertile, capable de pondre un peu plus d'œufs ou de nourrir un peu plus de petits à chaque portée. Il peut vivre un peu plus longtemps ou a besoin d'un peu moins de nourriture que les autres. Toutes ces différences constituent la variabilité de l'espèce. Les biologistes parlent de polymorphisme (du grec *poly*, plusieurs, et *morphos*, la forme). Cette variabilité est le résultat de modifications dans les gènes des animaux, des mutations.

L'ours blanc diffère des ours bruns par plusieurs mutations. Parmi celles-ci, l'absence de pigmentation, une caractéristique très utile pour chasser sur la banquise.

Jeune tigre albinos. La mutation n'a pas touché les autres petits de la portée.

Sélection

Certaines mutations sont avantageuses pour l'animal. Il vit plus longtemps et surtout produit un plus grand nombre de descendants qui transmettent ces nouvelles caractéristiques aux générations suivantes. Leurs qualités ont donc tendance à se répandre dans la population puisque les autres individus, ceux qui ne portent pas cette mutation, se reproduisent moins et ont moins de descendants. Darwin a appelé « sélection naturelle » le mécanisme qui élimine les différences gênantes et conserve les différences avantageuses. Les individus sélectionnés ne sont pas « meilleurs » que les autres : ils sont seulement mieux adaptés à leurs conditions de vie.

Serpent albinos. Dans la nature, cette mutation est souvent néfaste, car l'animal est facilement visible. Il est aussi très sensible au soleil.

ALBINOS

Une mutation unique peut complètement modifier l'apparence d'un animal. Ainsi, l'albinisme est une absence de pigmentation due à la mutation d'un seul gène. L'animal est alors entièrement blanc. Les mutations concernent de très nombreux caractères, de la longueur des plumes d'un oiseau à un lait de meilleure qualité pour un mammifère.

Chouette porteuse d'une mutation « albinos ».

Gaspillage

Les animaux ne sont pas poussés à muter en fonction de leurs besoins. Les mutations se produisent au hasard, sans relation avec les changements de l'environnement. Si un individu naît avec une fourrure plus épaisse, il sera gêné en cas de réchauffement du climat, mais sera avantagé dans le cas contraire. Un pelage blanc est un gros inconvénient en forêt, car il est très visible, mais sur la neige il devient un avantage certain. L'évolution repose à la fois sur le hasard (les mutations) et sur les contraintes de l'environnement (la sélection). Ce mécanisme entraîne un gaspillage énorme, car beaucoup de mutations sont désavantageuses, mais il fonctionne tout seul, sans la moindre intervention extérieure : l'évolution n'a pas de but.

Progrès ?

L'éléphant n'est pas plus complexe que le mammouth et le lézard actuel n'est pas plus « perfectionné » que ses ancêtres d'il y a 100 millions d'années. Même si l'évolution permet une excellente adaptation des animaux à leur environnement, ce n'est pas une course au progrès. Cependant, des innovations donnent parfois de nouvelles capacités aux animaux. Quatre pattes et des poumons rudimentaires ont permis à certains poissons de sortir de l'eau. L'apparition des plumes a offert l'espace aérien à des petits dinosaures, les ancêtres des oiseaux. La bipédie de quelques grands singes leur a donné l'occasion d'acquérir un gros cerveau… qui est devenu le nôtre !

Le grizzli est un proche cousin de l'ours brun européen. Il lui ressemble beaucoup mais est nettement plus gros.

Apparitions

Les chevaux, les rouges-gorges et les baleines bleues n'ont pas toujours existé sur notre planète. Chaque espèce naît à une certaine époque, puis finit par disparaître. Pour les paléontologues, la date de naissance de l'espèce est l'âge de la roche la plus ancienne dans laquelle on en a trouvé un fossile.

Naissances

Les biologistes nomment « spéciation » la naissance de nouvelles espèces. Le mécanisme le plus simple de la spéciation est la séparation d'une espèce « mère » en deux espèces « filles » par une barrière naturelle. Par exemple, la formation d'une chaîne de montagne sépare deux territoires par une barrière infranchissable. Certaines espèces se trouvent coupées en deux groupes qui vont évoluer chacun de leur côté et devenir de plus en plus différents l'un de l'autre. C'est ainsi que les ours bruns américains, les grizzlis, ont évolué différemment des ours européens et sont devenus beaucoup plus gros. Mais comme les différences sont relativement limitées, la séparation n'est pas complète et ils peuvent encore se reproduire entre eux.

BALEINES MARCHEUSES

Les paléontologues étaient convaincus que les baleines descendaient d'animaux quadrupèdes terrestres, mais ils manquaient de fossiles intermédiaires illustrant cette transformation. En 1983, un fossile de 52 millions d'années a été découvert au Pakistan. Certaines parties du crâne de ce *Pakicetus* sont typiques des baleines actuelles, mais l'animal se déplaçait à 4 pattes. Il pouvait marcher sur la terre ferme et nager en pleine eau. Même si *Pakicetus* n'a pas directement donné naissance à des baleines, c'est un intermédiaire tout à fait convaincant !

Pakicetus vivait probablement dans les zones humides situées près des fleuves. Il nageait très bien mais n'était pas adapté à la haute mer !

Transformations

Les espèces peuvent aussi se transformer
au cours du temps. Si le phénomène est
suffisamment lent, des fossiles
régulièrement espacés sur une longue
période nous permettent d'imaginer cette
évolution. Mais les espèces n'évoluent pas toutes de la même façon : on observe
dans certains groupes des changements graduels qui s'étendent sur de longues
périodes, et pour d'autres des transformations rapides qui donnent l'impression
d'une naissance presque instantanée de nouvelles espèces. Lorsqu'un petit groupe
d'animaux est brutalement isolé de la population générale, son évolution peut être
très rapide. En effet, si les animaux sont peu nombreux, il ne représentent qu'une
faible partie de la diversité de l'espèce entière. Le groupe diffère souvent déjà un peu
du reste de la population. Ces différences vont rapidement s'accentuer en fonction
des conditions de vie dans les environnements des deux populations.

Eotitanops (– 55 à
– 40 millions d'années)

MÉTAMORPHOSE

L'*Eotitanops*, apparu il y a
55 millions d'années,
ressemblait à un petit
tapir. C'est l'ancêtre des
énormes brontothères,
au mode de vie proche
de celui des rhinocéros.
Les paléontologues ont
trouvé de nombreuses
espèces intermédiaires.
En réalité, il n'y a pas
une lignée unique qui
serait passée d'un petit
animal à un gros,
mais un grand nombre
d'espèces qui sont nées
tout au long de son
histoire.

Brontops, brontothère de
l'Oligocène (à gauche).
Embolotherium (ci-dessous),
un brontothère plus gros
et à la corne plus imposante.

Archives incomplètes

Pour certaines espèces fossiles, on n'observe aucun changement
pendant toute leur existence. Ces espèces semblent ne subir
aucune évolution. Lorsqu'elles disparaissent, elles sont remplacées
par d'autres espèces, nettement différentes. Si ce passage d'une espèce
à l'autre se produit en quelques centaines ou quelques milliers
d'années, c'est-à-dire un bref instant sur l'échelle des temps géologiques,
il ne restera aucune trace des intermédiaires dans les archives fossiles.
On aura l'impression d'un brusque saut évolutif d'une espèce à une autre.

Disparitions

Lions et antilopes ont évolué parallèlement et sont bien adaptés les uns aux autres.

L'extinction d'une espèce est un événement définitif, conséquence de la mort du dernier représentant de cette espèce, sur la terre entière. Cette fin dramatique peut être le résultat de l'inadaptation des animaux à leur environnement, mais il se produit aussi des catastrophes impossibles à surmonter.

La mort de quelques individus ne menace pas la survie de l'espèce.

LA REINE ROUGE

Un nouveau félin envahit une région où vivent des antilopes, qui évoluent alors vers des formes plus rapides. Mais le prédateur se transforme à son tour et court lui aussi plus vite. L'antilope doit donc continuer à évoluer, vers encore plus de rapidité ou dans d'autres directions (meilleur camouflage, comportement modifié…). Ce modèle d'évolution parallèle a été surnommé « hypothèse de la reine rouge », en référence à un épisode d'Alice au pays des merveilles, dans lequel la reine de cœur court le plus vite possible pour simplement rester sur place.

S'adapter ou mourir

La survie des animaux dépend de leur capacité à supporter les changements de leur environnement. Si le climat se refroidit, si une maladie se déclare, si un prédateur inconnu parvient dans leur région, il leur faut s'adapter. Il peut arriver que quelques-uns d'entre eux possèdant une fourrure plus épaisse, soient résistants aux nouveaux microbes ou soient plus rapides à la course que le prédateur. Alors ces individus chanceux seront à l'origine d'une population modifiée, capable de répondre aux nouvelles contraintes de leur environnement. En revanche, si elle ne s'adapte pas, l'espèce disparaît.

Bruit de fond

Les extinctions se produisent en permanence, comme un « bruit de fond » de l'évolution. Mais des événements bien plus graves, des extinctions « de masse », ont parfois provoqué la mort simultanée de milliers d'espèces différentes, petites et grandes, terrestres et marines. Ces catastrophes sont inscrites dans les roches par la disparition brutale de certains fossiles. Ainsi, les trilobites sont abondants dans les terrains de l'ère primaire, mais totalement absents des roches situées juste au-dessus, donc un peu plus récentes.

Les cinq grandes extinctions

Les paléontologues comptent cinq épisodes majeurs d'extinctions. Ils ont imaginé plusieurs causes possibles : de profonds changements climatiques, de rapides modifications du niveau de la mer réduisant dramatiquement l'habitat des animaux marins, des éruptions volcaniques gigantesques ou la chute d'une énorme météorite affectant la planète entière. L'extinction la plus importante semble s'être produite il y a 251 millions d'années, marquant la fin de l'ère primaire par la mort de 90 % des espèces animales. Ces crises ont joué un rôle important dans l'histoire de la Vie, car elles laissent le terrain libre pour une évolution rapide des survivants. Les dinosaures se sont ainsi diversifiés à la faveur d'une de ces extinctions, avant de disparaître à leur tour et de laisser la place aux mammifères.

Rhytine
de Steller.

Exploitation forestière. La destruction de leur milieu de vie menace la survie des espèces plus gravement encore que la chasse.

L'HOMME ET LA VACHE MARINE

La rhytine de Steller était un lamantin géant qui vivait dans le nord de l'océan Pacifique. Découverte en 1741 par l'expédition russe de Vitus Bering, cette vache marine atteignait un poids de 6 tonnes. Elle a été tellement chassée pour sa chair et sa peau épaisse que 27 ans après sa découverte, la rhytine avait disparu. L'apparition d'un nouveau prédateur lui avait été fatale.

Thylacosmilus, le lion marsupial d'Amérique du Sud, a disparu lorsque les grands félins du Nord ont envahi ses territoires de chasse. Il n'a sans doute pas pu faire face à cette concurrence nouvelle, à laquelle il n'était pas adapté.

Fossiles vivants

Cœlacanthe fossile. Les nageoires et les écailles sont bien visibles.

Certains animaux ont été récemment découverts bien vivants alors qu'on ne les connaissait qu'à l'état fossile. On leur a donc donné le nom de « fossiles vivants », comme s'ils n'avaient pas évolué pendant des centaines de millions d'années.

Le survivant des profondeurs

Jusqu'en 1938, les paléontologues considéraient les cœlacanthes comme un groupe de poissons fossiles éteint depuis plus de 65 millions d'années. C'est alors qu'un cœlacanthe vivant fut pêché dans l'océan Indien, près de l'Afrique du Sud. Comme cette espèce vit en profondeur, entre 150 et 700 mètres, il est rare d'en capturer. Le cœlacanthe est considéré comme un « survivant de la préhistoire », car ses ancêtres les plus anciens (350 millions d'années) ressemblent beaucoup à l'espèce actuelle. Les squelettes sont en fait un peu différents, comme probablement aussi les parties molles qui ne se sont pas fossilisées. Quant au comportement des espèces disparues, il nous est totalement inconnu.

Fossile de blatte de 49 millions d'années (ci-dessous) et blatte actuelle (à droite).

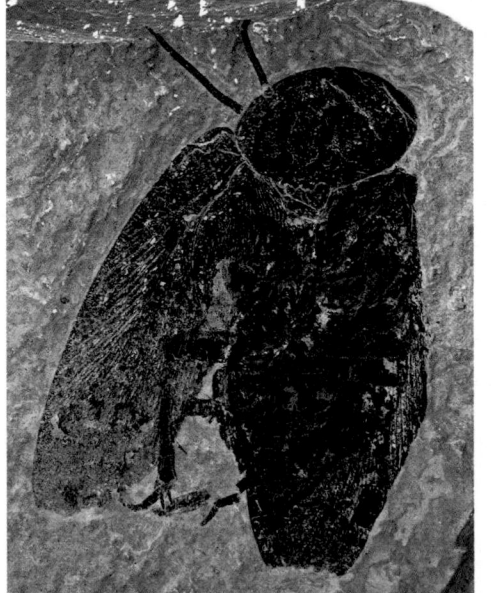

Des animaux très conservateurs

Si le cœlacanthe est un animal peu commun, d'autres « fossiles vivants » sont très abondants. Les blattes, ou cafards, ressemblent comme deux gouttes d'eau à leurs ancêtres qui vivaient dans les forêts du Carbonifère (350 millions d'années). En fait, pour les spécialistes, les espèces fossiles sont distinctes des espèces actuelles, mais le modèle « blatte » est toujours présent, malgré cinq grandes extinctions qui ont éliminé des millions d'autres espèces. Autres traditionnels « fossiles vivants », les requins dont les plus anciens représentants sont apparus il y a 400 millions d'années, dans les mers de l'ère primaire. Là encore, les premiers requins sont assez différents des requins actuels.

Longue vie

Il n'est pas évident de comprendre pourquoi certains groupes conservent la même forme pendant de très longues périodes alors que d'autres évoluent rapidement. Les biologistes considèrent qu'une espèce vit en moyenne 4 ou 5 millions d'années sans changements notables. Cette durée est cependant très variable, des espèces disparaissant peu de temps après leur naissance alors que d'autres vivent bien plus longtemps. Certains animaux sont des généralistes capables de s'adapter à toutes sortes de conditions de vie. Leur structure reste inchangée, l'évolution ne modifiant que des détails, comme chez les blattes ou les requins. D'autres espèces sont cantonnées à des milieux très stables et ont peu de prédateurs. Comme la pression exercée par la sélection naturelle est faible, elles ne changent pas de forme. C'est le cas des cœlacanthes.

Cladoselache est l'un des premiers requins qui soient bien connus (– 400 millions d'années). À la différence des requins actuels, sa gueule est située à l'avant du corps.

UN RESCAPÉ

Le nautile est apparenté aux ammonites de l'ère secondaire, des animaux qui étaient alors extrêmement abondants et diversifiés, dans tous les océans. Il ne reste plus aujourd'hui que quelques espèces qui vivent au sud-ouest de l'océan Pacifique.

Tête de nautile actuel.

Ancêtres et descendants

Depuis près de 250 ans, les zoologistes classent les animaux en différentes catégories. Mais certaines ressemblances ne sont pas évidentes : qu'y a-t-il de commun entre un papillon et un homard, entre un escargot et un calmar, entre un poisson rouge et un éléphant ?

La langouste est un arthropode (classe des crustacés).

Un peu d'ordre dans les classes

La classification est d'abord fondée sur la ressemblance entre les espèces. Les espèces les plus proches sont réunies dans le même genre, les genres voisins dans la même famille, et ainsi de suite, en catégories de plus en plus larges : ordre, classe, embranchement. Lorsqu'une catégorie contient trop d'espèces, on la subdivise en catégories intermédiaires. Dans un même genre les ressemblances sont évidentes, mais dans une classe ou un embranchement, c'est la structure globale de l'organisme, son plan d'organisation, qui importe et non les détails.

LES PRINCIPAUX EMBRANCHEMENTS

Il existe aujourd'hui une trentaine d'embranchements, qui regroupent, selon les cas, plusieurs millions d'espèces ou seulement quelques dizaines.
- **Cordés :** corps soutenu par une tige élastique, la corde. Chez les vertébrés, la corde est remplacée par une colonne vertébrale au cours de la vie embryonnaire (poissons, amphibiens, reptiles, oiseaux, mammifères…).
- **Échinodermes :** animaux sans tête, à corps divisé en 5 parties (oursins, étoiles de mer…).
- **Arthropodes :** animaux à pattes articulées (insectes, crustacés, araignées, mille-pattes…).
- **Mollusques :** animaux à corps mou, souvent protégés par une coquille (bivalves, escargots, calmars…).
- **Annélides :** vers à corps segmenté.
- **Cnidaires :** animaux possédant des cellules urticantes (méduses, anémones de mer, coraux…).
- **Spongiaires :** animaux filtreurs en forme de sac, dépourvus d'organes internes.
- **Protozoaires :** animaux constitués d'une seule cellule.

Plans de constructions

Le papillon et la langouste ont un squelette externe constitué de chitine et des pattes faites de tubes creux articulés, avec les muscles à l'intérieur. Ce sont tous les deux des arthropodes. L'escargot et le calmar se ressemblent beaucoup au début de leur vie : leurs larves sont toutes deux munies d'un pied nageur et d'une ébauche de coquille. Ces deux mollusques deviennent très différents l'un de l'autre au cours de leur développement. Le poisson rouge et l'éléphant sont deux vertébrés, caractérisés par un squelette interne comportant une colonne vertébrale, quatre membres et un crâne protégeant le cerveau.

Le papillon est un arthropode (classe des insectes)

Un calmar (mollusque céphalopode).

Un escargot (mollusque gastéropode).

Ichthyosaure. Ce reptile adapté au milieu marin a gardé les 4 pattes de ses ancêtres.

Critères de choix

La principale difficulté consiste à choisir soigneusement les critères de ressemblances. Celles-ci ne doivent pas être superficielles, mais découler d'une parenté. L'ichthyosaure était un reptile marin qui vivait à l'ère secondaire. Il avait l'allure d'un dauphin, mais cette ressemblance est seulement le résultat d'une adaptation parallèle au même mode de vie. L'ichthyosaure et le dauphin descendent tous deux d'animaux terrestres, mais l'un d'un reptile et l'autre d'un mammifère.

Dauphin. Son mode de vie est proche de celui des ichthyosaures. Il a la même forme hydro-dynamique qui permet une nage rapide, mais a perdu ses pattes postérieures.

À l'inverse, les nageoires du dauphin ont la même origine que les pattes d'une vache, même si les membres des deux espèces ne se ressemblent pas du tout. Le dauphin est donc un plus proche parent de la vache que de l'ichthyosaure !

Les vaches sont des cousines des baleines. Elles sont aussi cousines des ichthyosaures, mais leur parenté est plus lointaine.

L'arbre du vivant

ADN observé au microscope (technique de l'ADN étiré).

D'après la théorie de l'évolution, tous les êtres vivants actuels descendent d'un même ancêtre, extrêmement lointain. L'arbre généalogique des espèces peut être reconstitué à l'aide de plusieurs disciplines scientifiques complémentaires, de l'anatomie à la génétique.

Humain.

Gorille.

Chimpanzé.

Des fossiles dans les arbres

Les fossiles nous donnent une image des ancêtres des animaux actuels, mais l'arbre généalogique qu'ils permettent de construire est très incomplet. D'une part, de nombreuses espèces ont disparu sans laisser de traces fossiles. D'autre part, si l'évolution a été rapide, il manque les formes intermédiaires qui ont vécu peu de temps et dont les fossiles sont très rares. Mais cet arbre peut être complété par des informations provenant des espèces actuelles. En comparant l'ADN de différents animaux, on peut mesurer le nombre de ressemblances et de différences, et en déduire les relations de parenté. Les gènes permettent de préciser des cousinages difficiles à déterminer par l'anatomie. L'ADN a ainsi révélé que, malgré les apparences, le chimpanzé était un plus proche cousin de l'homme que du gorille.

On a longtemps réuni les grands singes dans un même groupe afin de les distinguer de l'homme. L'étude fine de l'ADN montre que cette classification était arbitraire. Le chimpanzé est plus proche de l'homme que du gorille.

Ancêtre ou cousin ?

Il n'est pas toujours simple de déterminer la position exacte d'un fossile dans l'arbre généalogique du vivant. Ce n'est pas nécessairement l'ancêtre d'un animal actuel, même s'il lui ressemble, car il peut appartenir à un groupe proche qui a disparu sans laisser de descendants. Ainsi, certains paléontologues considèrent Lucy, l'australopithèque trouvée en Éthiopie, comme notre grand-mère directe. D'autres pensent qu'il s'agit plutôt d'une grand-tante : elle représenterait en fait une autre branche, aujourd'hui éteinte.

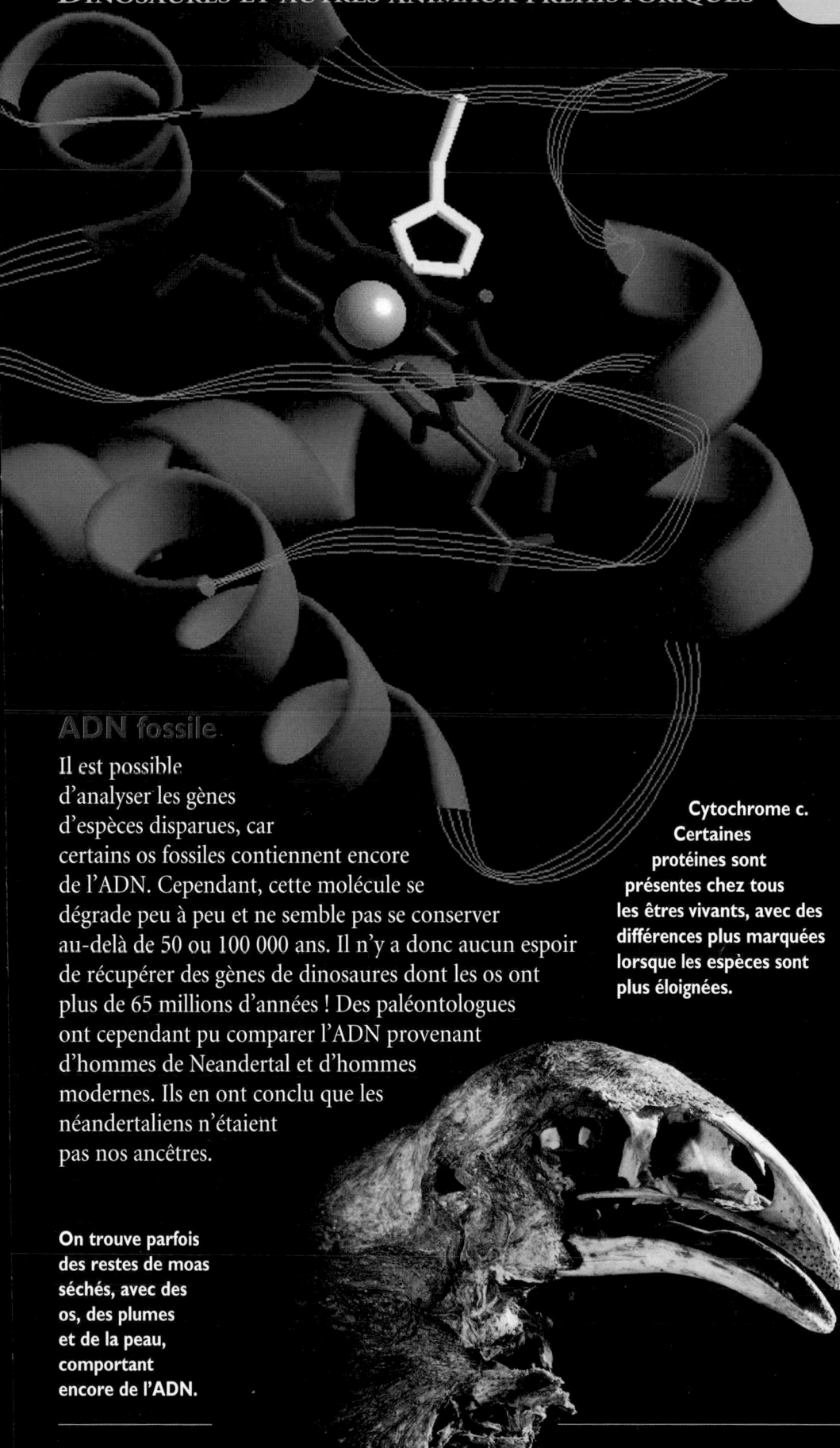

ADN fossile

Il est possible
d'analyser les gènes
d'espèces disparues, car
certains os fossiles contiennent encore
de l'ADN. Cependant, cette molécule se
dégrade peu à peu et ne semble pas se conserver
au-delà de 50 ou 100 000 ans. Il n'y a donc aucun espoir
de récupérer des gènes de dinosaures dont les os ont
plus de 65 millions d'années ! Des paléontologues
ont cependant pu comparer l'ADN provenant
d'hommes de Neandertal et d'hommes
modernes. Ils en ont conclu que les
néandertaliens n'étaient
pas nos ancêtres.

**Cytochrome c.
Certaines
protéines sont
présentes chez tous
les êtres vivants, avec des
différences plus marquées
lorsque les espèces sont
plus éloignées.**

**On trouve parfois
des restes de moas
séchés, avec des
os, des plumes
et de la peau,
comportant
encore de l'ADN.**

GÈNES ET ADN

Les gènes sont présents
dans pratiquement
toutes nos cellules.
Ils portent les
informations
indispensables au
fonctionnement et
au développement
de l'organisme. Ils sont
faits d'ADN, une
molécule constituée
d'un enchaînement de
4 éléments symbolisés
par les lettres A, T, G
et C. Ces éléments
sont alignés dans
un ordre bien précis,
comme les lettres de
l'alphabet qui peuvent
former des mots.
Comparer l'ADN
de 2 espèces revient
à comparer 2 textes
qui diffèrent par
quelques lettres,
quelques mots ou des
paragraphes entiers.

MINI-MOAS, MAXI-MOAS

Les moas étaient
des oiseaux géants
semblables à des
autruches. Ils vivaient
en Nouvelle-Zélande
et ont disparu il y a
500 ans, chassés par
les premiers occupants
de l'île. Certains
squelettes avaient été
regroupés en 3 espèces
distinctes car il y avait
d'énormes différences
de taille. L'analyse de
l'ADN extrait de leurs
os fossiles a montré
qu'il s'agissait en fait
des mâles et
des femelles de
la même espèce.

Le patrimoine de la Terre

Dents de Sue,
le tyrannosaure

Un fossile de tyrannosaure a été découvert dans le Montana (États-Unis) en 1990. Le squelette, surnommé Sue, a été vendu aux enchères. C'est le Muséum d'histoire naturelle de Chicago qui l'a finalement acquis, pour 7,6 millions de dollars (6 millions d'euros) !

PRÉCAUTIONS

Pour les amateurs, la collecte des fossiles demande quelques précautions. Les fronts de carrière sont des sites parfois très riches mais dangereux, à cause des éboulements possibles. Si l'on utilise des outils tels qu'un marteau et un burin, il est indispensable de porter des lunettes de protection, à cause des éclats de roche.

Aux États-Unis, il existe de nombreuses boutiques spécialisées dans la vente de vrais fossiles de dinosaures.

Tous les jours, les paléontologues découvrent de nouvelles espèces fossiles : parfois un dinosaure entier, mais le plus souvent une coquille de mollusque ou une dent de mammifère. Chaque espèce contribue à notre connaissance du passé de la Terre.

Patrimoine

La succession des événements nécessaires pour qu'un animal se fossilise ne se produit que rarement. De nombreuses espèces ne sont connues que par un unique exemplaire, souvent incomplet. L'érosion des falaises ou des sols dégage sans cesse de nouveaux fossiles, qui se dégradent rapidement s'ils ne sont pas ramassés. Dans les carrières, les travaux d'extraction en détruisent aussi d'énormes quantités. Les paléontologues ne sont pas assez nombreux pour identifier tous ces fossiles et sauvegarder les plus précieux. Mais s'ils sont des objets d'étude pour les scientifiques, ce sont aussi des pièces de collection pour d'innombrables amateurs passionnés.

Ancienne représentation
de brontosaures.
Les paléontologues
pensaient que ce
dinosaure ne pouvait
soutenir son énorme
masse et qu'il vivait
à moitié immergé
dans des marais riches
en végétation.

ÉTAT-CIVIL POUR FOSSILES

Lorsqu'un chercheur découvre une nouvelle espèce, il la décrit et lui donne un nom. Mais il arrive qu'une même espèce soit ainsi décrite par 2 chercheurs différents. Dans ce cas, la règle veut que le premier nom soit conservé et l'autre éliminé. C'est ce qui est arrivé au brontosaure, un dinosaure de la famille des diplodocus découvert en 1879. En 1903, un chercheur s'est rendu compte qu'il avait déjà été décrit en 1877 sous le nom d'apatosaure. C'est maintenant son nom officiel, même si l'ancien nom est encore souvent employé.

Amateurs et professionnels

Il est en principe nécessaire de demander une autorisation pour prélever des fossiles, aussi bien sur des terrains privés que publics. Dans la pratique, le ramassage est toléré s'il s'agit de petites quantités, cherchées sans outillage spécialisé, en dehors des sites protégés et des réserves géologiques, bien entendu. Les amateurs découvrent parfois des fossiles très intéressants. Dans ce cas, il est recommandé de prévenir un paléontologue professionnel, afin que le fossile ne soit pas définitivement perdu… au fond d'un placard !

Représentation en béton d'un apatosaure.
C'est le même animal que le brontosaure, mais
il est aujourd'hui considéré comme un animal
tout à fait terrestre.

Trafic international

Les amateurs trouvent des fossiles mais ils en vendent et en achètent aussi. Autour d'eux s'est développé un important commerce international. Les fossiles sont alors dispersés loin de leurs sites d'origine, souvent sans avoir été étudiés. De plus, les prix des espèces rares sont parfois si élevés qu'ils attirent trafiquants et mafias. En effet, les défenses de mammouths russes ou les dinosaures chinois se vendent extrêmement cher sur le marché international. La plupart des pays ont compris que les fossiles étaient un patrimoine fragile et tentent de réguler leur commerce.

À l'aube
des temps

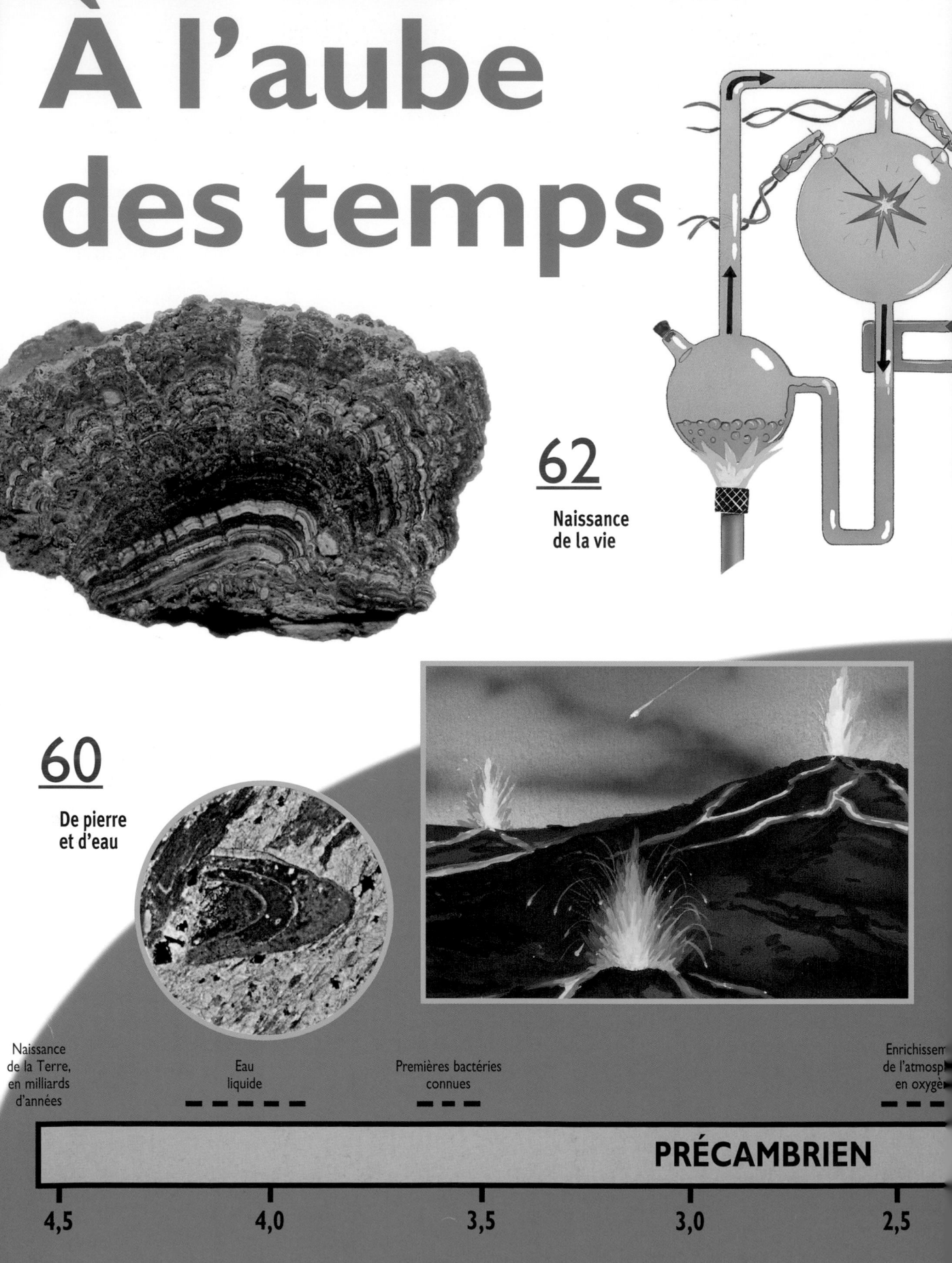

Naissance
de la Terre,
en milliards
d'années

Eau
liquide

Premières bactéries
connues

Enrichissem
de l'atmosp
en oxygè

PRÉCAMBRIEN

4,5   4,0   3,5   3,0   2,5

Après la naissance de la Terre, après son refroidissement et la formation du premier océan, les conditions étaient réunies pour un événement prodigieux : l'apparition de la vie. On ne sait pas comment sont nés les premiers êtres vivants, mais on en trouve les traces dans les roches les plus anciennes de notre planète. Plus prodigieux encore : les premiers êtres vivants ont transformé l'atmosphère et permis la naissance d'êtres plus complexes et plus divers.

64

La planète
vivante

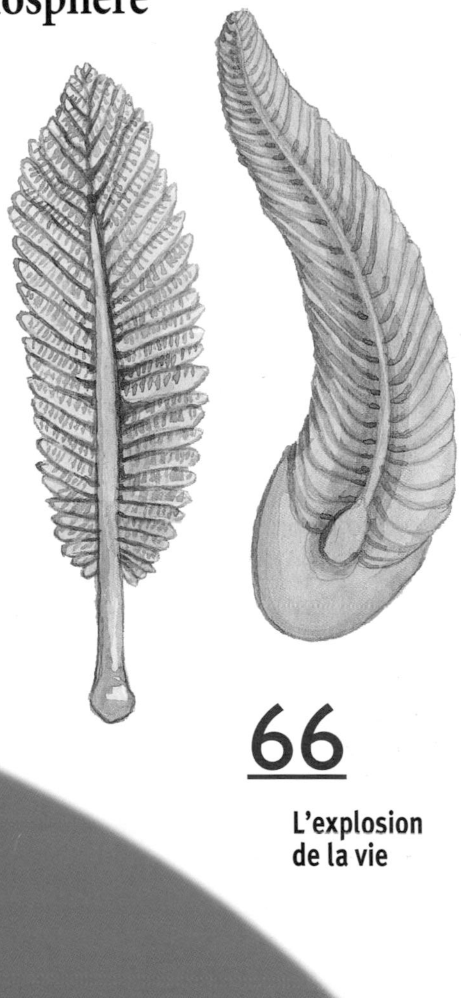

66

L'explosion
de la vie

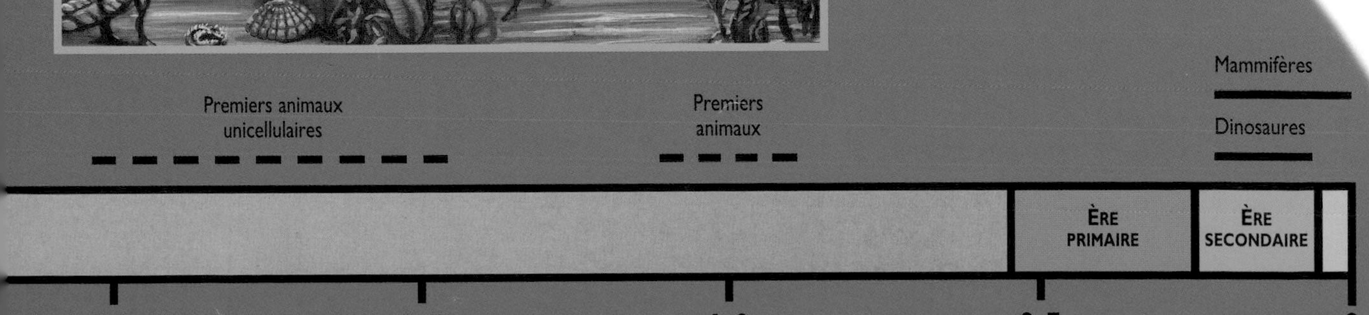

Premiers animaux
unicellulaires

Premiers
animaux

Mammifères

Dinosaures

		ÈRE PRIMAIRE	ÈRE SECONDAIRE	

2,0   1,5   1,0   0,5 Milliards d'années   0

De pierre et d'eau

Dans l'espace interstellaire, un immense nuage de gaz et de poussière s'effondre sur lui-même. Il s'aplatit en forme de disque, avec une grosse masse centrale et quelques amas plus petits qui gravitent autour de ce noyau. Notre système solaire est en train de naître.

Météorite trouvée dans l'Antarctique. Les météorites ont le même âge que le système solaire et la même composition que la nébuleuse originelle. Elles nous renseignent sur ce que pouvait être la terre à sa naissance.

La Terre

La Terre commence à se former il y a 4 550 millions d'années (soit plus de 4,5 milliards d'années). C'est l'âge que donnent les météorites, témoins des premiers temps du système solaire. Pendant une centaine de millions d'années, des astéroïdes s'agglutinent les uns aux autres, attirés par les forces de gravitation. Les éléments radioactifs qu'ils contiennent se désintègrent et produisent d'énormes quantités de chaleur. Les collisions des météorites augmentent encore la chaleur de la surface de la Terre. Tournant sur elle-même dans l'espace, la planète constituée d'un magma de roche fondue prend peu à peu la forme d'une sphère. Les éléments lourds comme le fer et le nickel « tombent » vers le cœur pendant que les éléments plus légers, silicium ou aluminium, s'accumulent à la surface. La surface se refroidit peu à peu et se solidifie, mais cette croûte terrestre est sans cesse brisée par d'énormes éruptions volcaniques.

L'air

De l'hydrogène, de l'argon, du néon se dégagent des roches en fusion.
La quasi-totalité de ces gaz se perdent rapidement dans l'espace,
balayés par les vents solaires. Les volcans émettent des quantités
prodigieuses d'autres gaz qui constituent une deuxième atmosphère,
plus stable. Elle est surtout composée d'azote, de dioxyde de carbone
(CO_2) et de vapeur d'eau, et contient également du dioxyde de soufre,
de l'ammoniac, du méthane et des oxydes d'azote mais pratiquement
pas d'oxygène. L'atmosphère primitive de la terre est irrespirable mais
il n'y a de toute façon pas le moindre être vivant capable de respirer !

L'eau

Pendant 500 millions d'années, la température de l'atmosphère reste probablement
supérieure à 100 °C. Dans cette fournaise, il ne peut se former la moindre mare,
car l'eau n'est présente que sous forme de vapeur. Puis les chutes de météorites
deviennent moins fréquentes et la Terre se refroidit. La vapeur d'eau atmosphérique
se condense et tombe en pluie. Mais les autres gaz réagissent et enrichissent la pluie
en acide carbonique, en acide nitrique et en acide sulfurique qui attaquent les roches
des jeunes continents. Ces réactions chimiques modifient encore la composition
de l'atmosphère. Les comètes ont probablement aussi joué un rôle important
dans l'accumulation de l'eau car elles sont en grande partie constituées de glace.
En tombant sur notre planète, elles ont non seulement apporté de l'eau mais aussi
des composés organiques, qui ont peut-être joué un rôle dans l'apparition de la vie…

Comète.

H_2O

L'eau est un élément
essentiel pour tous
les êtres vivants. C'est
une molécule toute
simple, constituée
d'un atome d'oxygène
et de 2 atomes
d'hydrogène, mais elle
est dotée d'étonnantes
propriétés. C'est
notamment un
prodigieux solvant,
dans lequel toutes
sortes de composés
peuvent se dissoudre
et participer à des
réactions chimiques.
Les chimistes ne
connaissent aucun
corps qui aurait pu
remplacer l'eau lors
de la naissance de la vie.

62

Naissance de la vie

Vers 1950, Stanley Miller tenta de créer en laboratoire les conditions de la Terrre primitive, afin de voir si des molécules organiques pouvaient apparaître en dehors de toute vie.

VIE SPONTANÉE

Pendant très longtemps, les naturalistes pensaient que la vie était apparue spontanément et continuait d'ailleurs à apparaître. Pour ces partisans de la « génération spontanée », il paraissait évident que des insectes, des vers, des plantes pouvaient se former dans la matière organique en décomposition. Les expériences de Pasteur ont prouvé que dans les conditions actuelles de la Terre, une cellule vivante provient toujours d'une autre cellule vivante.

Sur la Terre entièrement minérale, apparaît quelque chose de nouveau. Cela consomme de la matière et rejette des déchets. Cela grandit, se reproduit et varie de façon imprévisible. Cela naît et meurt. C'est vivant !

L'œuf et la poule

Aujourd'hui, la poule provient d'un œuf et celui-ci d'une poule. Le « bon sens » suggère qu'il en a toujours été ainsi. Mais nous connaissons à présent les ancêtres des poules, qui étaient des petits dinosaures à plumes. Les lointains ancêtres de ces dinosaures étaient des poissons et les lointains ancêtres de ces poissons de minuscules vers nageurs. Si l'on continue à remonter la chaîne des générations, on parvient à des êtres semblables aux bactéries actuelles. Le problème de l'apparition de la vie concerne non des poules ou des poissons mais des bactéries primitives, ce qui est un peu moins compliqué ! Les biologistes tentent donc de comprendre comment se sont formées les premières cellules, les plus simples que l'on puisse imaginer.

L'expérience de Miller

Atmosphère de méthane, d'hydrogène et d'ammoniac

Température entre 70 à 80 °C

Étincelle électrique simulant la foudre

Eau

Chauffage

Condenseur refroidissant le gaz

Matière organique

La matière organique, celle qui constitue les organismes vivants, est caractérisée par un élément, le carbone (C). Celui-ci est associé à l'azote (N), l'oxygène (O), l'hydrogène (H) et quelques autres éléments chimiques pour former de grosses molécules, comme les protéines ou les acides nucléiques. Les protéines assurent de multiples fonctions dans notre organisme : transport de l'oxygène dans le sang, contraction musculaire, hormones, fibres de la peau, etc. Les acides nucléiques, tel l'ADN, sont les constituants de nos gènes. Il n'existe pas d'êtres vivants sans protéines ni acides nucléiques. Mais en dehors des cellules vivantes, ces molécules ne se forment pas spontanément.

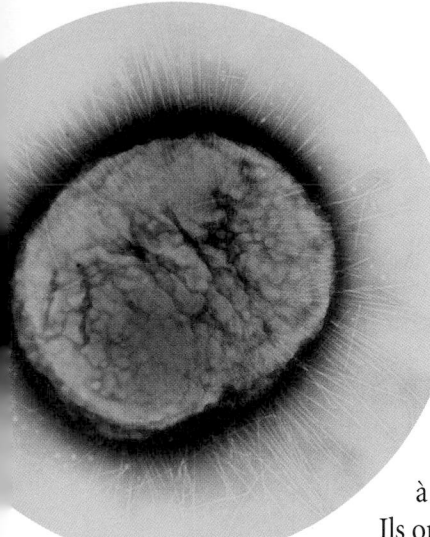

Bactérie
Escherichia coli
vue au
microscope.

En éprouvette

Il y a 4 000 millions d'années, la Terre était très différente. Son atmosphère contenait de grandes quantités de dioxyde de carbone (CO_2), et d'azote (N_2) avec un peu de méthane (CH_4) et de dioxyde de soufre (SO_2). C, N, O, H, S : les principaux éléments de la matière organique sont présents. Les chimistes ont recréé cette atmosphère primitive dans des tubes de verre soumis à des lampes à ultraviolets et des décharges électriques. Ils ont vu apparaître toutes sortes de molécules typiques des êtres vivants ! C'est probablement ce qui s'est produit alors, les éclairs des orages et le fort rayonnement ultraviolet du soleil fournissant de grandes quantités d'énergie aux gaz atmosphériques. Les nouvelles molécules formées pouvaient se dissoudre dans l'eau et réagir entre elles.

Recherche en cours

Cependant, si ces molécules sont bien les « briques » élémentaires de la vie, elles ne sont pas vivantes. Aucune cellule n'est encore apparue en éprouvette. Pour les chercheurs, certaines circonstances ont pu favoriser l'auto organisation de ces molécules en petites structures sphériques qui auraient donné les cellules. Les sources chaudes riches en sulfures situées au fond des océans sont considérées comme des lieux d'apparition possibles pour ces premières cellules. Les argiles auraient également pu jouer un rôle en facilitant les réactions. Pourtant, il faudra encore de nombreuses expériences avant que l'on comprenne vraiment comment est née la vie.

ENSEMENCEMENT

Certains chercheurs pensent que c'est dans l'espace qu'il faut chercher l'origine de la vie. En effet, les météorites et les comètes contiennent également des éléments carbonés qui auraient pu enrichir la Terre en matière organique. Ces molécules se formeraient dans les nuages de matière interstellaire qui sont à l'origine des étoiles. Elles pourraient ainsi ensemencer les planètes partout dans l'univers !

Source hydrothermale à 3 000 m de profondeur, dans l'océan Pacifique. L'eau des sources sort du plancher océanique à 350 °C. Elle est si riche en sels minéraux soufrés qu'elle édifie des « cheminées » de plusieurs mètres de haut. Des bactéries peuvent vivre dans cet environnement riche en énergie. Les premières cellules bactériennes auraient pu apparaître dans ce type de milieu, à l'abri des dangereux rayonnements ultraviolets du soleil.

La planète vivante

Bactéries fossiles trouvées dans une roche datée de 3,5 milliards d'années. Chaque sphère correspond à une bactérie.

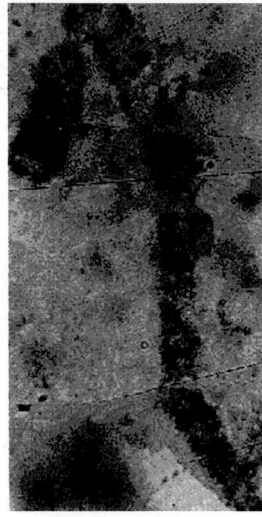

Stromatolithes actuels (Shark Bay, Australie). Ces roches se forment dans l'eau grâce à des bactéries dont l'activité provoque le dépôt régulier de calcaire sur leur support.

Les premières formes de vie sont de simples bactéries. Mais il ne s'agit pas de quelques microbes isolés qui se développent péniblement dans un environnement hostile. Ce sont des êtres efficaces et prolifiques qui occupent la planète pendant près de 2 milliards d'années et la transforment peu à peu.

Bactéries fossiles

La composition chimique de certaines roches datées de 3 800 millions d'années laisse supposer qu'elles proviennent de l'activité d'êtres vivants, mais on n'en a trouvé aucune trace. Les plus anciennes roches contenant des fossiles sont un peu plus récentes : 3 500 millions d'années. Ce sont des stromatolithes, des roches qui se forment sous l'action de bactéries qui déposent des couches successives de calcaire. Ces roches, trouvées en Australie, contiennent des petits fossiles ovales de 0,6 microns de long (soit 0,6 millièmes de millimètre, la taille d'une bactérie).

Un déchet très utile

Il y a 2 400 millions d'années, se produit un petit changement qui aura d'énormes conséquences. Les roches montrent qu'à cette époque, le taux d'oxygène atmosphérique commence à s'élever. Les responsables sont encore des bactéries mais un peu différentes des autres. Jusque-là, elles utilisaient comme source d'énergie soit des éléments minéraux énergétiques soit la matière des autres bactéries. Les nouvelles bactéries pratiquent la photosynthèse, c'est-à-dire qu'elles peuvent exploiter l'énergie lumineuse du soleil. Elles deviennent donc plus indépendantes de leur environnement et peuvent se développer plus rapidement. Ces bactéries rejettent un déchet qui se forme lors de la photosynthèse. Ce déchet, c'est l'oxygène !

De l'air !

Dans les premiers temps, ce gaz disparaît aussitôt car il réagit avec le fer dissous dans les océans pour donner des oxydes de fer, c'est-à-dire… de la rouille. D'énormes masses de roches rougeâtres encore présentes sur les continents témoignent de cette époque. Quand tout le fer a été oxydé, l'oxygène a commencé à s'accumuler dans l'atmosphère. Cela a permis l'apparition de nouvelles bactéries capables de respirer au lieu de fermenter. Or, la respiration est un processus chimique bien plus efficace que la fermentation pour produire l'énergie nécessaire au développement des bactéries.

Coupe d'un stromatolithe fossile : les stries marquent la croissance de la roche due à l'activité des bactéries.

La couleur de ces algues unicellulaires est due à la chlorophylle. Ce pigment vert leur permet de pratiquer la photosynthèse.

ÉNERGIE SOLAIRE

Certaines bactéries possèdent des pigments, des molécules spécialisées capables de capter la lumière solaire et d'en utiliser l'énergie. Elles prélèvent alors le dioxyde de carbone de l'air pour fabriquer des sucres et les autres éléments dont elles ont besoin pour se développer. Les héritières des premières bactéries à pigments sont les plantes terrestres actuelles, riches en chlorophylle verte, ainsi que les algues, qui possèdent des pigments verts, bruns ou rouges.

Associations

Entre − 2 000 et − 1 500 millions d'années, des bactéries s'assemblent pour former les premières cellules animales et végétales. Ces nouvelles cellules sont 10 à 100 fois plus grosses que les bactéries. Elles sont munies d'un noyau qui isole l'ADN du reste de la cellule. Elles contiennent aussi des bactéries qui trouvent à l'intérieur un environnement protecteur. Des bactéries se spécialisent dans la production d'énergie à partir des aliments ingérés par les cellules. D'autres sont capables de pratiquer la photosynthèse. Elles apportent aux cellules qui les hébergent le pouvoir d'utiliser l'énergie du soleil. Ces associations sont si poussées que les bactéries perdent leur individualité et s'intègrent définitivement aux cellules. Finalement, nous ne descendons pas d'une bactérie, mais d'une association de plusieurs bactéries !

Cette « marée verte » est une accumulation de bactéries particulières, capables de réaliser la photosynthèse grâce à un pigment bleu-vert.

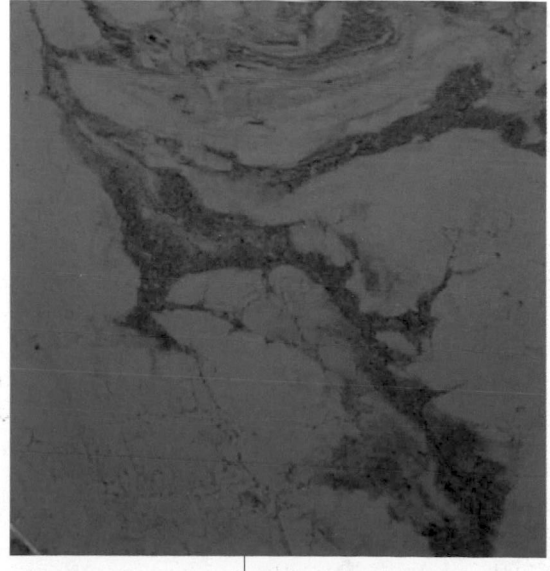

L'explosion de la vie

Spriggina.

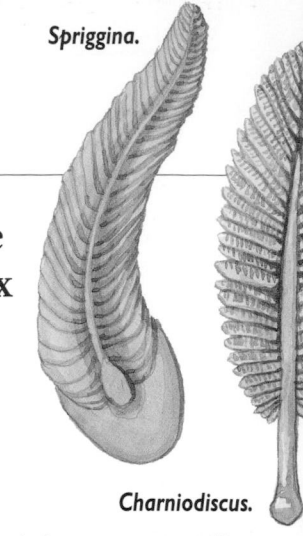

Brutalement, après des milliards d'années de vie microscopique, apparaissent de nouveaux êtres vivants. D'abord peu diversifiés et de très petite taille, ils deviennent de plus en plus variés et leurs descendants atteindront plusieurs dizaines de mètres de long.

Charniodiscus.

Tribrachidium.

Une ancienne frontière

Les premiers paléontologues avaient observé une frontière très nette séparant deux époques géologiques, le Précambrien dépourvu de fossiles et l'ère primaire, avec ses multiples espèces végétales et animales. La vie semblait apparaître soudainement, avec des formes déjà très différentes les unes des autres. De nombreuses découvertes ont modifié cette vision. Il existait bien des animaux au Précambrien, mais ils étaient pour la plupart dépourvus de squelettes durs et ont donc laissé peu de fossiles.

DÉCLENCHEMENT

La rapidité de l'apparition des animaux est une des énigmes de la paléontologie. L'« explosion du Cambrien » semble montrer que les animaux avaient atteint un stade évolutif qui permettait une diversification rapide, mais que les conditions extérieures n'étaient pas encore favorables. Les géologues ont découvert que la Terre sortait juste d'une période de glaciation extrêmement sévère, au cours de laquelle les glaciers arrivaient jusqu'à l'équateur. Le réchauffement aurait été un élément déclencheur. Autre hypothèse : la teneur de l'air en oxygène aurait alors atteint un niveau proche de l'actuel, favorisant l'apparition de plus gros animaux.

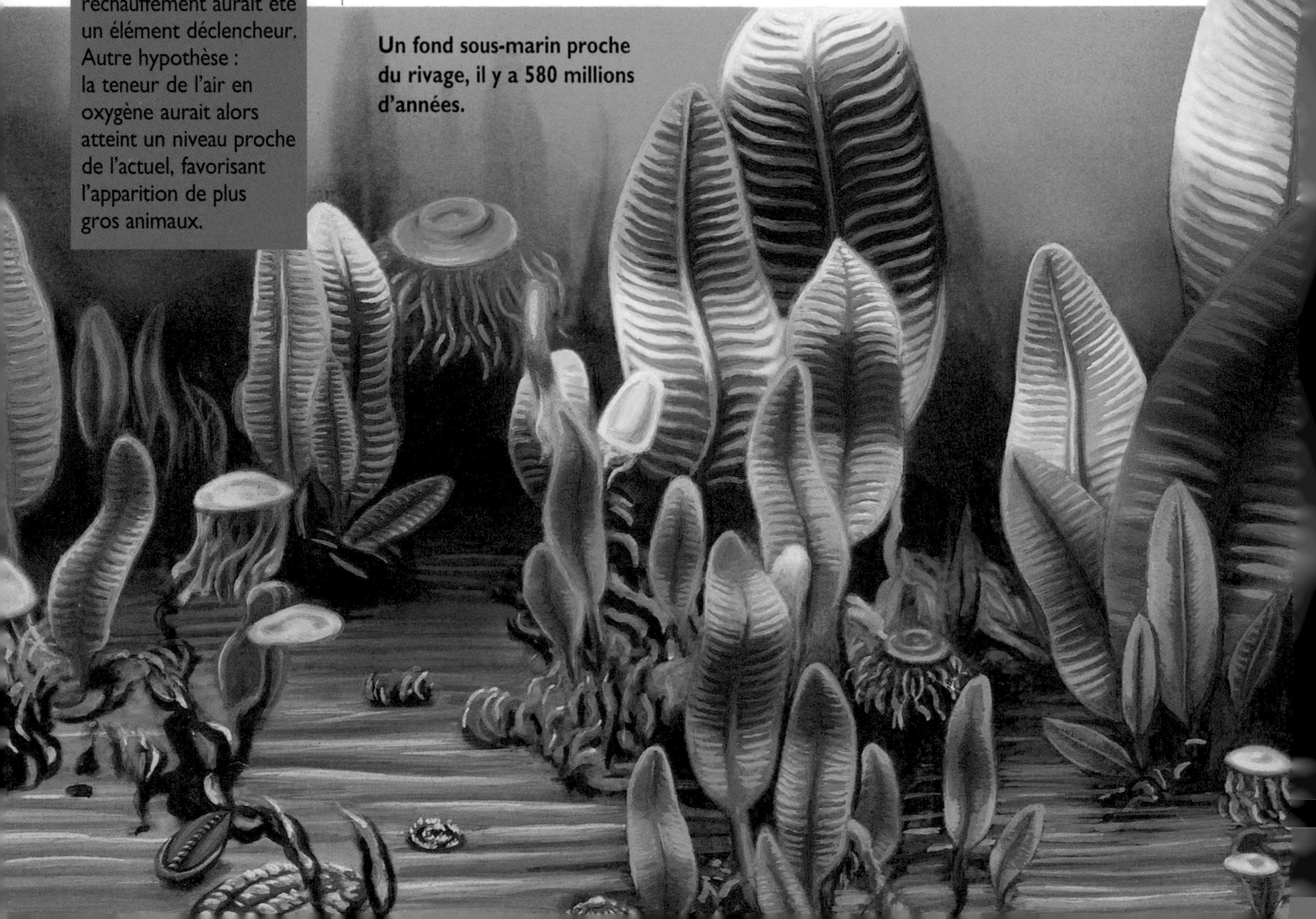

Un fond sous-marin proche du rivage, il y a 580 millions d'années.

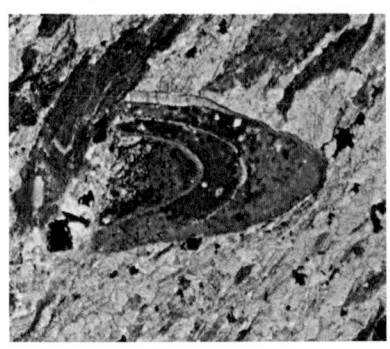

Cloudina, un des premiers animaux à squelette (3-4 cm de long).

Colonies

Les premiers animaux apparaissent probablement vers – 1 000 millions d'années. Constitués de centaines ou de milliers de cellules, ce sont les descendants des êtres unicellulaires qui les ont précédés. Lorsqu'ils se divisaient, certains d'entre eux, au lieu de se séparer, restaient collés et formaient des colonies. Ensuite, les cellules se sont spécialisées dans des activités différentes : capture des particules alimentaires, déplacements ou reproduction de la colonie. Il n'y a cependant pas de traces de cette période et la plus ancienne faune connue par des fossiles est beaucoup plus récente. Datée d'environ 580 millions d'années, elle a été découverte en Australie, sur le site d'Ediacara. La plupart des animaux ont un corps mou en forme de ruban ou de galette. Certaines espèces vivent fixées dans le sable et filtrent les particules nutritives qui flottent dans l'eau. D'autres rampent sur le fond et avalent la vase pour digérer la matière organique qu'elle contient.

De simples variations

Le nombre total d'espèces est assez réduit mais les fossiles montrent des plans d'organisation très différents les uns des autres. Certaines espèces peuvent être facilement classées dans des groupes qui existent encore, comme les Mollusques, les Arthropodes ou les Annélides. D'autres semblent avoir totalement disparu. Ainsi, le *Tribrachidium*, qui porte un organe en forme d'hélice à trois branches, n'a pas d'équivalent actuel. De nombreux embranchements ont été rapidement éliminés, peut-être parce qu'ils étaient moins efficaces que les autres ou peut-être simplement par malchance ! Par la suite, les nouvelles espèces qui apparaîtront ne seront plus que des variations autour des modèles nés à cette époque.

Fossiles d'embryons d'animaux trouvés en Chine en 1994 (diamètre 0,5 mm). Ils sont datés de 600 millions d'années. Le sédiment est si fin que chaque cellule est parfaitement visible.

L'INVENTION DU SQUELETTE

Il y a 600 millions d'années, les animaux commencent à fabriquer des squelettes (et à laisser des éléments susceptibles de se fossiliser). Peut-être les animaux ont-ils mis au point de nouveaux mécanismes chimiques pour expulser le calcium de leurs cellules. Cet élément, qui est toxique s'il est trop abondant, peut se révéler très utile s'il est stocké à l'extérieur des cellules sous forme de carbonate de calcium. Il sert à produire des carapaces, des tiges de soutien pour les muscles, des dents ou des piquants.

Le premier monde

78

On a marché
sur la Terre

76

Poissons
en armure

74

Bien avant
les crabes

72

Un océan
de vie

70

Continents
à la dérive

Coraux
mollusques
vers
crustacés

Premiers
poissons

Premières
plantes
terrestres

Premi
insect

550

500

450

CAMBRIEN

488

ORDOVICIEN

444

SILURIEN

416

PRÉCAMBRIEN 542

È

Le début de l'ère primaire connaît une extraordinaire accélération de l'évolution. D'innombrables espèces apparaissent, de plus en plus grandes et variées. Puis un autre événement se produit, qui sera même visible de l'espace : la planète bleue devient verte ! Les plantes colonisent les continents, suivies par les animaux. À la fin de l'ère primaire, d'immenses forêts abritent une faune abondante, dominée par d'énormes reptiles.

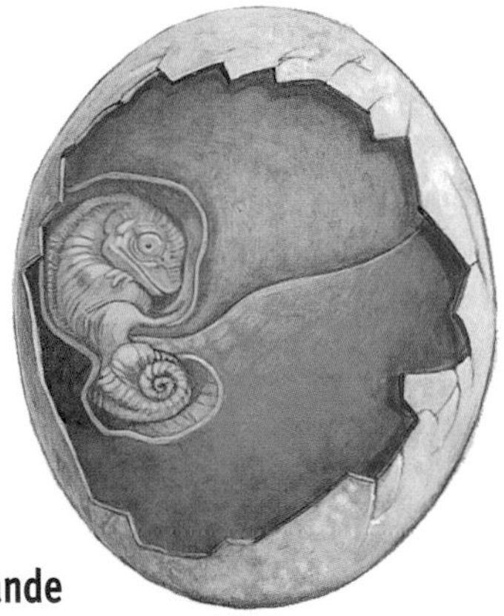

80
À quatre pattes

82
La grande forêt

84
Un œuf plein d'avenir

86
La fin du premier monde

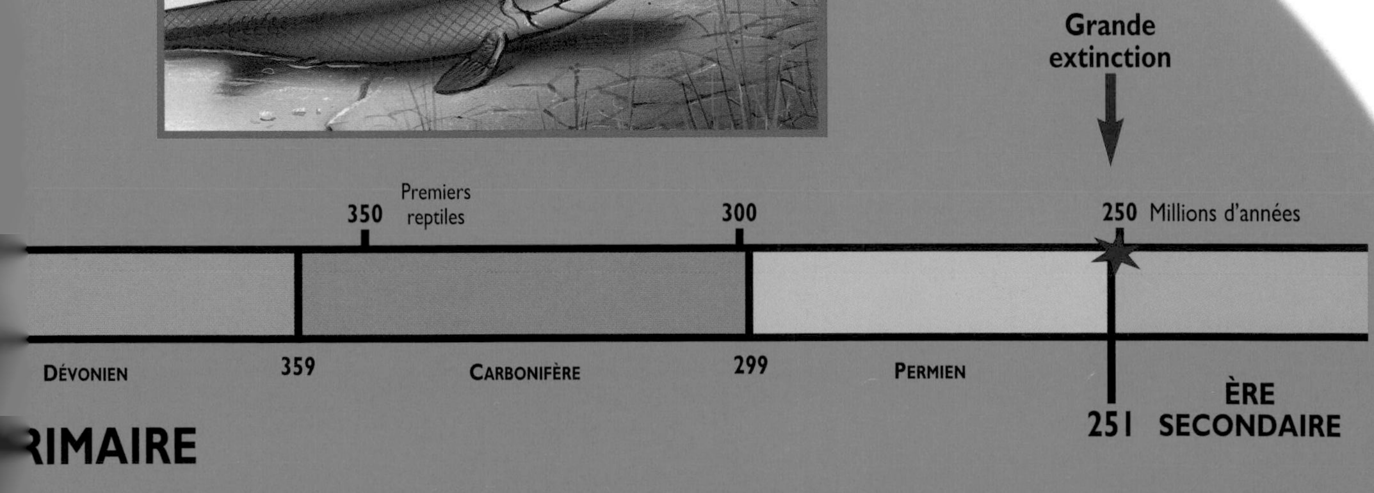

Grande extinction

350	Premiers reptiles	300	250 Millions d'années

DÉVONIEN	359	CARBONIFÈRE	299	PERMIEN	ÈRE SECONDAIRE

251

PRIMAIRE

Continents à la dérive

Une théorie globale

La théorie de la tectonique des plaques a permis de relier les découvertes des géologues, des paléontologues et des océanographes. Grâce à elle, la forme des continents, la localisation des tremblements de terre ou les différents types de volcanisme trouvent une explication globale et cohérente. La tectonique des plaques permet aussi de comprendre la répartition de certains animaux dont les fossiles sont dispersés sur plusieurs continents, mais qui vivaient en fait dans une seule et même région.

Observée pendant un an ou même pendant une vie entière, la terre ferme est un modèle de stabilité. Pourtant, les continents s'éloignent ou s'approchent lentement les uns des autres. Ce mouvement est imperceptible mais représente des milliers de kilomètres à l'échelle des temps géologiques.

Pôles mobiles

Lors des éruptions volcaniques, le champ magnétique terrestre, celui qui fait tourner l'aiguille des boussoles, agit aussi sur des cristaux de magnétite contenus dans la lave des volcans. Tant que celle-ci est liquide, les cristaux s'orientent en fonction de la direction des pôles. La lave refroidie contient alors d'innombrables petites aimants, tous orientés de la même façon. En mesurant l'aimantation des anciennes coulées de lave, les géologues ont constaté que la position des pôles semblait changer selon l'âge des roches, comme s'ils se déplaçaient à la surface du globe. En fait, ce ne sont pas les pôles qui ont changé de place, mais les continents.

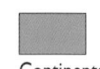

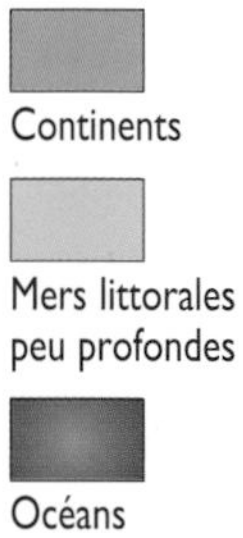
Continents
Mers littorales peu profondes
Océans

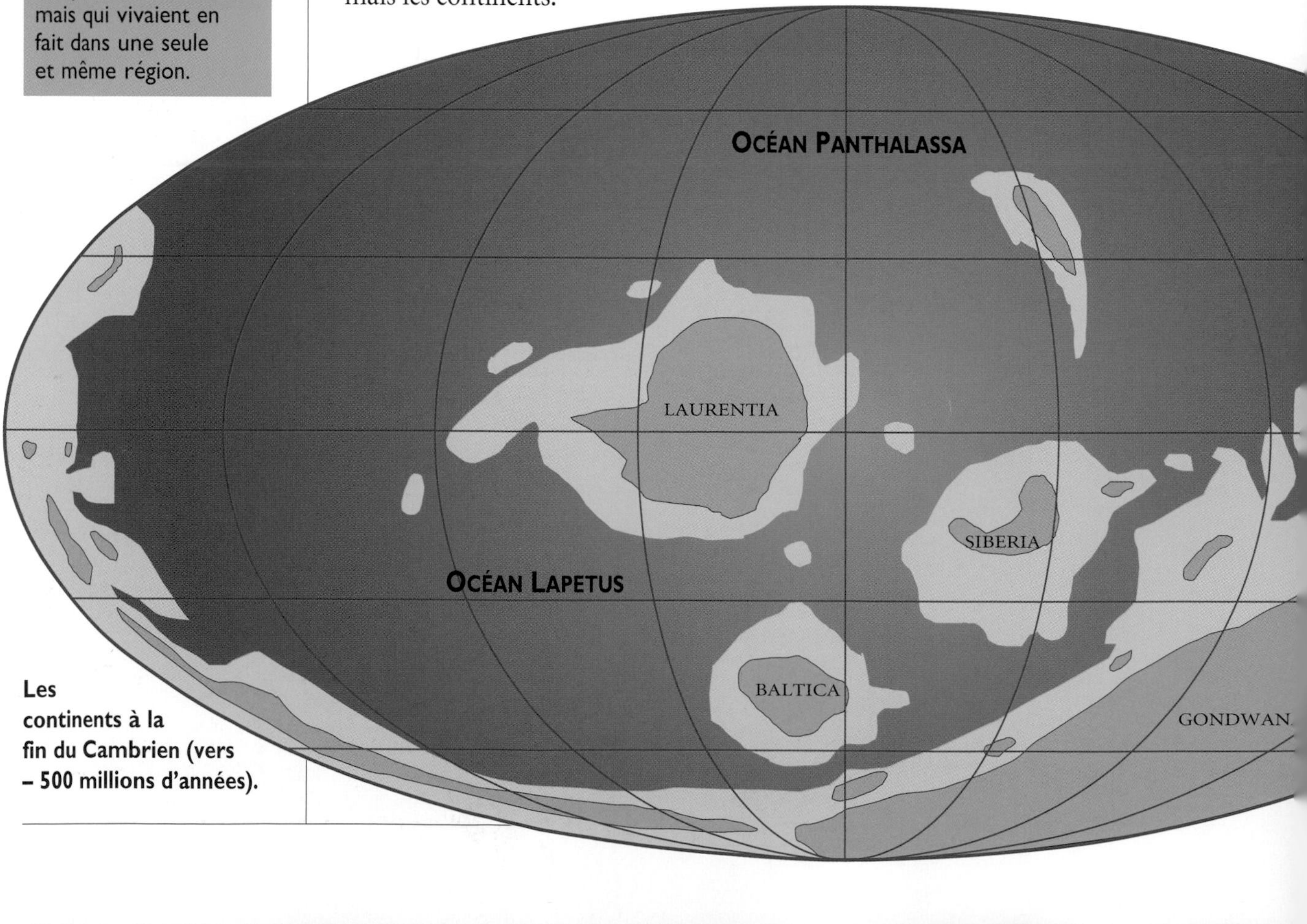
OCÉAN PANTHALASSA
LAURENTIA
SIBERIA
OCÉAN LAPETUS
BALTICA
GONDWAN

Les continents à la fin du Cambrien (vers – 500 millions d'années).

Fossile de mésosaure. Ces petits reptiles marins sont datés de la fin de l'ère primaire. Leurs squelettes ont été trouvés en Afrique du Sud et en Amérique du Sud. Comme ils vivaient près des côtes, ils n'auraient pas pu franchir un océan tel que l'Atlantique actuel. Il y a 300 millions d'années, les 2 continents étaient extrêmement proches l'un de l'autre.

Moteur planétaire

La croûte terrestre est constituée de plaques rigides qui se déplacent les unes par rapport aux autres en entraînant les continents. La couche située sous la croûte, appelée manteau, est constituée de roches partiellement fondues. Chaude et visqueuse, cette couche est parcourue de vastes courants qui transportent les plaques situées au-dessus. Leur vitesse est de quelques centimètres par an, soit plusieurs dizaines de kilomètres par million d'années. Depuis la naissance de la Terre, les continents se sont plusieurs fois fracturés, séparés et réunis, en fonction des déplacements des plaques.

Continent fracturé

Au début de l'ère primaire, il n'existe qu'un unique continent géant, la Rodinia, qui commence à se fracturer. Au sud se détache le Gondwana, formé de ce qui deviendra par la suite l'Amérique du Sud, l'Afrique, l'Australie et l'Antarctique. Au nord, la Laurentia correspond à une partie de l'Amérique du Nord. Entre les deux se tiennent la Baltica, qui regroupe l'Europe du Nord et de l'Est, et la Siberia, une partie de l'Asie actuelle. Le climat global est plus chaud et plus uniforme qu'aujourd'hui mais il va subir de grands changements du fait des déplacements des continents. Des périodes glaciaires provoqueront de fortes baisses du niveau de la mer, réduisant la surface des mers peu profondes proches des continents. Ces événements joueront un rôle très important dans l'évolution de la faune et de la flore.

BOULE DE GLACE

Les mouvements des continents agissent sur la composition de l'atmosphère. En effet, les sédiments marins sont tôt ou tard entraînés en profondeur dans le manteau terrestre. Les roches calcaires riches en carbone se mélangent aux roches fondues du magma. Ces réactions produisent du CO_2 qui est finalement renvoyé dans l'atmosphère par les volcans. Or, ce gaz est indispensable au maintien d'une température favorable à la vie à la surface de la Terre. Si le CO_2 n'avait pas été ainsi recyclé, notre planète ne serait qu'une boule de glace.

Un océan de vie

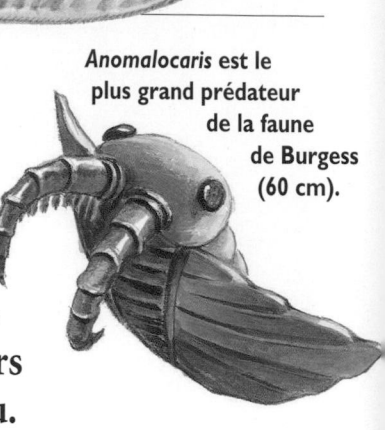

Pikaia (5 cm).

Anomalocaris est le plus grand prédateur de la faune de Burgess (60 cm).

Il y a 540 millions d'années, les continents sont totalement déserts, sans un animal qui rampe ou vole. En revanche, les mers commencent à se peupler de multitudes d'espèces, d'abord très petites et peu mobiles, puis de plus en plus grandes, avec les premiers prédateurs que la Terre ait jamais connu.

Fenêtre sur faune

Le site de Burgess, en Colombie Britannique (Canada) est daté d'environ 525 millions d'années, une époque où pas un animal ne s'est encore aventuré sur la terre ferme. Ce site est une fenêtre ouverte sur la faune marine du début de l'ère primaire. Les paléontologues y ont découvert plus de 120 espèces d'animaux. Presque tous de très petite taille, ils sont bien préservés car ils ont été rapidement enfouis dans une boue fine après leur mort. Il est possible de les disséquer sous la loupe, comme s'ils venaient juste de mourir, et d'en étudier les moindres détails. La plupart d'entre eux sont des arthropodes, mais il y a aussi quelques espèces étranges, difficiles à classer.

Un petit animal tout simple

Pikaia nous intéresse particulièrement car il ressemble à ce qui pourrait être l'ancêtre des Vertébrés, donc le nôtre ! Mi-ver, mi-poisson, son corps est allongé, avec une nageoire dans sa partie arrière. Il n'a pas de tête bien marquée, seulement une bouche entourée de quelques tentacules. Les paléontologues pensent qu'il s'agit peut-être d'un des premiers cordés. Ce groupe comprend les vertébrés et des petits animaux marins dépourvus de véritable squelette mais qui possèdent, au moins pendant une partie de leur vie, une baguette semi-rigide, la corde. Chez les vertébrés, celle-ci est remplacée au cours du développement par la colonne vertébrale. On n'a pas vu de corde chez *Pikaia*, mais il porte deux rangées de muscles en forme de V, comme les cordés actuels.

Les brachiopodes sont des animaux marins très abondants à l'ère primaire. Ils sont toujours présents dans les océans mais ont été presque partout remplacés par les mollusques.

Les bâtisseurs du Cambrien

En quelques dizaines de millions d'années, les premiers animaux donnent naissance à tous les groupes qui vont peupler les océans jusqu'à nos jours. Des éponges imprégnées de calcaire, puis des coraux commencent à bâtir des récifs qui atteindront rapidement des dimensions énormes. Comme aujourd'hui, ces récifs servent d'abri à des milliers d'espèces différentes : des oursins, des mollusques, des crustacés et bientôt, des poissons. Les lys de mer sont aussi très abondants. Parents des oursins et des étoiles de mer, ils ont encore quelques descendants dans les océans actuels. Avant l'arrivée des poissons, les principaux prédateurs sont les nautiloïdes, des sortes de seiches protégées par des coquilles allongées.

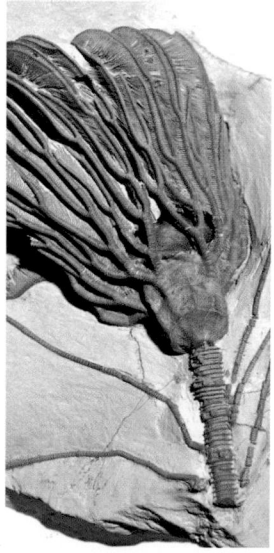

Faune de Burgess.
Opabinia **(7 cm),**
un étrange animal muni
de 5 yeux et d'une
trompe, poursuit un
Marrella, **un arthropode**
qui ne ressemble à
aucune autre espèce.

Lys de mer actuel, (ci-contre). Il vit en profondeur, dans l'océan Atlantique.

Lys de mer fossile (à droite).
Ces animaux sont des échinodermes,
apparentés aux étoiles de mer et aux oursins.

Bien avant les crabes

Trilobites. Leur corps est divisé en 3 parties : la tête, le thorax et la queue. Chaque segment du thorax porte une paire de pattes. Leurs yeux à facettes comprennent plusieurs milliers de lentilles.

Pterygotus, euryptéryde. On en connaît plus de 300 espèces. Certains d'entre eux étaient marins et d'autres ne vivaient qu'en eau douce.

Si nous pouvions passer une épuisette dans les mares de l'ère primaire, la faune nous semblerait très étrange. Nous ne trouverions ni crabe ni crevette, mais des trilobites, des eurryptérides et des xiphosures, d'étranges arthropodes parents des araignées et des scorpions.

Trilobites

Les Trilobites sont les principaux arthropodes de l'ère primaire. On en connaît plus de 15 000 espèces différentes, de quelques millimètres à plus de 70 cm de long. La plupart d'entre eux rampaient sur les fonds marins et sur les rochers à la recherche de leur nourriture. Selon les espèces, ils étaient détritivores (mangeurs de débris), prédateurs ou charognards. D'autres encore nageaient en pleine eau, se nourrissant de plancton. Les Trilobites étaient protégés par une carapace articulée, comme celle des insectes ou des crustacés et ils pouvaient se rouler en boule pour se protéger de leurs prédateurs.

Eurryptérides

Également appelés gigantostracés, ces « scorpions aquatiques » sont les plus grands arthropodes de tous les temps. Le *Pterygotus* dépassait 2 m de long. Avec ses grandes pinces, c'était probablement un redoutable prédateur pour les lents poissons primitifs et les petits trilobites. Il pouvait se déplacer rapidement grâce aux battements de sa queue aplatie en palette natatoire. D'autres eurryptérides étaient nettement plus petits. Certains d'entre eux étaient capables de sortir de l'eau, tels les crabes actuels. Comme les trilobites, ils ont disparu à la fin de l'ère primaire, mais ils avaient vécu plus de 200 millions d'années.

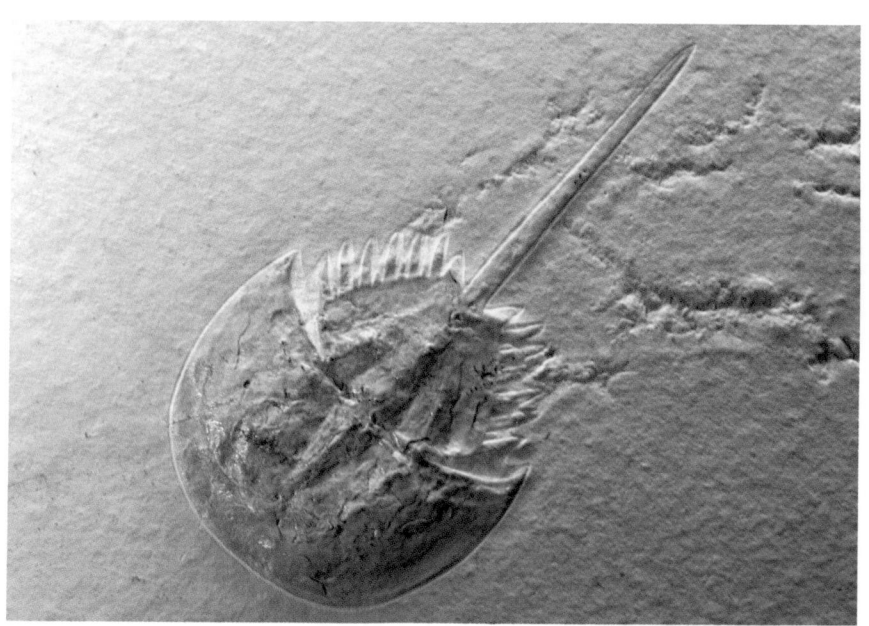

Limule fossile. Il est très semblable aux limules actuels.

Xiphosures

Les Xiphosures hantent les océans depuis 440 millions d'années mais, contrairement à leurs cousins, ils ont survécu jusqu'à nos jours. Le limule actuel vit en profondeur et s'approche du rivage pour pondre, les nuits de pleine lune. Il possède un sang de couleur bleue du fait de présence d'hémocyanine, un pigment riche en cuivre qui remplace l'hémoglobine. Le sang de limule est utilisé par l'industrie pharmaceutique dans des tests de pureté, pour vérifier l'absence de microbes dans les vaccins.

Limules en période de reproduction. Il subsiste 4 espèces qui vivent à l'ouest de l'océan Pacifique et sur la côte atlantique des États-Unis.

Poissons en armure

La myxine nous donne une idée des premiers poissons sans mâchoires, mais elle est totalement dépourvue de cuirasse.

Les premiers poissons sans tête ont évolué et donné naissance à de nouvelles espèces ayant acquis têtes et nageoires. Les mers de la fin de l'ère primaire sont peuplées d'innombrables poissons, minuscules mangeurs de plancton ou prédateurs géants.

Sans mâchoires

Les plus anciens fossiles de « poissons » ont près de 470 millions d'années. Pour les zoologistes, ce ne sont pas tout à fait de vrais poissons car, s'ils sont bien une bouche et une tête avec deux yeux, ils sont dépourvus de mâchoires. Ils se nourrissent en aspirant les petits animaux qui vivent dans la vase. Des « dents » cornées très dures leur permettent aussi de se fixer sur des animaux et d'en déchirer la chair. Deux grandes plaques osseuses protègent l'avant du corps contre les prédateurs tels que les scorpions de mer. Faute de nageoires, ils se déplacent lentement grâce à leur queue, le seul élément mobile de leur corps cuirassé. Il existe encore aujourd'hui des poissons sans mâchoires, les myxines et les lamproies.

TOUJOURS SANS MÂCHOIRES

Les myxines actuelles permettent de mieux comprendre la biologie des premiers poissons de l'ère primaire. Dépourvues de mâchoires, elles se fixent sur des poissons malades ou morts par leur bouche munie de dents cornées, et en aspirent peu à peu le sang et la chair. À la différence des vrais poissons, les myxines n'ont pas de squelette, mais une simple colonne vertébrale cartilagineuse, sans côtes ni nageoires. Même si elles ressemblent vaguement à des anguilles, les myxines ne sont pas considérées comme des Poissons, ni même des Vertébrés.

Faune marine du Dévonien (vers – 370 millions d'années)

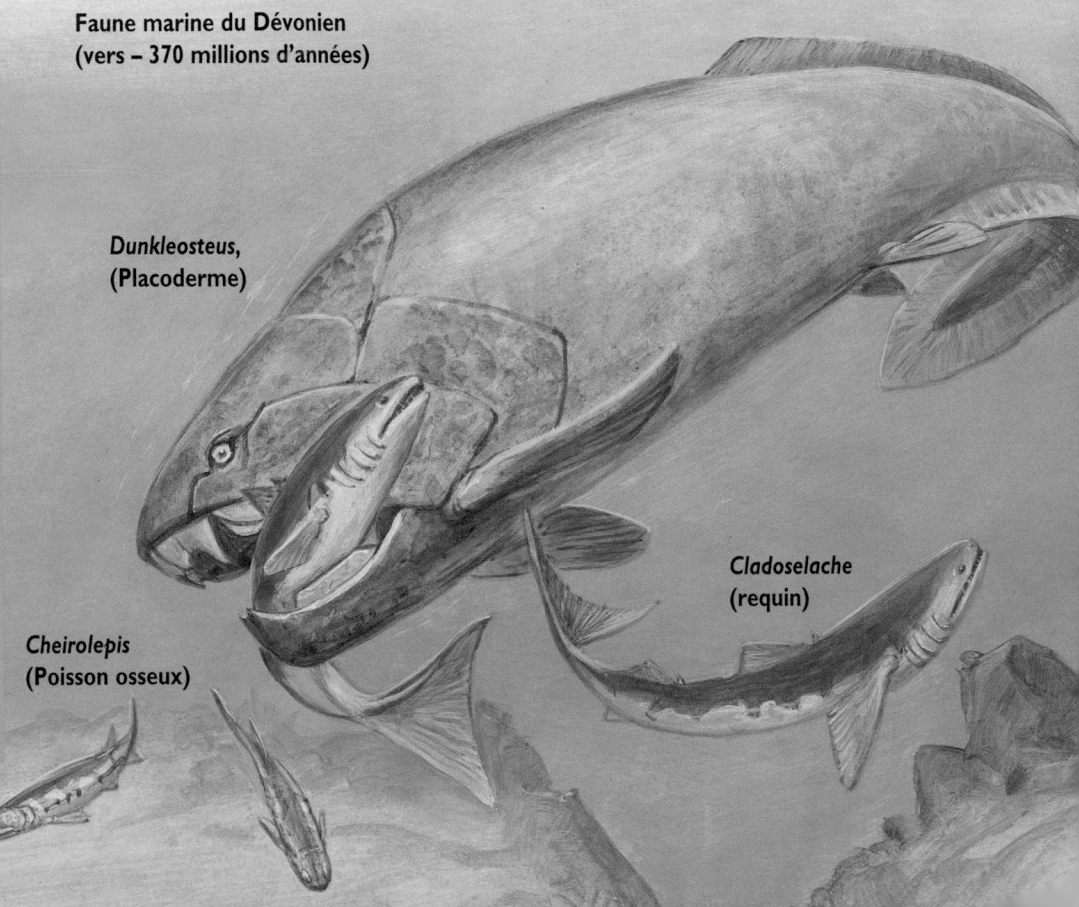

Dunkleosteus, (Placoderme)

Cladoselache (requin)

Cheirolepis (Poisson osseux)

Cuirassés mordeurs

Les Placodermes sont eux aussi cuirassés, mais possèdent de véritables mâchoires. Au cours de leur évolution, des petits os soutenant les branchies se sont transformés en mâchoires portant des dents. Ces poissons se diversifient rapidement avec de petites espèces se tenant près du fond et des espèces de pleine eau, bien plus grandes. L'un des premiers géants des mers est *Dunkleosteus*, qui mesure plus de 8 m de long. D'énormes plaques osseuses protègent sa tête et d'autres forment des dents pointues et coupantes. Malgré leur armure, les Placodermes disparaissent vers – 350 millions d'années, remplacés par des poissons plus souples et probablement meilleurs nageurs.

Dents et cartilages

Les Placodermes sont aussi à l'origine de deux nouveaux groupes, les Poissons cartilagineux et les Poissons osseux. Les premiers sont les ancêtres des requins et des raies. Leurs plus anciens fossiles ont environ 430 millions d'années, mais on ne connaît que leurs « écailles », qui ont en fait la même structure que des dents. Le squelette des requins est constitué de cartilage, une matière qui se fossilise beaucoup moins bien que l'os. Leurs fossiles sont donc assez rares. Les premiers représentants de ce groupe, comme *Cladoselache*, ont les mêmes dents que les requins actuels mais leur gueule est située à l'avant du corps et non sous la tête.

Un succès de longue durée

Les Poissons osseux vont connaître un succès prodigieux et remplacer à peu près toutes les autres espèces. L'un d'eux, *Cheirolepis*, a les mêmes nageoires que les poissons actuels, notamment les deux pectorales et les deux pelviennes, qui correspondent à quatre « membres ». Ces poissons vont prospérer et se diversifier pendant plus de 400 millions d'années, jusqu'à aujourd'hui où ils représentent près de 25 000 espèces, des poissons rouges aux thons et aux anguilles. Un autre groupe important est constitué de poissons à nageoires charnues qui sont les ancêtres des quadrupèdes.

ANCÊTRE OU COUSIN ?

Une équipe de paléontologues chinois a découvert dans la province du Yunnan (Chine) plusieurs centaines de petits poissons fossiles de 1 à 2 cm de long. Ils ont 2 rangées de muscles en forme de V, comme *Pikaia*, mais semblent bien avoir une véritable tête et des branchies. Ils sont datés de 530 millions d'années, soit le même âge que *Pikaia*. Celui-ci ne peut donc pas être leur ancêtre, mais probablement un proche cousin.

Sarcoptérygien

Bothriolepis
(placoderme)

On a marché sur la Terre

La vie est née dans l'eau et s'est développée dans la mer et les fleuves pendant des centaines de millions d'années. Mais les plantes ont colonisé les continents, formant un tapis végétal qui a fini par tenter quelques herbivores aquatiques…

SACS DE SPORES

Les premières plantes terrestres se reproduisent par des spores. Ce sont des sortes de « graines » qui leur permettent de se disséminer, mais qu'elles forment seules, sans reproduction sexuée, au contraire des véritables graines. Des plantes actuelles, comme les mousses et les fougères, ont encore un cycle de reproduction à plusieurs étapes, dans lequel intervient la production de spores.

Les pionniers

Les premiers êtres vivants à affronter l'air libre et le rayonnement solaire direct, il y a près de 800 millions d'années, sont des algues et des bactéries. Elles étaient probablement protégées par une épaisse couche de mucus contre la sécheresse et les rayons ultraviolets. On n'a cependant aucune trace directe de ces pionniers. Les plus anciens fossiles de plantes terrestres sont datés d'environ 415 millions d'années. *Cooksonia* mesure 10 à 20 cm de haut, avec des tiges ramifiées dépourvues de feuilles et de racines, mais portant des petits sacs remplis de spores, destinées à leur dissémination. Un peu plus tard, apparaissent des plantes semblables aux mousses et aux fougères actuelles, avec des espèces de dimensions très variables, de la taille d'une herbe à celle d'un grand arbre.

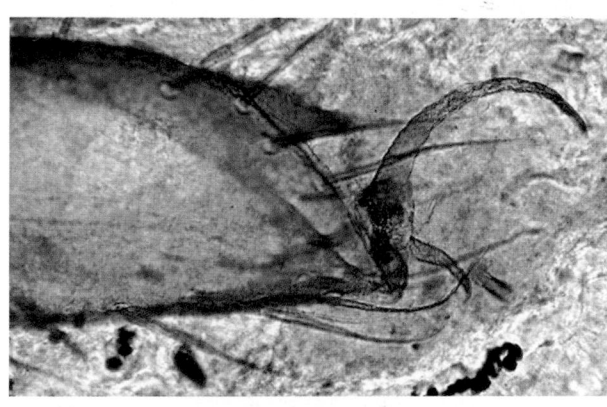

Palaeocharinus (à droite). C'est l'une des plus anciennes araignées, et aussi l'un des plus anciens animaux terrestres. Chaque patte est munie de 2 griffes (à gauche).

Kampecaris est l'un des premiers mille-pattes. Ce groupe est l'un des plus abondants de cette première faune terrestre.

BOUCLIER GAZEUX

Pendant des millions d'années, les algues marines et les plantes terrestres ont produit de l'oxygène, un sous-produit de la photosynthèse. Ce gaz n'a pas été seulement utile pour faciliter la respiration des animaux. Dans la haute atmosphère, l'oxygène est en effet transformé en ozone, un gaz qui arrête les rayons ultraviolets du soleil. Ce rayonnement est un puissant agent de dégradation de l'ADN, et il était pratiquement impossible aux animaux de s'aventurer à l'air libre avant la formation de cette « couche d'ozone » protectrice.

Coupe de tige de *Rhynia*, l'une des premières plantes vivant à l'air libre.

Petites bêtes envahisseuses

Ce maigre tapis végétal abrite déjà une faune assez diversifiée. On connaît moins les espèces terrestres que les animaux marins de la même époque car les fossiles sont rares, mais quelques sites géologiques ont dévoilé de nombreux petits animaux qui vivaient non loin des mares ou des rivières. Des scorpions, des araignées, des acariens, des mille-pattes sont parmi les premiers à vivre en permanence à l'air libre. Les araignées et les mille-pattes n'ont d'ailleurs pas les mêmes organes respiratoires, ce qui laisse supposer qu'ils sont sortis de l'eau indépendamment les uns des autres, chaque groupe évoluant à sa façon en s'adaptant à ce nouvel environnement.

Pourquoi changer de vie ?

À cette époque, les animaux aquatiques sont soumis à de fortes pressions de leur environnement. Ils ont de nombreux concurrents et les prédateurs se multiplient. Certaines espèces sont capables de supporter la sécheresse de l'air et de se déplacer à terre, même lentement. Ils peuvent alors exploiter de nouvelles sources de nourriture, ce qui est un avantage important par rapport aux animaux qui restent dans l'eau. Ils sont ensuite imités par des prédateurs et des détritivores qui se chargent des débris végétaux et des restes des animaux. Il se crée ainsi de nouvelles chaînes alimentaires.

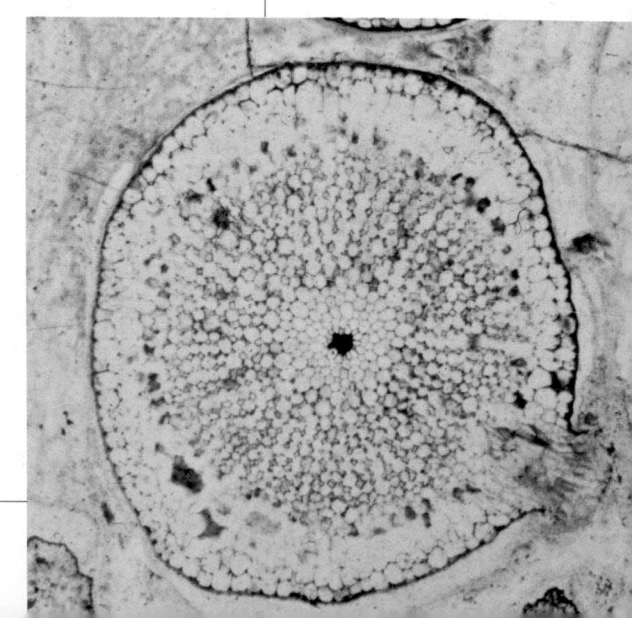

À quatre pattes

Dans la foule des poissons qui peuplent les mers et les fleuves de l'ère primaire, certains se distinguent par leurs nageoires qui ressemblent à des pattes et par leurs poumons, des organes qui pourraient bien se révéler très utiles hors de l'eau…

Des poissons marcheurs

Eusthenopteron ressemble à un « poisson », mais les zoologistes le classent, avec les cœlacanthes actuels, dans un groupe particulier, les Sarcoptérygiens. Il a en effet des caractéristiques très différentes des autres poissons : ses nageoires paires sont portées par des sortes de membres musculeux. Il nage en pagayant alternativement de chaque côté, plus comme un animal marcheur que comme un poisson. Il pouvait probablement sortir de l'eau et passer d'une mare à l'autre en se traînant dans la boue, mais ses articulations ne lui permettaient pas de marcher véritablement.

Eusthenopteron vivait en eau douce. Ses 4 nageoires paires étaient renforcées par un squelette osseux, comme chez les Tétrapodes. Comme le cœlacanthe, il possédait probablement un poumon lui permettant de respirer à l'air libre.

Acanthostega,
l'un des premiers
tétrapodes.

Tétrapodes nageurs

Acanthostega vit à la même époque qu'*Eusthenopteron*
et lui ressemble beaucoup, avec sa tête large et plate,
ses branchies et sa queue bordée d'une nageoire à rayons.
Mais les quatre pattes d'*Acanthostega* se terminent par
des doigts et non par des nageoires. Elles étaient certainement
plus utiles pour pagayer que pour marcher car elles se plient
à peine. *Acanthostega* menait une existence aquatique, comme ses
ancêtres poissons, et ses pattes devaient l'aider à se déplacer dans
la végétation aquatique ou dans les zones peu profondes des marais.
Il nous donne une bonne image de la façon dont des poissons ont
pu évoluer et donner naissance aux amphibiens.

Tétrapodes marcheurs

Eucritta est un véritable marcheur qui se déplace à terre sans
difficultés. Il n'a plus de branchies, sauf pendant sa période
larvaire. Certains os de sa mâchoire se sont transformés
et lui permettent d'entendre les sons aériens.
Parmi les premiers amphibiens, certaines
espèces étaient principalement aquatiques
et d'autres chassaient les insectes et autres
petits animaux terrestres. L'eau restait
indispensable pour la ponte, comme
pour les grenouilles et les salamandres
actuelles.

De l'eau à l'air

Sortir de l'eau présente des avantages : le milieu aérien
est bien plus riche en oxygène et il donne accès à de
nouvelles sources de nourriture. Mais c'est un milieu
difficile pour des animaux aquatiques qui doivent éviter
de se dessécher et donc acquérir une peau imperméable.
Les branchies sont mal adaptées à la respiration aérienne.
Il leur faut aussi de nouveaux muscles pour supporter
la pesanteur qui se fait lourdement sentir. Les poissons
ne se sont pas transformés « pour » sortir de l'eau. Ils ont
acquis des organes leur permettant d'exploiter des milieux
nouveaux, à la limite de l'eau et de l'air, et de résister
à des périodes d'assèchement plus ou moins longues,
comme des poumons rudimentaires. C'est seulement par
la suite que ces nouvelles structures ont évolué vers une
adaptation de plus en plus poussée au milieu aérien.

LES 8 DOIGTS DE LA MAIN

Acanthostega avait
8 doigts à chaque
membre. Certains
de ses proches parents
en avaient 7, 6 ou 5,
comme *Eucritta*.
L'un de ces animaux
est l'ancêtre des
Tétrapodes, les animaux
à 4 pattes. Cet ancêtre
avait 5 doigts et a
transmis ce caractère
à tous ses descendants
(mais certains en ont
perdu au cours de leur
évolution). Nos 5 doigts
sont un héritage
extrêmement ancien !

Dipneuste africain.
Les dipneustes actuels
possèdent en plus
de leurs branchies un
poumon rudimentaire
qui leur permet d'utiliser
l'oxygène de l'air lorsque
l'eau manque d'oxygène
dissous.

La grande forêt

ENFOUISSEMENT

Dans la grande forêt du Carbonifère, les arbres morts et les feuilles tombées étaient rapidement recouverts par de nouveaux débris et par des sédiments sableux amenés par les fleuves. De nouvelles forêts se développaient alors, avant d'être enfouies à leur tour, et ainsi de suite jusqu'à constituer des milliers de mètres d'épaisseur. Sous l'effet de la pression et de la chaleur qui règnent en profondeur, les matières végétales ont subi un début de combustion qui les ont transformées en charbon.

Il y a 350 millions d'années, le monde ressemble un peu plus à celui que nous connaissons. Sur les continents s'étendent de grandes forêts peuplées de nombreux animaux. Mais à y regarder de plus près, les arbres ont une allure étrange et les insectes sont franchement effrayants !

Des climats contrastés

À l'époque du Carbonifère (– 359 à – 299 millions d'années), le climat est chaud et humide sur le continent nord centré sur l'équateur. D'immenses marécages recouvrent les plaines d'Europe, d'Asie et d'Amérique. Des forêts poussent les pieds dans l'eau, avec des arbres très différents des espèces des forêts tropicales ou tempérées actuelles. Le tronc écailleux des lépidodendrons et des sigillaires porte à 30 m d'altitude un panache de feuilles vertes. Ces géants sont accompagnés de calamites, ancêtres des petites prêles actuelles, et de fougères arborescentes, aux troncs surmontés de larges feuilles.

Petites bêtes géantes

Les principaux habitants de cette forêt marécageuse sont des insectes. *Meganeura* a l'allure d'une libellule, mais elle mesure 70 cm d'envergure, la taille d'un faucon crécerelle. Comme les libellules actuelles, elle capture en vol les autres insectes. Des blattes géantes se nourrissent des débris végétaux et animaux. Les mille-pattes sont nombreux et atteignent 2 m de long. Les insectes petits et grands sont la proie des premiers reptiles et des amphibiens qui chassent sous l'eau et sur terre.

Meganeura

Hylonomus (20 cm) le plus ancien reptile connu.

De l'air pour grandir ?

Les paléontologues avancent plusieurs hypothèses pour expliquer le gigantisme des insectes et des autres arthropodes. L'une des explications serait la richesse de l'air en oxygène. Le développement des forêts produisait en effet de grandes quantités d'oxygène qui se serait accumulé dans l'atmosphère. Or, les insectes respirent à l'aide de tubes ramifiés qui amènent l'air directement au niveau des cellules, mais ils ne possèdent pas de système de pompage efficace, ni de moyen de transport de l'oxygène dans le corps. Ce système respiratoire limite les insectes actuels mais à l'époque, le taux élevé d'oxygène leur permettait peut-être d'atteindre de plus grandes tailles. Autre hypothèse : ils auraient profité de l'absence de prédateurs terrestres suffisamment habiles pour les chasser. En fait beaucoup d'insectes avaient la même taille qu'aujourd'hui, mais leurs fossiles sont moins faciles à trouver !

Eryops (Amérique du nord, – 300 millions d'années). Cet amphibien mesurait 2 m de long. Il se nourrissait de poissons et d'autres animaux aquatiques.

Fossile de *Meganeura*, une libellule géante du Carbonifère.

CARBONIFÈRE

Carbonifère signifie « qui comporte du charbon ». Les terrains formés à cette époque sont en effet riches en veines de charbon qui ont constitué la principale source d'énergie du développement industriel de l'Europe au XIXe siècle. Mais le charbon brûlé pendant un siècle a considérablement augmenté la teneur de l'atmosphère en carbone, les usines rejetant le CO_2 qui avait été prélevé par les plantes il y a 320 millions d'années. Ce gaz est aujourd'hui l'un des principaux responsables de l'augmentation de la température moyenne de l'atmosphère.

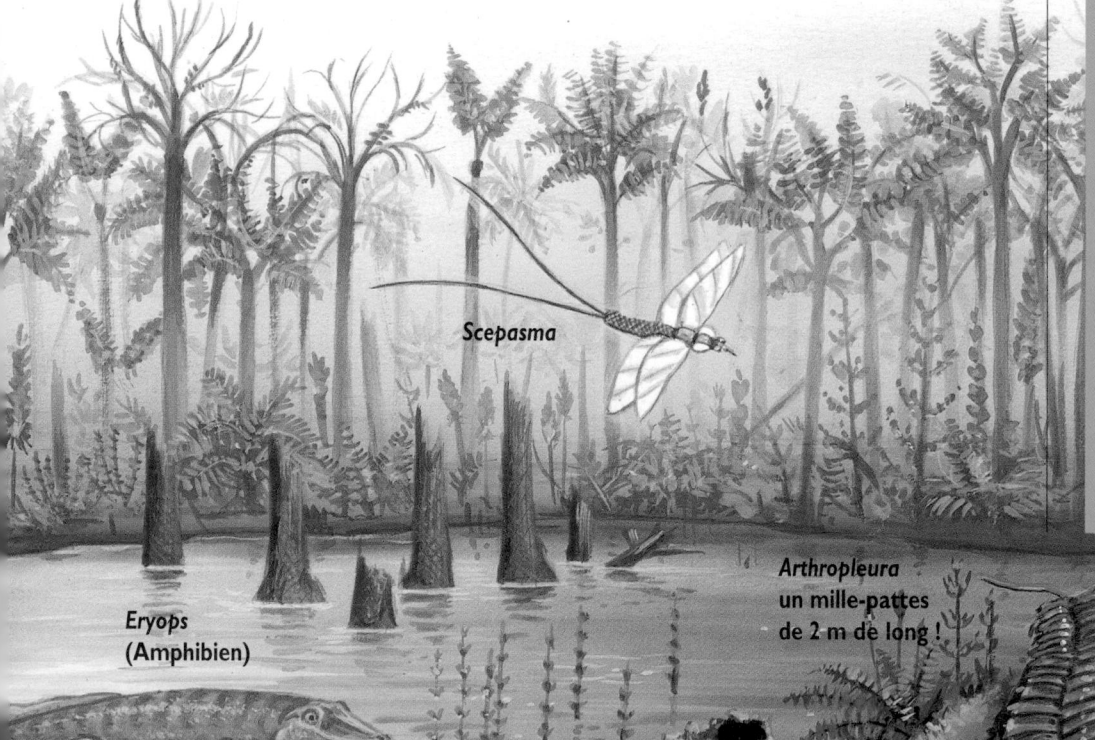

Scepasma

Arthropleura un mille-pattes de 2 m de long !

Eryops (Amphibien)

Un œuf plein d'avenir

DEUX VIES EN UNE

Amphibie signifie « qui vit dans 2 milieux ». Les amphibiens, comme les salamandres ou les grenouilles actuelles, naissent en eau douce et passent la première partie de leur vie en tant que larve aquatiques, munies de nageoires et de branchies. Elles subissent ensuite une métamorphose : les adultes possèdent 4 pattes et respirent à l'air libre, à l'aide de poumons. Certains amphibiens, comme les crapauds, n'ont pas besoin d'eau, sauf au moment de la reproduction.

Les pattes et les poumons ont été la clef du succès des Amphibiens dans leur conquête de la terre ferme. Quelques-uns d'entre eux mettent au point une nouvelle innovation, qui sera à l'origine de l'évolution des reptiles et des oiseaux : l'œuf.

Cacops, un petit amphibien de la fin de l'ère primaire.

Les poches de l'œuf

Les Amphibiens naissent dans l'eau et sont dépendants du milieu aquatique. Pour coloniser les espaces continentaux, il faut pouvoir se reproduire à terre. Les premiers œufs à coquille sont datés d'environ 320 millions d'années. Cette innovation biologique a joué un rôle très important dans l'évolution des animaux terrestres.

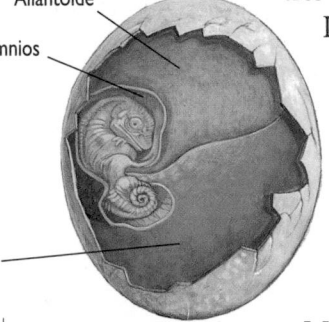

Allantoïde

Amnios

Vésicule vitelline

L'œuf reptilien et ses 3 « poches ».

L'embryon peut en effet se développer dans son propre milieu liquide, protégé par une membrane imperméable ou une coquille. Une partie de l'embryon se transforme en trois « poches », qui ont chacune une fonction précise. Lui-même se tient dans l'amnios ; la vésicule vitelline lui sert de réserve de nourriture et il stocke ses déchets dans l'allantoïde.

Un foisonnement de reptiles

Scutosaurus (Europe, – 260 millions d'années). Ce grand reptile anapside était herbivore. Il était protégé par une lourde armure osseuse.

À la fin du Carbonifère, les Amphibiens donnent naissance à plusieurs lignées de reptiles. Leur identification et leur classification reposent sur la disposition des os du crâne. Un premier groupe est celui des Anapsides, au corps massif protégé par une armure osseuse et de fortes pointes sur la tête et sur le dos. Ce groupe disparaîtra à la fin de l'ère primaire. À la même époque, le monde est rempli de petits reptiles à l'allure de lézards ou de varans : les lépidosaures sont les ancêtres des lézards et des serpents ; les archosaures sont à l'origine des crocodiles, des ptérosaures (des reptiles volants), des dinosaures et des oiseaux.

GRAND-VOILE

Les vertèbres du dimétrodon portaient de longues épines qui soutenaient une fine membrane. Les paléontologues supposent que cette « voile » permettait à l'animal de se réchauffer : en effet, la chaleur corporelle des reptiles et leur niveau d'activité dépendent de la température de l'air. Pour réguler la chaleur de son corps, le dimétrodon orientait sa voile par rapport au soleil, comme un capteur solaire. Elle était peut-être aussi vivement colorée, de manière à signaler les mâles et les femelles au moment de la reproduction. Autre hypothèse, elle permettait au dimétrodon de se camoufler dans les sous-bois, lorsqu'il chassait à l'affût.

Pendant 25 millions d'années, le dimétrodon a dominé les carnivores de l'Amérique du Nord, à la fin de l'ère primaire. Ce pélycosaure atteignait 3 m de long pour un poids d'environ 250 kg.

Estemmenosuchus (Russie, – 260 millions d'années). Ce reptile dinocéphale se nourrissait de plantes.

Nos chers ancêtres

Mais les reptiles qui dominent cette époque, au moins par la taille, sont les reptiles « mammaliens ». C'est parmi eux que se trouve l'espèce qui donnera naissance aux Mammifères.

Moschops (Afrique, – 260 millions d'années). Ce dinocéphale herbivore mesurait 5 m de long. Son crâne était particulièrement épais. Il est possible que les mâles se soient affrontés tête contre tête, comme d'énormes béliers.

Ces « pré-mammifères » pondent des œufs et ont probablement une peau écailleuse dépourvue du moindre poil, des caractéristiques encore très reptiliennes, mais certains os du crâne et des mâchoires les rapprochent un peu des mammifères. Les premiers d'entre eux sont les pélycosaures, des espèces carnivores ou herbivores mesurant de 50 cm à 4 m de long. Ils disparaissent et laissent la place aux dinocéphales, un autre groupe de reptiles mammaliens aux têtes énormes armées de grosses protubérances cornées.

La fin du premier monde

La fin de l'ère primaire est marquée par une catastrophe planétaire, peut-être la plus dramatique de toute l'histoire du monde vivant. Près de 90 % des espèces animales disparaissent. Changement climatique, éruptions volcaniques, chute de météorites : les causes de cet événement sont encore mal connues.

Une série de catastrophes

L'ère primaire a connu plusieurs épisodes d'extinctions massives. Vers – 440 millions d'années, on assiste à la disparition d'au moins 70 % des espèces marines. Cet événement est peut-être lié aux mouvements des continents. En effet, le continent sud, le Gondwana, était alors centré sur le pôle sud et était recouvert d'une épaisse couche de glace. Le niveau de la mer a baissé, asséchant les mers les moins profondes, qui sont aussi les plus peuplées. Une autre crise s'est produite vers – 360 millions d'années, avec la mort de près de la moitié des espèces marines. Certains paléontologues ont repéré les signes d'une catastrophe brutale dans les roches de cette époque, mais d'autres pensent que ces extinctions se sont étalées sur une période assez longue.

La grande extinction

La plus grande extinction marque la fin de l'ère primaire. Elle voit la disparition de 90 % des espèces, mais de façon très variable selon les groupes. Aucun trilobite, aucun euryptéride n'a survécu. En revanche, les poissons semblent peu souffrir. Sur la terre ferme, les fougères sont touchées mais les conifères commencent à se développer. Chez les reptiles et les amphibiens, deux familles sur trois disparaissent mais les autres survivent malgré la perte de nombreuses espèces. Les insectes sont fortement touchés. De plus, certains groupes s'éteignent brutalement et d'autres subissent une lente diminution. Ainsi, les Euryptérides avaient commencé à décliner depuis le Carbonifère, plusieurs dizaines de millions d'années auparavant.

Fossile de trilobite. Les paléontologues n'ont jamais trouvé de trilobite ou d'euryptéride dans des roches de l'ère secondaire. Ces 2 groupes font partie des victimes de la grande extinction de la fin de l'ère primaire.

Fossile d'euryptéride.

Pertes lentes

Les causes de cette extinction majeure sont probablement diverses. À la fin de l'ère primaire, les continents se sont réunis en un immense « supercontinent », la Pangée. Le climat est en moyenne bien plus aride avec de très grands déserts dans les régions centrales. Le climat plus froid et la réunification des continents provoquent une baisse générale du niveau de la mer. Ces changements se traduisent par une réduction progressive de la biodiversité marine, bien avant l'extinction finale.

Morts brutales

Les géologues avancent d'autres hypothèses, comme la forte activité volcanique qui a accompagné la fin de l'ère primaire. Pendant des centaines de milliers d'années, des volcans de Sibérie ont craché des coulées de basalte qui ont couvert une surface équivalente à celle de l'Europe. Les volcans rejettent des gaz et des cendres qui peuvent perturber profondément le climat. Des chutes de météorites, provoquant d'immenses nuages de poussière, auraient eu des effets similaires, mais encore plus brutaux. En fait, ces différentes hypothèses ne sont pas contradictoires mais pourraient être complémentaires.

Les gorgonopsiens sont des prédateurs à « dents de sabre » qui ont vécu à la fin de l'ère primaire. On ne sait pas si ces reptiles mammaliens étaient couverts de poils. Ils ont disparu lors de l'extinction générale, peut-être faute de proies.

Lycaenops (Afrique, – 260 millions d'années) est un petit gorgonopsien, bien plus agile que les lourds dinocéphales.

Le deuxième monde

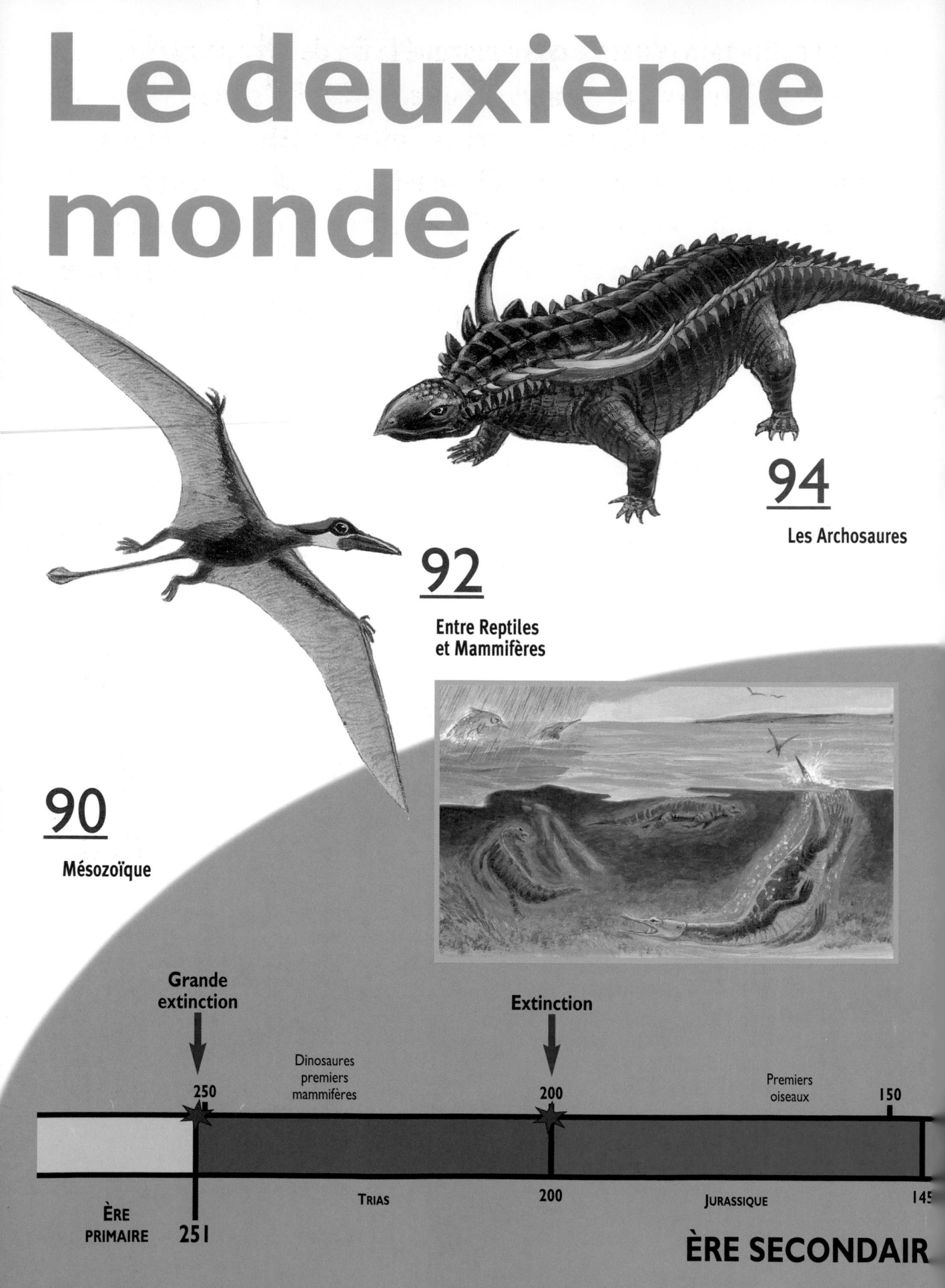

94
Les Archosaures

92
Entre Reptiles
et Mammifères

90
Mésozoïque

**Grande
extinction**

Extinction

Dinosaures
premiers
mammifères

Premiers
oiseaux

250

200

150

ÈRE
PRIMAIRE

251

TRIAS

200

JURASSIQUE

145

ÈRE SECONDAIR

Après l'extinction générale qui a marqué la fin de l'ère primaire, la place est libre pour de nouvelles espèces, très différentes. Les premiers mammifères présentent d'intéressantes innovations, comme le manteau de poils ou l'allaitement des petits, mais ils devront attendre pour en tirer profit. En effet, un nouveau groupe de reptiles fait aussi son apparition, les dinosaures, qui vont dominer tout l'espace terrestre, pendant des dizaines de millions d'années.

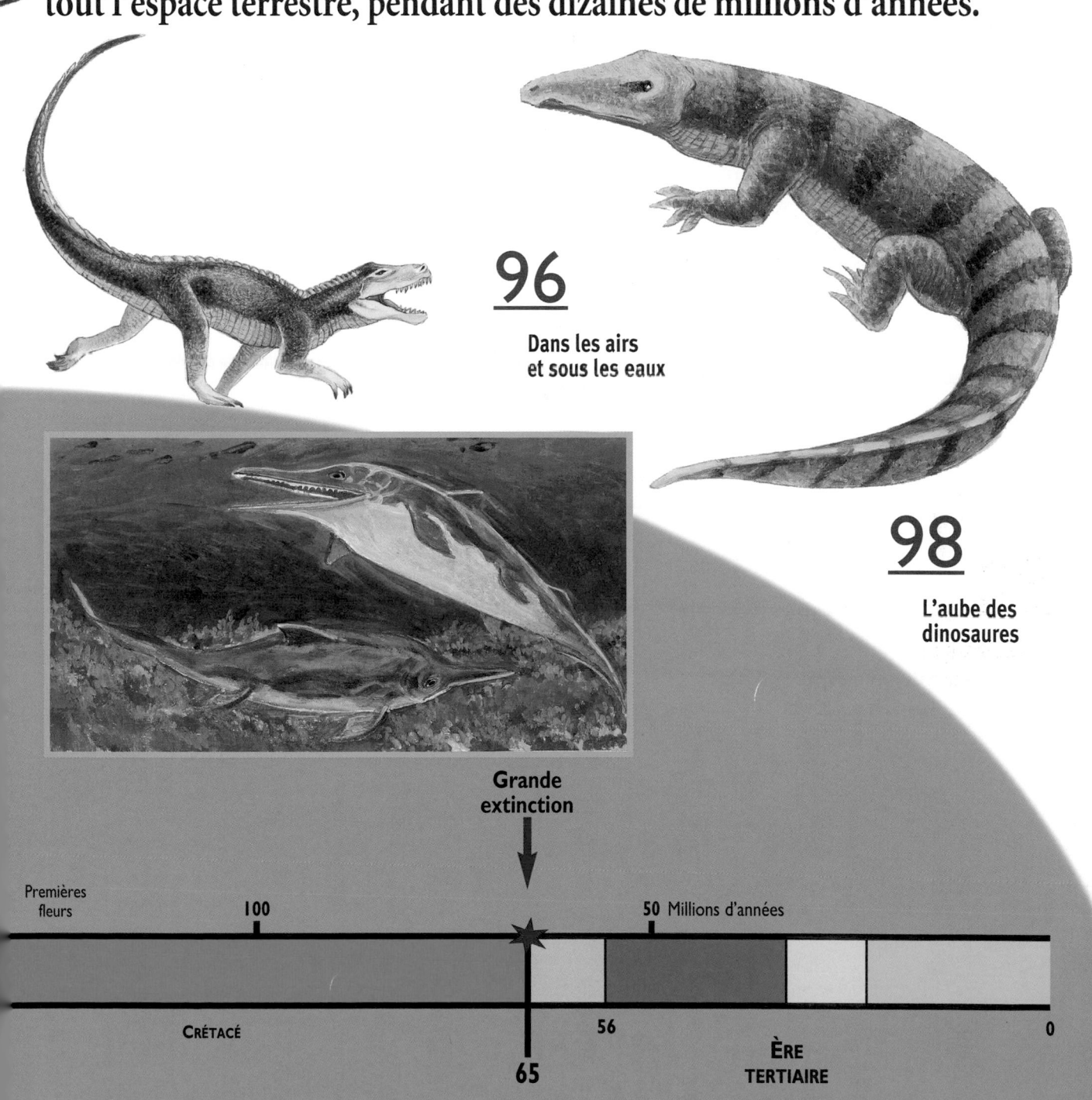

96

Dans les airs
et sous les eaux

98

L'aube des
dinosaures

Grande
extinction

Premières
fleurs

100

50 Millions d'années

CRÉTACÉ

56

65

ÈRE
TERTIAIRE

0

Mésozoïque

L'ère primaire est également appelée paléozoïque c'est-à-dire « âge de la vie ancienne ». L'ère secondaire est le mésozoïque ou « âge de la vie moyenne ». L'ère tertiaire sera le cénozoïque ou « âge de la vie récente ». D'après les caractéristiques des roches et des fossiles, les paléontologues séparent le Mésozoïque en trois périodes : le Trias (qui est lui-même divisé en trois époques, d'où son nom), le Jurassique (cette période a d'abord été définie dans le Jura) et le Crétacé (de *creta*, la craie en latin). La durée des périodes n'est pas constante, puisque ce découpage repose sur des événements géologiques et biologiques et non sur un phénomène régulier. Trias, Jurassique et Crétacé durent respectivement 51, 55 et 80 millions d'années.

Un cycas actuel.

L'ère secondaire va durer près de 185 millions d'années. Pendant cette longue période, la Terre ne cesse de se transformer. Les continents se déplacent, les climats changent, la flore évolue profondément.

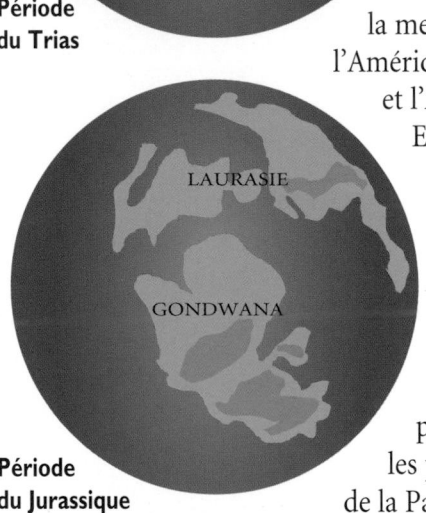

Période du Trias

Période du Jurassique

Période du Crétacé

Morcellement

Au début de l'ère secondaire, les continents sont réunis en un unique « supercontinent », la Pangée. Celui-ci commence à se fracturer en deux ensembles : au nord, la Laurasie, qui comprend l'Amérique du Nord, l'Europe et l'Asie ; au sud, le Gondwana, qui regroupe l'Amérique du Sud, l'Afrique, l'Antarctique et l'Australie. Les géologues nomment Thétys la mer qui sépare ces deux ensembles. Puis au nord, l'Amérique se sépare de l'Europe, et au sud, l'Australie et l'Antarctique se détachent de l'Afrique. Enfin, une fracture apparaît entre l'Amérique du Sud et l'Afrique, ce qui complète l'ouverture de l'océan Atlantique.

Plus humide en fin de période

Le climat est d'abord chaud et sec, probablement sans calotte glaciaire sur les pôles. Les immenses surfaces continentales de la Pangée reçoivent peu de pluie et sont donc très arides. Les zones littorales et les régions proches des pôles sont plus humides, avec de fortes pluies saisonnières. Vers – 100 millions d'années, le niveau de la mer s'élève de près de 200 m, noyant d'immenses surfaces continentales. L'Europe disparaît presque entièrement sous les eaux. Dans cette mer chaude et peu profonde, se déposent d'épaisses couches de craie, la roche qui donnera son nom à cette période, le Crétacé. La fin de l'ère secondaire est marquée par une baisse générale du niveau de la mer.

Feuille de ginkgo. Les premiers gingkos, avec les mêmes feuilles, sont apparus à la fin de l'ère primaire.

Le monde vert

Les plantes ont été relativement peu affectées par l'extinction qui a touché la faune à la fin de l'ère primaire. Les forêts sont toujours peuplées de fougères, mais les cycadales et les ginkgos prennent de plus en plus d'importance. Les cycadales ont un tronc court et renflé, en forme de tonneau, surplombé d'un panache de feuilles semblables à celles des palmiers actuels. Les ginkgos sont des arbres aux petites feuilles en forme d'éventail. Il existe toujours aujourd'hui quelques cycas et une espèce de ginkgo. Les conifères apparaissent, semblables aux araucarias actuels. La seule couleur de la végétation est le vert car les plantes à fleurs n'apparaîtront qu'au Crétacé.

Un paysage du Jurassique.

Entre Reptiles et Mammifères

Au début de l'ère secondaire, la faune terrestre est largement dominée par les reptiles « mammaliens », aux caractéristiques intermédiaires entre les Reptiles et les Mammifères. Mais leur heure de gloire est aussi la fin de leur histoire !

Kannemeyeria **(Afrique du Sud, Inde, Argentine, – 250 millions d'années. Cet herbivore mesurait 3 mètres de long.**

Lystrosaurus **(– 250 millions d'années). La présence de cette espèce en Afrique du Sud, en Inde et en Antarctique prouve que ces régions étaient réunies au début de l'ère secondaire.**

Dicynodontes

Les Dicynodontes, de proches cousins des Dinocéphales, étaient apparus à la fin de l'ère primaire. Quelques-uns d'entre eux, des *Lystrosaurus*, survivent à l'extinction massive qui touche presque toute la faune. Les Lystrosaures se répandent dans le monde entier. On trouve leurs fossiles de la Chine à l'Afrique du Sud, où ils représentent jusqu'à 95 % de la faune, un signe net de déséquilibre écologique. Ils sont en effet pratiquement seuls, sans concurrents ni prédateurs. Ce sont des animaux de 1 à 2 m de long, qui ont un peu l'allure de cochons ou de petits hippopotames. Ils se nourrissent de plantes qu'ils trouvent dans les marais et les prairies. Puis ce groupe se diversifie et donne naissance à des espèces plus imposantes, au poids dépassant une tonne.

Cynodontes

Chez les reptiles mammaliens, quelques petits carnivores ont également survécu, et vont donner naissance au groupe des Cynodontes (ce qui signifie « à dents de chien »). Au Trias, leurs descendants ressemblent de plus en plus à des mammifères. Ils n'ont pas les membres largement écartés comme leurs ancêtres ou leurs cousins dicynodontes, mais plus à l'aplomb du corps, ce qui leur permet une démarche plus rapide. Leurs crânes et leurs mâchoires ressemblent également à ceux des mammifères. Ils possèdent de fortes canines avec lesquelles ils peuvent tuer leurs proies. Autre nouveauté, un palais osseux sépare la bouche des conduits respiratoires. Au contraire des reptiles, ils peuvent respirer en même temps qu'ils mangent !

Une mâchoire dans l'oreille

La diversité des Cynodontes augmente rapidement, et certaines espèces ressemblent de plus en plus à des mammifères. La limite entre les deux groupes est d'ailleurs difficile à déterminer. Pour trancher, les paléontologues examinent d'abord les os de la mâchoire. Les reptiles ont une mâchoire inférieure composée de plusieurs os, dont le dentaire qui porte les dents. Chez les premiers vrais mammifères, comme le *Morganucodon*, la mâchoire ne comporte que l'os dentaire. Les petits os qui ne participent plus à la construction de la mâchoire se sont transformés et intégrés au système auditif. Celui-ci comporte trois petits os qui transmettent les vibrations sonores à l'oreille interne. Le premier, l'étrier, était déjà présent chez les reptiles. Les deux autres, le marteau et l'enclume, proviennent de la mâchoire !

Morganucodon est un mammifère insectivore (15 cm de long).

Cynognathus (Afrique du Sud, – 250 millions d'années). Mesurant 1 m de long, c'est l'un des plus gros cynodontes.

DÉDUCTIONS

Chez les Cynodontes, l'os de la mâchoire supérieure présente de nombreux petits canaux par lesquels passaient peut-être des nerfs reliés aux poils des moustaches. Mais s'ils avaient des moustaches, ils portaient probablement aussi une fourrure. Et comme le rôle principal d'une telle couverture est de servir d'isolation, on suppose qu'ils possédaient un système capable de réguler la température de leur corps. Ces Cynodontes étaient donc probablement des animaux « à sang chaud ».

Crâne fossile de *Cynognathus* (Karoo, Afrique du Sud).

Les 3 osselets de l'oreille d'un mammifère.

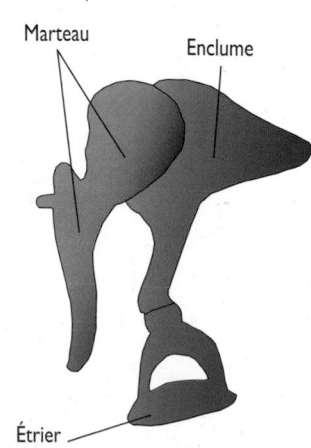

Marteau

Enclume

Étrier

Les Archosaures

Saurosuchus
(Argentine,
– 230 millions
d'années).

Parmi tous les reptiles qui hantent les forêts et les marais du début de l'ère secondaire, le groupe des Archosaures prend de plus en plus d'importance. Ils vont donner naissance à trois lignées bien différentes : les Crocodiles, les Dinosaures et les Ptérosaures, des reptiles volants.

Les « reptiles-chefs »

Apparus à la fin de l'ère primaire, les Archosaures ont profité de la disparition des gros carnivores et se sont rapidement diversifiés au Trias. Ils se distinguent des autres reptiles, tels que les tortues ou les lézards, par quelques caractères. Leur crâne tend à s'alléger, grâce à une ouverture supplémentaire, en avant de l'orbite. Leur posture est également plus dressée. Certains d'entre eux sont haut sur pattes et devaient être de bons coureurs. Quelques-uns possèdent des pattes arrière plus longues que les pattes avant, et une tendance à la bipédie, des caractéristiques qui seront encore plus marquées chez les dinosaures. Les plus gros prédateurs s'éteignent à la fin du Trias.

LE DIEU-CROCODILE

Les paléontologues utilisent beaucoup le mot *suchus* pour dénommer les archosaures. C'est une version latinisée du mot *souchos*, lui-même traduction grecque de l'égyptien *Sobek*, le dieu-crocodile ! En effet, beaucoup d'archosaures ressemblent aux crocodiles actuels. Cependant, seuls quelques-uns d'entre eux sont de véritables crocodiles, ancêtres des espèces actuelles.

Comme un lézard

Chasmatosaurus est l'un des plus anciens archosaures. Il a été trouvé en Afrique du Sud mais aussi en Chine et en Russie. Il mesurait 1,50 m de long et ressemblait un peu à un crocodile, avec ses longues mâchoires munies de dents pointues. Il se déplaçait les membres étalés comme un lézard et n'était probablement pas très rapide.

Chasmatosaurus.

Comme des crocos

Les phytosaures ressemblaient à des crocodiles, mais ne leur sont pas directement apparentés. Le *Rutiodon* mesurait 2 à 3 m de long et vivait probablement dans l'eau. En effet, sa queue aplatie lui permettait de nager avec aisance. Mais, à la différence des crocodiles, ses narines étaient situées sur une protubérance juste en avant des yeux et non à l'extrémité du museau. Il chassait les poissons et les petits animaux qui venaient boire sur la berge.

Rutiodon (Europe et Amérique du Nord, – 220 millions d'années).

Archosaures herbivores

Les ætosaures étaient de gros herbivores au museau court et relevé, qui leur servait peut-être à fouiller le sol à la recherche de racines, comme le font les sangliers avec leur groin. Ils étaient protégés par une armure de plaques osseuses. Le *Desmatosuchus* portait en plus de longues épines protectrices sur les épaules.

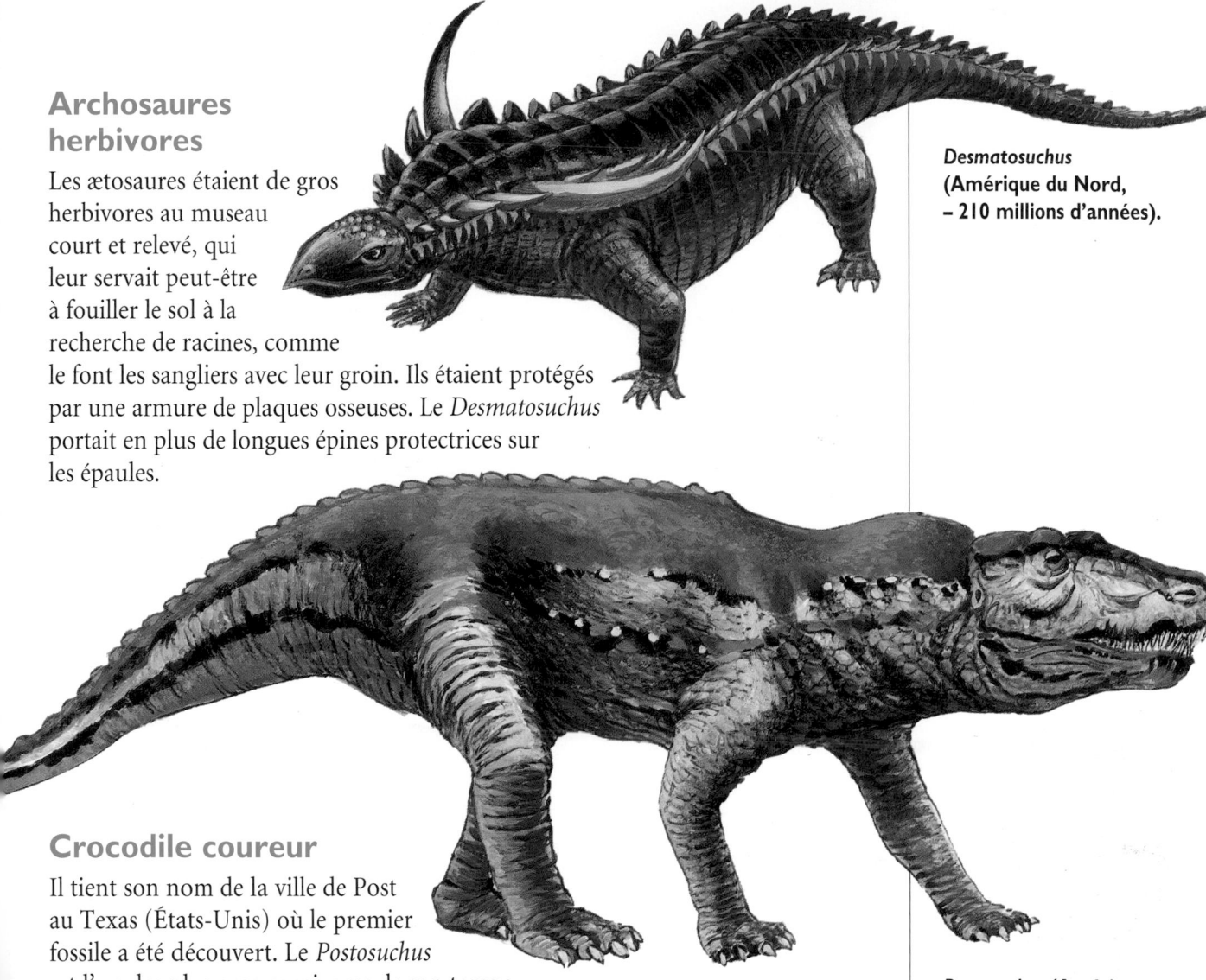

Desmatosuchus (Amérique du Nord, – 210 millions d'années).

Crocodile coureur

Il tient son nom de la ville de Post au Texas (États-Unis) où le premier fossile a été découvert. Le *Postosuchus* est l'un des plus gros carnivores de son temps, avec une tête de 1 m de long et de puissantes mâchoires. Avec son poids d'une tonne et ses 6 m d'envergure, il ne devait craindre aucun animal. Il était malgré tout protégé par des rangées de plaques osseuses disposées sur le dos. Ses longues pattes lui ont valu le surnom de « crocodile coureur ». Certains paléontologues pensent qu'il était même en partie bipède car ses pattes postérieures sont plus longues que ses pattes antérieures. Presque aussi gros que lui, le *Saurosuchus* était un de ses proches cousins. Il vivait en Amérique du Sud.

Postosuchus (Amérique du Nord, – 210 millions d'années).

LA QUATRIÈME EXTINCTION

À la fin du Trias, une nouvelle extinction générale se produit. Elle s'étend sur plusieurs millions d'années, touchant d'abord un grand nombre de reptiles terrestres, puis la faune marine. Il semble que plusieurs événements aient joué un rôle, comme l'aridification du climat et une forte montée du niveau de la mer. Des géologues ont également trouvé les traces d'un impact d'astéroïde qui aurait frappé la Terre, il y a 200 millions d'années, précipitant la disparition de plusieurs familles de grands reptiles.

ARCHOSAURE

Ce mot signifie « reptile chef » ou « reptile dominant », un nom qui convient bien à des animaux qui vont pratiquement éliminer tous leurs concurrents pendant plus de 180 millions d'années.

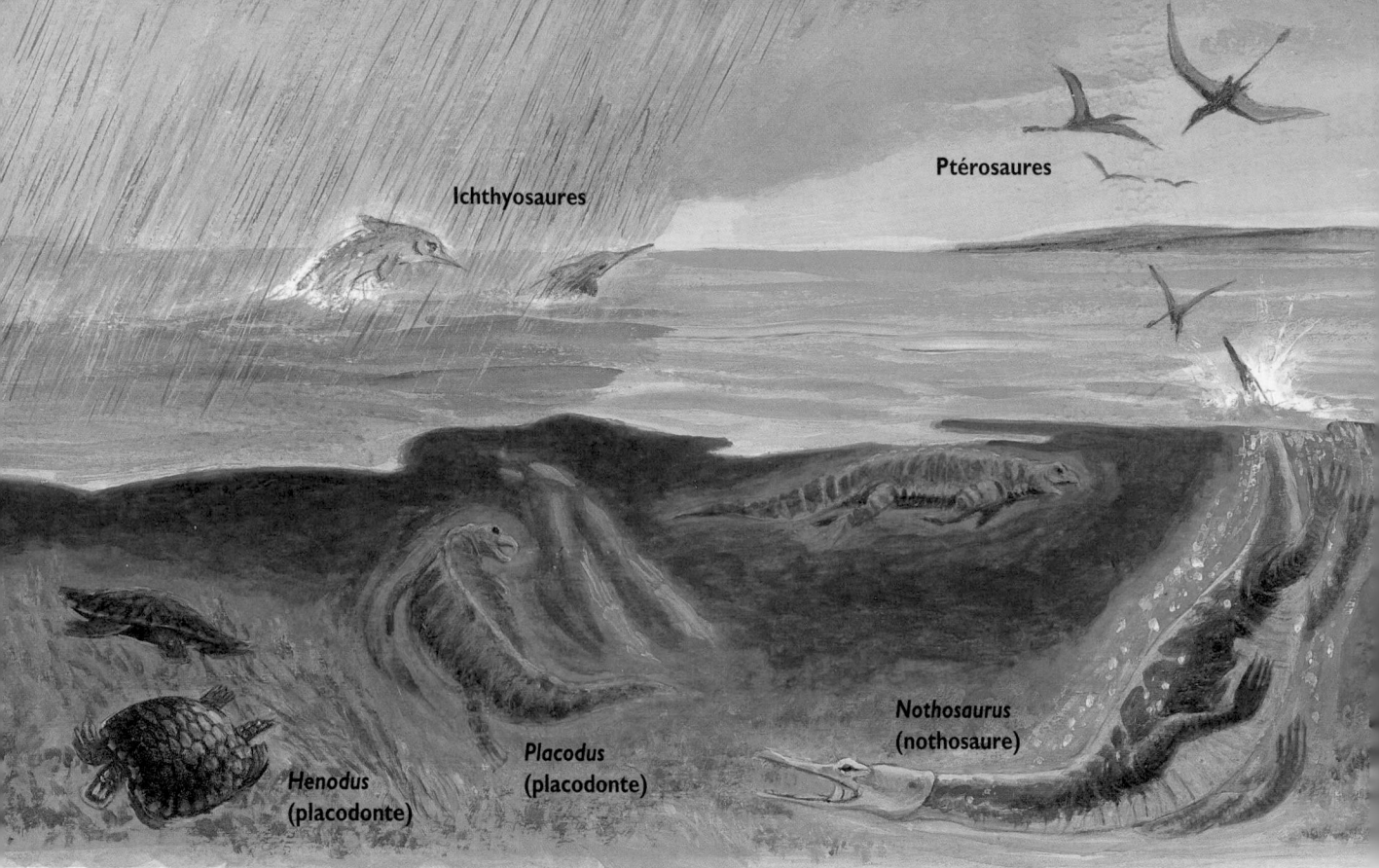

Ichthyosaures

Ptérosaures

Nothosaurus
(nothosaure)

Placodus
(placodonte)

Henodus
(placodonte)

Dans les airs et sous les eaux

Les premiers ptérosaures
ont gardé la longue
queue de leurs ancêtres.
Eudimorphodon, un
mangeur de poissons,
mesure environ 1 m
d'envergure.

Petit à petit, la terre ferme se peuple de multitudes de
reptiles de toutes tailles et de toutes formes. Certains d'entre
eux découvrent l'espace aérien, dans lequel ils n'auront pas
de concurrents sérieux avant des dizaines de millions
d'années. D'autres colonisent les profondeurs sous-marines
où ils trouvent poissons et ammonites en abondance.

Reptiles volants

Quelques lézards avaient déjà inventé le vol plané. Leurs côtes se prolongent
largement des deux côtés de leur corps, soutenant probablement une mince
voile de peau. Cela ne leur permet pas de vraiment voler, mais ils
peuvent sauter d'arbre en arbre et se laisser glisser sur l'air.
Bientôt apparaissent de véritables reptiles volants, les premiers
ptérosaures. Ils descendent probablement d'animaux planeurs,
mais ils sont capables de pratiquer le vol battu. Leur main n'a
que trois doigts. L'un d'entre eux est démesurément allongé
et soutient une membrane de peau analogue à celle d'une
aile de chauve-souris.

Retour à l'eau

D'autres reptiles retournent à l'eau, le milieu
d'origine de leurs lointains ancêtres. Certains
d'entre eux sont encore en partie terrestres, mais ils
nagent très bien et se nourrissent sous l'eau. Ainsi, les
premiers placodontes ont des pattes courtes similaires à
celles de leurs cousins terrestres et nagent par ondulation de leur longue queue
aplatie. Comme les morses actuels, ils extraient du sable des coquillages ou les
détachent des rochers avec leurs dents projetées vers l'avant. Ils les broient ensuite
de leurs dents en forme de meule qui tapissent leur palais. D'autres placodontes ont
une carapace semblable à celle des tortues marines. Les Nothosaures, probablement
de très bons nageurs, ont de nombreuses dents aiguës qui laissent penser qu'ils se
nourrissaient de poissons. Tous ces groupes disparaissent avant la fin du Trias.

Ceresiosaurus
**(Europe,
– 240 millions
d'années).
Au contraire
de** *Nothosaurus,*
Ceresiosaurus **n'avait
pas de pattes, mais
des palettes natatoires.**

Mixosaurus **est l'un des plus anciens ichthyosaures.**

Les Ichthyosaures

Les Ichthyosaures (un nom qui signifie, de façon impropre, « poissons reptiles »)
sont eux aussi adaptés au milieu aquatique mais d'une façon beaucoup plus
poussée. Comme les autres reptiles, ils respirent à l'aide de poumons et doivent
donc régulièrement monter à la surface de l'eau pour inspirer de l'air. La queue
s'est transformée en nageoire, mais les premiers ichthyosaures ont une longue
queue reptilienne et non la queue en faucille des poissons. Les membres sont
devenus des palettes qui contrôlent la direction et stabilisent l'animal. Le corps
a acquis une forme en fuseau, très hydrodynamique. Les ichthyosaures sont
d'excellents nageurs, mais ils ont perdu toute possibilité de se déplacer à terre.

LES DAUPHINS-REPTILES

Les Ichthyosaures ont
une forme et un mode
de vie qui nous évoque
les dauphins actuels.
Ces 2 groupes ont
évolué dans les mêmes
conditions et de façon
parallèle. Ils n'ont
cependant pas du tout
les mêmes ancêtres.
Les dauphins sont des
mammifères qui allaitent
leurs petits alors que
les ichthyosaures sont
des reptiles. Leurs
propres petits devaient
probablement se
débrouiller seuls
dès la naissance.
De même, ils ont
conservé le mouvement
d'ondulation des
reptiles. Ils nagent
en agitant la queue
de droite à gauche
et non de haut en bas
comme les cétacés.

Moins de 50 cm de long, du museau au bout de la queue, et à peine 100 g : les dimensions du *Lagosuchus* ne permettent pas d'imaginer les géants que seront ses descendants.

L'aube des dinosaures

L'extraordinaire histoire des dinosaures commence au Trias, il y a environ 230 millions d'années, avec de petits archosaures légers et rapides. Au cours de l'ère secondaire, ils vont donner naissance à des milliers d'espèces différentes, des diplodocus aux tyrannosaures.

Croco-lapin

Les Archosaures du Trias comptent d'énormes et puissants prédateurs, des herbivores massifs et placides, toutes sortes de cousins des crocodiles, mais aussi de petits reptiles carnivores vifs et légers, comme les lagosuchidés. Leur nom vient de *lagos*, le lapin et *souchos*, le crocodile, mais ils ne ressemblaient ni à des lapins ni à des crocodiles ! Le *Lagosuchus* avait des bras plus courts que les jambes, une caractéristique d'animal bipède. D'après ses dents, on suppose qu'il se nourrissait d'insectes et de petits animaux. Il avait l'allure d'un dinosaure, mais pour les paléontologues, ce sont les os de son bassin qui donnent des indices sur sa famille. Ce petit croco-lapin pourrait bien être l'ancêtre de tous les dinosaures !

MEILLEURS OU CHANCEUX ?

À la fin du Trias, les dinosaures ont remplacé la plupart des reptiles qui dominaient alors la faune terrestre. On pourrait penser que leurs caractéristiques leur donnaient un avantage par rapport aux autres, par exemple leur posture moins coûteuse en énergie. Mais les paléontologues ont constaté que les dinosaures ne deviennent abondants qu'après la disparition des autres reptiles. Cette explosion se produit en quelques dizaines de milliers d'années seulement, comme s'ils avaient profité d'une disparition brutale, survenue par hasard.

Les reptiles ont les pattes disposées de part et d'autre du corps alors que les pattes des mammifères sont situées sous le corps. Selon ce critère, les dinosaures sont plus proches des mammifères.

Les premiers dinosaures

Les plus anciens dinosaures connus datent de la fin du Trias, vers – 210 millions d'années. *Eoraptor* (le « voleur de l'aube ») a été découvert en Argentine, sur un site où les dinosaures ne représentent qu'une faible part de la faune. Il mesurait 1 m de long, et chassait petits reptiles et insectes. Ses mains à trois doigts et son bassin sont typiques des dinosaures. Peu après apparaissent d'autres carnivores, plus imposants, comme *Herrerasaurus* ou *Staurikosaurus*, ainsi que de gros herbivores tels le platéosaure.

Debout, les rampants !

À l'origine, le terme « reptile » s'applique à des animaux rampants, dont le ventre touche presque le sol lorsqu'ils se déplacent. Cette description correspond bien aux lézards, aux varans ou aux crocodiles. Leurs membres sont situés sur les côtés du corps et font un angle droit au niveau du coude, comme s'ils faisaient des tractions au sol (des « pompes »). C'est une position fatigante qui demande des muscles puissants et des os énormes dès que les animaux dépassent quelques kilos. Au contraire, les membres des dinosaures sont placés sous le corps, avec des os alignés verticalement. Cette disposition est moins coûteuse en énergie pour les déplacements et même pour simplement rester sur place. Les os sont moins gros et moins lourds. Les animaux peuvent se déplacer plus rapidement, pour capturer des proies ou pour échapper à des prédateurs. Cette évolution s'est également produite chez les reptiles mammaliens et chez les Archosaures, mais les autres reptiles sont restés rampants.

Eoraptor n'est que l'un des nombreux reptiles qui vivaient en Amérique du Sud au Trias. À cette époque, rien d'évident ne distinguait les dinosaures primitifs des autres archosaures, sinon leur petite taille.

À la fin du Trias, les dinosaures commencent à se diversifier, avec de grosses espèces herbivores, comme *Plateosaurus*.

La vie des dinosaures

Grande extinction

Extinction

Dinosaures premiers mammifères

Premiers oiseaux

250

200

150

ÈRE PRIMAIRE

251

TRIAS

200

JURASSIQUE

14

ÈRE SECONDAIRE

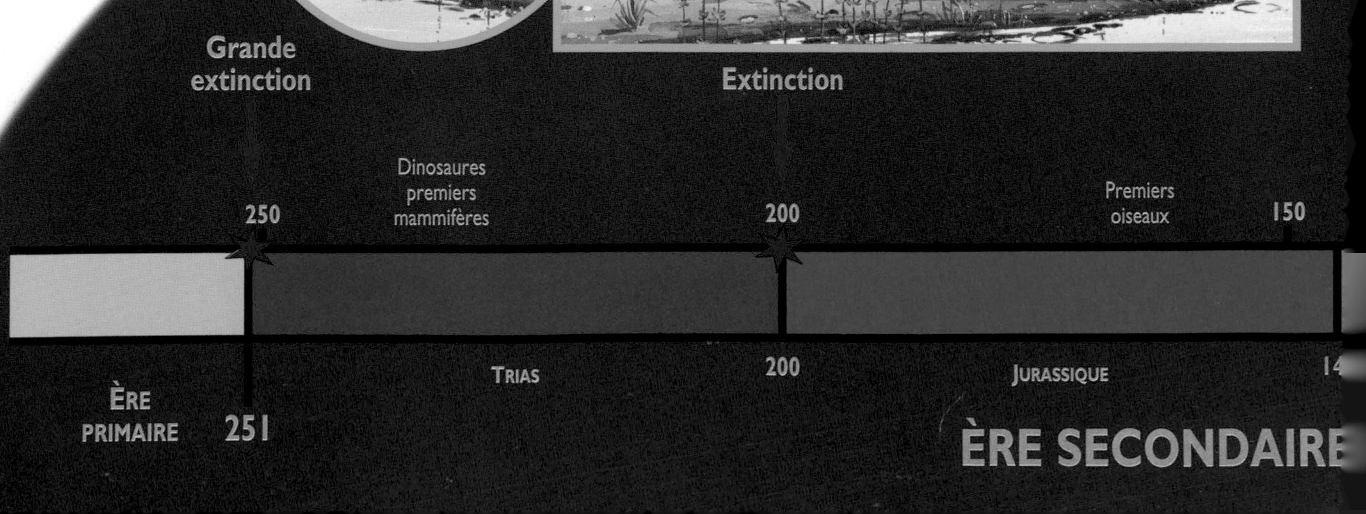

Dans l'immense variété des animaux préhistoriques, les plus célèbres sont certainement les dinosaures. Avec leurs têtes de dragons et de gargouilles, leurs cous et leurs queues démesurés, leurs griffes acérées et leurs longues dents tranchantes, ils fascinent tous les publics. Ils passionnent aussi les paléontologues qui découvrent sans cesse de nouvelles espèces et parviennent peu à peu à percer les secrets de leur comportement.

110
Petits cerveaux, bon odorat

112
Des reptiles pas comme les autres

114
Vie sociale

116
Des nids et des couvées

Grande extinction

Premières fleurs

100

50 Millions d'années

CRÉTACÉ

56

65

ÈRE TERTIAIRE

0

Une grande famille

HÉRITAGE

Ce sont les détails anatomiques des animaux qui aident à comprendre l'évolution d'un groupe, bien plus que leur forme générale. Lorsqu'une nouvelle caractéristique apparaît chez une espèce, celle-ci peut la transmettre à ses descendants. Pour les paléontologues, cette particularité est une signature qui permet de repérer des relations de parenté entre les espèces. Ainsi le groupe des Maniraptores se caractérise par la forme en demi-lune d'un des petits os du poignet, ce qui autorise des mouvements de rotation de la main. On trouve cet os chez certains dinosaures carnivores comme les *Velociraptor*, et aussi chez les oiseaux, leurs proches cousins. Cet os leur vient d'un ancêtre commun.

Petits ou grands, bipèdes ou quadrupèdes, herbivores ou carnivores, il existe plusieurs types de dinosaures. Même très différents les uns des autres, ils présentent cependant des points communs qui prouvent que ce sont de proches parents.

Un groupe original

Le diplodocus et l'iguanodon semblent si différents qu'ils ont longtemps été considérés comme des représentants de deux lignées bien distinctes. Leur gigantisme ne semblait pas suffisant pour rassembler tous les dinosaures dans la même catégorie zoologique. Aujourd'hui, la plupart des paléontologues considèrent qu'ils sont apparentés. Les os du crâne, des membres et du bassin présentent des caractéristiques originales, qui permettent de les identifier comme dinosaures et de les distinguer de tous les autres reptiles. C'est une preuve importante de leur origine commune : les dinosaures ont tous le même ancêtre.

ARBRE SIMPLIFIÉ DES DINOSAURES

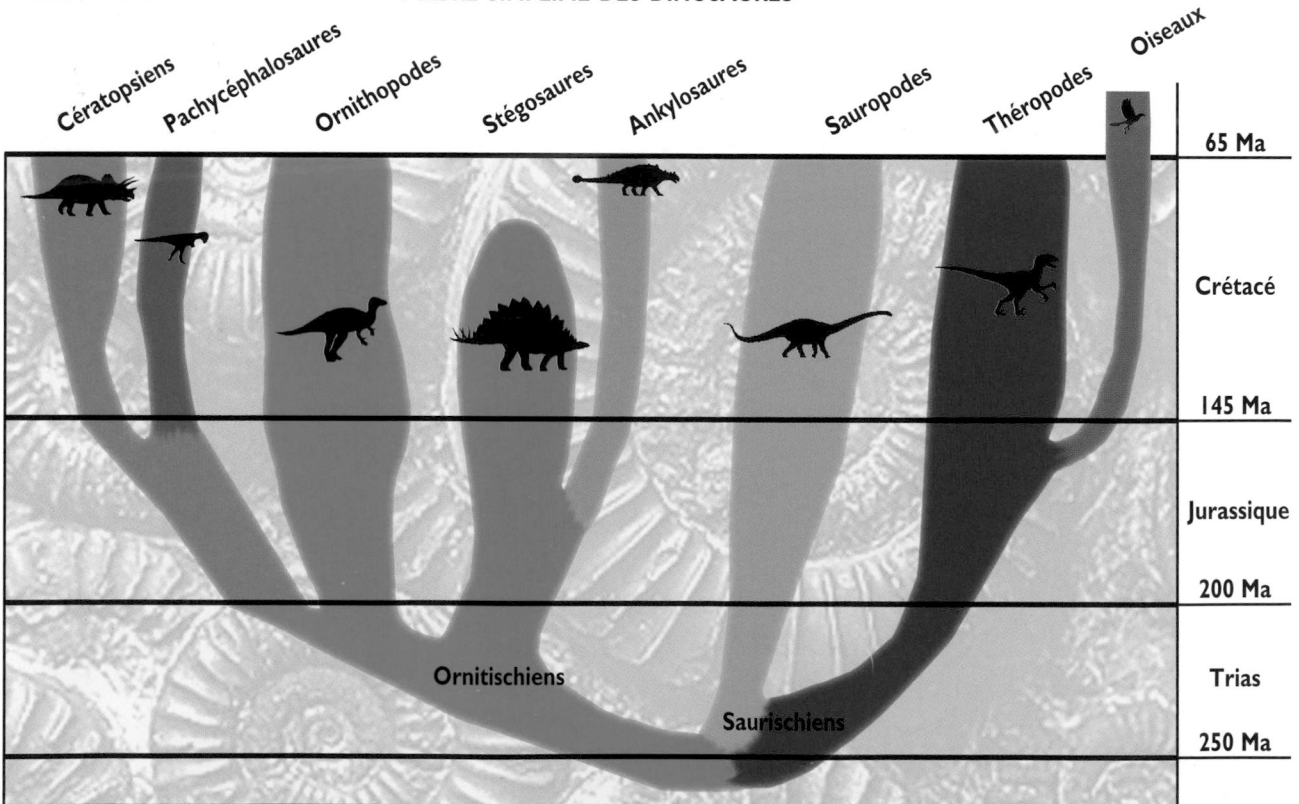

Cératopsiens · Pachycéphalosaures · Ornithopodes · Stégosaures · Ankylosaures · Sauropodes · Théropodes · Oiseaux

65 Ma · Crétacé · 145 Ma · Jurassique · 200 Ma · Trias · 250 Ma

Ornitischiens

Saurischiens

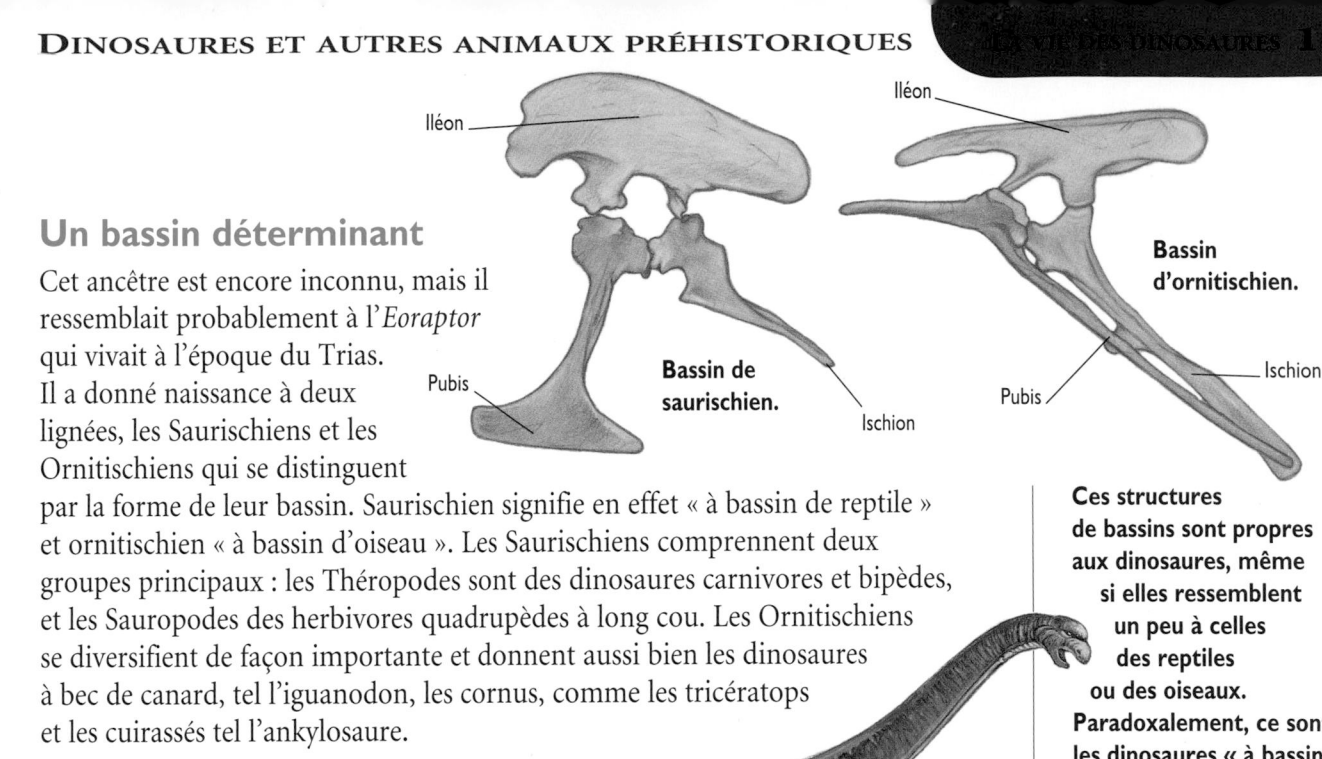

Iléon

Iléon

Bassin d'ornitischien.

Pubis

Bassin de saurischien.

Ischion

Pubis

Ischion

Un bassin déterminant

Cet ancêtre est encore inconnu, mais il ressemblait probablement à l'*Eoraptor* qui vivait à l'époque du Trias. Il a donné naissance à deux lignées, les Saurischiens et les Ornitischiens qui se distinguent par la forme de leur bassin. Saurischien signifie en effet « à bassin de reptile » et ornitischien « à bassin d'oiseau ». Les Saurischiens comprennent deux groupes principaux : les Théropodes sont des dinosaures carnivores et bipèdes, et les Sauropodes des herbivores quadrupèdes à long cou. Les Ornitischiens se diversifient de façon importante et donnent aussi bien les dinosaures à bec de canard, tel l'iguanodon, les cornus, comme les tricératops et les cuirassés tel l'ankylosaure.

Ces structures de bassins sont propres aux dinosaures, même si elles ressemblent un peu à celles des reptiles ou des oiseaux. Paradoxalement, ce sont les dinosaures « à bassin de reptile » qui sont à l'origine des oiseaux.

Microraptor (Chine, Crétacé) longueur : 50 cm, Le plus petit théropode volant.

Argentinosaurus (Argentine, Crétacé). Longueur : 35 à 45 m ; poids estimé : 80 t. L'un des plus grands dinosaures connus par quelques os seulement.

LES DEUX EXTRÊMES CHEZ LES SAUROPODES

Mussaurus (Argentine, Trias). Longueur : 3 m ; poids estimé : 150 kg. Le plus petit des sauropodes.

LES 1 000 ESPÈCES

Comme certains animaux n'ont laissé aucun fossile, il est difficile de savoir combien d'espèces de dinosaures ont vécu pendant l'ère secondaire. En fait, on ne sait même pas exactement combien d'espèces ont été identifiées ! Des dinosaures ont été nommés d'après un seul os, puis désignés sous un autre nom à partir d'un autre os, jusqu'à ce qu'un squelette entier permette de reconstituer le puzzle. On connaît aujourd'hui environ 900 espèces, mais peut-être seulement 300 espèces certaines. On en découvre quelques dizaines de plus chaque année.

Giganotosaurus (Argentine, Crétacé). Longueur : 14 m ; poids estimé : 6 à 8 t. Le plus grand théropode connu.

Compsognathus (Europe, Jurassique). Longueur : 70 à 140 cm ; poids estimé : 2 à 3 kg. Il a la taille d'une dinde.

LES DEUX EXTRÊMES CHEZ LES THÉROPODES

Lente évolution

La diversification des dinosaures a d'abord été très lente. Pendant 50 millions d'années, on ne connaît qu'une cinquantaine de genres différents. Puis leur nombre augmente peu à peu au cours du Jurassique et surtout du Crétacé. On estime que la Terre a connu environ 1 500 espèces de dinosaures, ce qui est peu en 165 millions d'années. Par exemple, il existe aujourd'hui plus de 6 500 espèces de reptiles et 9 670 oiseaux : ces deux groupes ont donc probablement compté plusieurs dizaines de milliers d'espèces au cours de leur évolution. Les dinosaures ont rencontré des limites à leurs possibilités d'adaptation : on ne connaît ainsi aucun dinosaure vivant en mer ou sous terre.

Lourdes démarches

Le chasmosaure, un grand cératopsien, descend d'un petit dinosaure bipède semblable au psittacosaure. Au cours de l'évolution, certains dinosaures sont devenus légers et rapides, comme les ornithomimosaures. D'autres, comme les ankylosaures, sont devenus de lents et lourds quadrupèdes.

Un squelette fossile permet de savoir comment se tenait l'animal, mais il ne suffit pas toujours pour savoir s'il était capable de sauter ou de courir. Les paléontologues ont découvert d'autres indices sur la démarche des dinosaures : des traces de pas fossilisées !

Bipèdes et quadrupèdes

La plupart des dinosaures ont les bras plus courts que les jambes. C'est même l'un des points qui les distingue des autres reptiles. Cette particularité s'accorde bien avec la démarche bipède de nombreux dinosaures. Chez certains d'entre eux, les bras sont si réduits qu'ils ne jouent pratiquement aucun rôle dans la locomotion. L'ancêtre des dinosaures était bipède mais au cours de l'évolution, certaines espèces sont devenues quadrupèdes. Ainsi les cératopsiens descendent de dinosaures bipèdes (proches des psittacosaures) et en ont gardé les bras plus courts.

Pistes fossiles

Lorsqu'ils marchaient sur des terrains mous, comme la rive d'un lac ou le fond d'une lagune en bord de mer, les dinosaures s'enfonçaient et laissaient la trace de leurs pas dans le sol. Certaines de ces pistes ont été rapidement recouvertes, par exemple par une coulée de boue ou un afflux soudain de sable. Enfouies sous d'épaisses couches de sédiments qui se sont peu à peu durcis, les empreintes ont été protégées de toute destruction. Les pistes fossiles donnent aux paléontologues de précieuses informations sur les modes de déplacement des dinosaures et même sur leur vitesse.

Chasmosaure

Psittacosaure

Ornithomimosaure

La piste d'Ardley est la preuve directe qu'un grand théropode s'est mis à courir, peut-être parce qu'il avait aperçu une proie. Cela s'est passé il y a 166 millions d'années.

Plus vite !

Une piste découverte en 1997 en Angleterre fournit la preuve d'un changement d'allure. Les traces ont été laissées par un carnivore, probablement un mégalosaure, qui mesurait environ 7 m de long et 2,50 m de haut. Au début de la piste, les enjambées mesurent 2,70 m, puis elles s'allongent et atteignent 5,50 m, ce qui indique que l'animal s'est mis à courir. Il marchait en écartant largement les pattes afin d'assurer une bonne stabilité. Pendant la course, ses pattes se sont rapprochées de l'axe du corps ce qui augmentait l'efficacité du mouvement. On a estimé sa vitesse de marche à 7 km/h, et sa course à 29 km/h. Mais cette piste ne s'étend que sur 35 m de long : on ne sait pas combien de temps il pouvait soutenir cette allure rapide.

La piste d'un dinosaure carnivore dans la carrière d'Ardley (Grande-Bretagne).

Dinosaures virtuels

Au cinéma, les tyrannosaures galopent à la vitesse d'un cheval ! Certains paléontologues pensent, qu'en réalité, ils ne dépassaient même pas 20 km/h. Ils étaient en effet très lourds (jusqu'à 6 tonnes). D'après les calculs, les muscles nécessaires pour propulser une telle masse à 70 km/h auraient représenté 80 % de leur poids, ce qui ne laisse pas assez de matière pour les os et les viscères. Mais ces contraintes s'appliquaient également aux grands sauropodes, qui ne pouvaient certainement pas sauter. Pour les plus grands d'entre eux, la vitesse de marche était probablement inférieure à 7 km/h. Même s'il était plus lent qu'au cinéma, le tyrannosaure pouvait facilement les rattraper !

course

marche

Ankylosaure

À belles dents

Crâne de diplodocus. Les dents en forme de piquet sont situées à l'avant des mâchoires. Comme les autres sauropodes, il ne mâchait pas sa nourriture.

Tous les dinosaures n'avaient pas les dents tranchantes comme des rasoirs. Chez chaque espèce, la forme des dents est liée à l'alimentation : on peut ainsi reconnaître les brouteurs de feuilles des mangeurs de viande.

Herbivores

La dentition des grands sauropodes était constituée de dents toutes semblables, en forme de piquets ou de spatules. Ils s'en servaient comme d'un peigne ou d'un râteau pour effeuiller les branches des arbres. Faute de molaires broyeuses, ils avalaient de grosses pierres. Les puissants muscles des parois de l'estomac les frottaient les unes contre les autres comme des meules, réduisant les feuilles et les tiges en bouillie. D'autres espèces comme les cératopsiens ou les iguanodontes coupaient les végétaux avec un bec corné et les écrasaient au moyen de dents aplaties. À la différence des autres reptiles, ils devaient avoir de véritables joues charnues pour maintenir les aliments dans leur gueule pendant ce travail de mastication.

HERBIVORE OU VÉGÉTARIEN ?

Le mot herbivore signifie « mangeur d'herbe », et pourtant il n'y avait pas le moindre brin d'herbe à l'époque des dinosaures ! En fait, ce terme est employé comme synonyme de végétarien, c'est à dire « consommateur de végétaux », aussi bien de fougères que d'aiguilles de pin ou de graines.

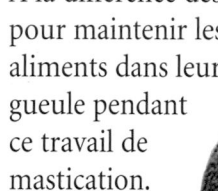

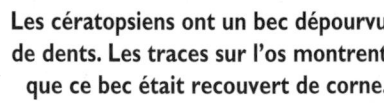

Les cératopsiens ont un bec dépourvu de dents. Les traces sur l'os montrent que ce bec était recouvert de corne.

Dents en spatule d'un *Pelorosaurus*, un grand brachiosaure. Leur partie supérieure est usée par les feuilles et les branches que cet herbivore arrachait aux arbres.

Carnivores

Les mâchoires des carnivores étaient garnies de dents pointues en forme de cônes et recourbées vers l'arrière, très efficaces pour saisir les proies et les retenir. Ils les déchiquetaient et en arrachaient des morceaux qu'ils avalaient sans les mâcher. Chez certaines espèces comme les tyrannosaures, les dents en forme de sabre étaient munies d'un tranchant finement crénelé, coupant comme un couteau de boucher. L'animal utilisait ses dents de devant pour racler les os. Elles n'avaient pas tout à fait la même forme que les dents situées sur les côtés de la mâchoire qui, elles, servaient à broyer les os des proies. Les dents se cassaient souvent et étaient régulièrement remplacées au cours de la vie de l'animal.

Les dents du tyrannosaure n'étaient pas toutes semblables mais il ne possédait pas de molaires. Comme de nombreux carnivores, il avalait la chair de ses proies sans la mâcher.

Les crénelures des dents des théropodes augmentaient leur pouvoir tranchant.

Certains os de dinosaures portent des traces de dents que l'on peut parfois associer à une espèce précise.

Morsures

Tous les carnivores ne se nourrissaient pas de la même façon. Les plus petits capturaient des insectes ou des petits mammifères. Les grands théropodes chassaient de plus grosses proies, comme les dinosaures herbivores. D'autres capturaient des poissons dans les rivières. La forme des dents n'est pas le seul indice permettant d'identifier l'alimentation d'un dinosaure. Le crâne de l'allosaure présente ainsi une architecture très légère qui rendait ses mâchoires moins puissantes que celles d'un tyrannosaure. Si l'on tient compte de sa taille, sa morsure était plus faible que celle d'un léopard ou d'un loup. Il devait donc attaquer les proies par surprise, leur arrachant un gros morceau de chair. La proie saignait beaucoup et finissait par mourir. Au contraire, un tyrannosaure pouvait infliger des morsures plus profondes, brisant également les os et causant une mort immédiate.

OMNIVORES

Certains dinosaures étaient peu spécialisés et consommaient aussi bien des végétaux que des insectes, des vers, des mollusques, des lézards ou des petits mammifères. Ils étaient omnivores « qui mange tout », comme les blaireaux, les ours et les humains.

Chasseurs et chassés

À l'époque des dinosaures, la faune comportait des espèces herbivores, des prédateurs, des charognards, des omnivores… Comme dans la nature actuelle, l'ensemble des animaux d'une région formait un peuplement équilibré que les paléontologues tentent de reconstituer.

Faune d'Amérique du Nord au Jurassique supérieur (vers – 150 millions d'années). Un grand allosaure suit la migration d'un troupeau de diplodocus. Ces sauropodes géants laissent derrière eux une forêt ravagée. Ils sont accompagnés par quelques stégosaures qui broutent les feuilles des arbres abattus. Des petits *Ornitholestes* charognards attendent que l'allosaure ait pu tuer un jeune diplodocus ou un adulte affaibli pour profiter des restes de son repas.

La digestion des géants

Les dinosaures herbivores ne pouvaient trouver ni herbes tendres ni fruits juteux, mais seulement des fougères, des cycadales aux feuilles coriaces et des aiguilles de conifères. Cette nourriture riche en fibres est difficile à digérer. Il leur fallait en consommer d'énormes quantités et la conserver longtemps dans leurs intestins afin de laisser les bactéries réaliser leur travail de fermentation et de digestion. Le gigantisme des dinosaures leur permettait d'accumuler rapidement d'énormes quantités de nourriture, dont la digestion s'étalait sur plusieurs heures. Au Crétacé, les plantes à fleurs apparaissent, offrant aux animaux une nourriture plus digeste. Les dinosaures de petite taille deviennent alors plus nombreux.

Ravageurs de forêts

La végétation d'une région dépend du climat et de la composition du sol, qui jouent à la fois sur la nature des plantes et sur leur quantité. Cela détermine le type d'herbivores qui peut vivre dans cette région et, indirectement, les carnivores qui se nourrissent de ces herbivores. Inversement, les animaux influent sur la végétation. En arrachant leurs branches, les grands sauropodes provoquaient la mort de nombreux arbres. Comme les éléphants aujourd'hui, ils modifiaient profondément la végétation. Il leur fallait voyager sans cesse pour trouver de nouvelles ressources. Leur nombre était cependant limité par la nourriture disponible et par les carnivores qui devaient suivre les migrations de ces troupeaux.

Traces révélatrices

Les pistes fossiles permettent aussi de corriger les informations fournies par les squelettes. Ainsi, sur un site du Colorado (États-Unis), on a trouvé environ 95 % d'os de sauropodes (herbivores) et 5 % de théropodes (carnivores). Mais ces derniers ont laissé presque la moitié des empreintes : ils étaient donc probablement plus nombreux que ne le montrent les seuls squelettes. De même on trouve surtout des fossiles de grands individus, qui se sont mieux conservés, alors que les empreintes montrent une forte proportion de jeunes, nettement plus petits que les adultes.

DINOSAURES ET GAZELLES

Si la végétation est de mauvaise qualité, le nombre d'espèces se réduit. Par ailleurs, les espèces de grande taille comprennent peu d'individus. Ainsi, les éléphants sont moins nombreux que les gazelles ! Chez les dinosaures, les pistes fossiles montrent que les herbivores migraient en groupes de quelques dizaines d'individus seulement, appartenant à 2 ou 3 espèces distinctes. C'est très différent des savanes africaines actuelles, où les troupeaux comptent des milliers d'individus appartenant à un grand nombre d'espèces.

Petits cerveaux, bon odorat

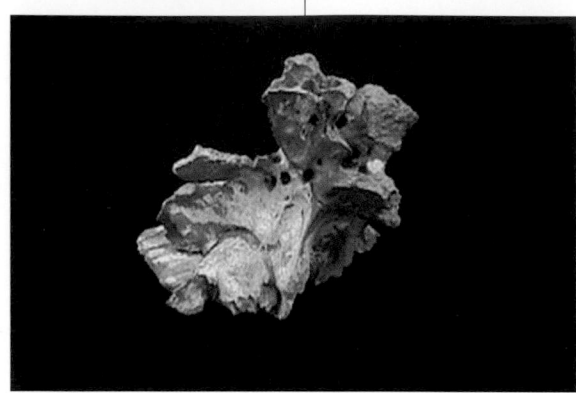

Moulage naturel de l'intérieur du crâne d'un carcharodontosaure. Ce fossile correspond au cerveau de l'animal.

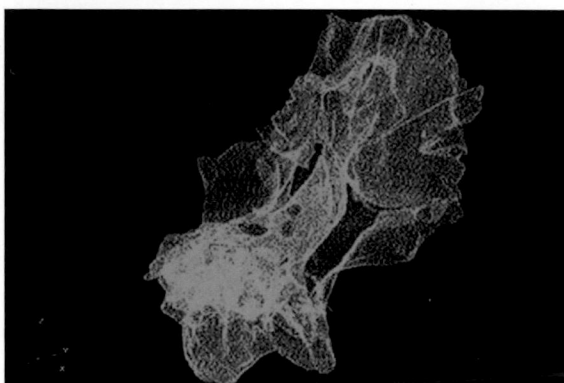

Reconstitution informatique du cerveau d'un carcharodontosaure. L'étude du cerveau donne de précieuses informations sur le comportement de l'animal.

Crâne de carcharodontosaure (longueur 1,60 m). La taille de leur crâne ne doit pas faire illusion : les dinosaures avaient de très petits cerveaux.

Au siècle dernier, les dinosaures ont souvent été considérés comme de grosses bêtes stupides. Aujourd'hui, le cinéma leur attribue les capacités et les comportements des mammifères actuels. En réalité, ils avaient probablement l'intelligence de leurs proches cousins, crocodiles et oiseaux.

De la taille d'une banane

Le crâne du carcharodontosaure mesure 1,60 m de long, mais son cerveau avait la taille d'une banane. Tout le reste est constitué d'os et de muscle. Ce cerveau était dix fois plus petit que le nôtre, pour un animal qui pesait plus de 7 tonnes. Cela semble peu, mais c'est ce que l'on peut attendre d'un reptile de cette taille ! Si l'on mesure les cerveaux des lézards, des serpents et des crocodiles actuels, on peut évaluer la taille du cerveau d'un reptile plus grand. Le résultat correspond bien à ce que l'on observe chez les dinosaures.

Cerveaux de dinos

La taille du cerveau augmente avec la taille corporelle, mais plus lentement. Si l'animal est deux fois plus gros, il n'a pas un cerveau deux fois plus volumineux. Chez les dinosaures comme chez les mammifères, les gros animaux ont proportionnellement des cerveaux plus petits. Cela n'a d'ailleurs que peu d'influence sur les capacités des animaux : un lion n'est pas notablement moins intelligent qu'un chat ! Les dinosaures n'étaient cependant pas tous semblables. On observe des différences importantes entre des espèces de taille équivalente. Ainsi, le stégosaure avait l'un des crânes les plus petits par rapport à sa taille, avec un cerveau gros comme une balle de ping-pong, pour une masse de 2 à 3 tonnes. Au contraire, le troodon avait un cerveau gros comme un œuf de poule alors qu'il pesait à peine 45 kg. C'est beaucoup pour un reptile, mais cela conviendrait tout à fait à un oiseau de cette taille.

Le troodon est considéré comme le plus intelligent des dinosaures. Dans la nature, il n'est pas certain qu'on ait pu le distinguer sur ce plan de ses cousins moins bien lotis.

Des yeux et des narines

Le poids du cerveau donne en fait peu d'informations sur le comportement de l'animal, alors que sa forme permet d'évaluer ses capacités sensorielles. Ainsi, le cerveau du troodon montre que les zones consacrées à la vision et à l'audition sont particulièrement développées. Ce sont des sens important pour un chasseur d'insectes et de petits animaux agiles. Le cerveau des grands théropodes, comme le tyrannosaure, comporte de grands lobes olfactifs, les zones qui reçoivent les informations sur les odeurs. Il avait probablement un odorat très fin, utile pour repérer de loin les cadavres des animaux dont il se nourrissait. Ses autres sens, comme la vision ou l'audition, étaient moins développés, ce qui pourrait indiquer qu'il était plus charognard que chasseur !

Le grand cerveau du lapin lui permet un comportement plus complexe que le crocodile, par exemple dans ses relations avec les autres lapins.

Cerveau

Cerveau

PETITS ET GROS CERVEAUX

On ne peut comparer les cerveaux des animaux que s'ils appartiennent à un groupe homogène, comme les Mammifères ou les Oiseaux. Ainsi, une souris, un chat et un mouton ont des cerveaux presque équivalents, si l'on tient compte du poids du corps. Il existe tout de même quelques variations : chez les mammifères, les primates ont des cerveaux un peu plus gros que les autres. Entre groupes, les différences sont bien plus importantes. Ainsi, à poids égal, un reptile a un cerveau 10 fois plus petit que celui d'un mammifère. Le cerveau d'un lapin pèse autant que celui d'un crocodile !

Des reptiles pas comme les autres

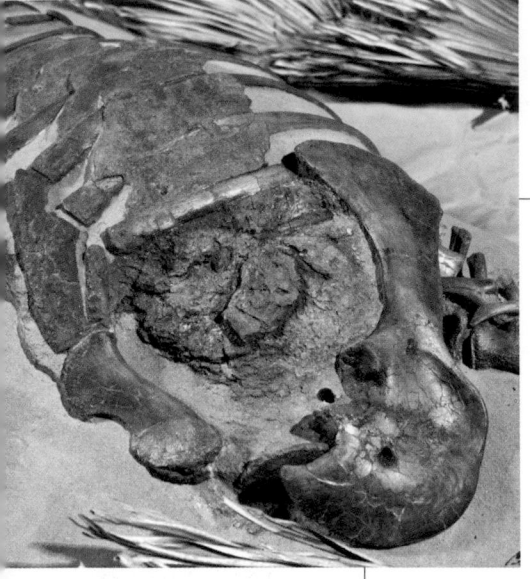

Les dinosaures ressemblent par certains côtés à des reptiles et par d'autres à des oiseaux. L'un des points les plus importants pour connaître leur mode de vie est de connaître la température de leur corps. Étaient-ils des animaux « à sang froid », comme les reptiles, ou à « sang chaud », comme les oiseaux ou les mammifères ?

Fossile de *Thescelosaurus* (Amérique du nord, Crétacé). Ce dinosaure herbivore mesurait 4 m de long. La boule rougeâtre au centre pourrait être son cœur, mais certains paléontologues pensent qu'il s'agit seulement d'une concrétion minérale.

CŒUR DE DINO ?

Un fossile découvert dans le Dakota du Sud présentait une masse de couleur rouge dans la cage thoracique. Une étude réalisée à l'aide d'un scanner a montré une structure évoquant un cœur à 4 cavités, donc un cœur plus efficace que celui des autres reptiles. Cela pourrait indiquer que ce dinosaure était endotherme, car un tel cœur est capable de transporter rapidement le sang, donc l'oxygène nécessaire à la production de chaleur.

Sang chaud, sang froid

L'expression « sang chaud » signifie en réalité « à température constante ». L'intérieur du corps d'un mammifère ou d'un oiseau garde la même température quel que soit le climat extérieur (dans l'air ou dans l'eau, selon son mode de vie). C'est coûteux en énergie car une grande partie de ce que mange l'animal est consacrée à cette production de chaleur, mais cela lui permet de rester actif quelle que soit la météo ! Au contraire, un animal « à sang froid » est en fait « à température variable », la même que celle du milieu dans lequel il vit. Ainsi, il ne dépense pas d'énergie pour chauffer son organisme, mais lorsqu'il fait froid, son activité se ralentit jusqu'à provoquer une torpeur complète.

Actifs et rapides

Les animaux à sang chaud sont appelés par les biologistes animaux « endothermes » (à chaleur provenant de l'intérieur). Dans la nature actuelle, seuls les oiseaux et les mammifères sont endothermes. Cette caractéristique est difficile à déterminer chez les animaux fossiles car l'endothermie est surtout liée aux organes mous qui se conservent rarement. Il faut, par exemple, un appareil respiratoire performant car l'animal consomme beaucoup d'oxygène. Certains dinosaures carnivores de petite taille, comme les droméosaures (les « raptors »), étaient probablement actifs et rapides, ce qui laisse supposer un fonctionnement endothermique.

Les plaques des stégosaures étaient peut-être utilisées comme des capteurs solaires pour emmagasiner plus rapidement la chaleur du soleil. Au contraire, si l'animal se plaçait face au soleil, il recevait moins de chaleur. Cette hypothèse ne permet cependant pas de comprendre comment les nombreux dinosaures dépourvus de voile ou de plaques dorsales pouvaient réguler leur température.

Un grand avantage

Les animaux à sang froid sont appelés « ectothermes » (à chaleur provenant de l'extérieur). Le matin, un lézard doit se chauffer au soleil avant de devenir actif. Il est cependant difficile de comparer un animal pesant quelques grammes à un dinosaure de plusieurs dizaines de tonnes. Dans un environnement de type tropical, avec de faibles variations de température, les gros dinosaures avaient probablement une température presque constante. Ils avaient tous les bénéfices de l'endothermie, sans en payer le prix en nourriture à trouver et à digérer ! Cet avantage important a peut-être favorisé l'évolution des dinosaures vers le gigantisme. Il est possible aussi que ces animaux aient eu un fonctionnement original, ni vraiment ectotherme ni vraiment endotherme. De plus, il existait probablement de grosses différences entre espèces : les problèmes de chaleur ne se posent pas du tout de la même façon pour un animal de 50 tonnes et pour un petit carnivore de quelques dizaines de kilos.

Un tyrannosaure approche d'un cadavre de tricératops qui nourrit déjà un groupe de droméosaures. Plus un animal est actif, plus il doit consommer de nourriture.

HUIT MOUTONS PAR SEMAINE

Compte tenu de sa taille, un tyrannosaure de 4 tonnes devait manger 2 animaux de la taille d'un mouton par semaine s'il était ectotherme. Mais s'il était endotherme, produisant lui-même sa chaleur, il lui fallait l'équivalent de 8 moutons par semaine ! Le fonctionnement interne d'un animal a des conséquences importantes sur son écologie.

Vie sociale

LA ROBE DES DINOS

On a des exemples de peau de dinosaures momifiés mais aucune information sur leur couleur. Même si quelques organes liés à la reproduction étaient très colorés, on ne sait rien du reste du corps. Les reptiles actuels sont souvent verts ou gris, avec des taches qui leur procurent un camouflage très efficace. Mais on ne voit pas bien comment un diplodocus pourrait passer inaperçu ! Finalement, la robe que l'on attribue aux dinosaures est plus une affaire de mode… humaine !

Empreinte fossile de la peau d'un *Edmontosaurus* (hadrosaure). Ce moulage montre des écailles de type reptilien mais ne donne aucune indication sur leur couleur d'origine.

Les reptiles ne sont pas réputés pour leur vie sociale. Dans la plupart des espèces, mâles et femelles vivent en solitaires, et ne se rencontrent qu'à l'époque de la reproduction. Les comportements des dinosaures nous sont inaccessibles, mais leurs squelettes donnent pourtant quelques indices.

Cœlophysis (Amérique du Nord, Trias). Le squelette de cet adulte contient les os d'un très jeune individu. Le cannibalisme n'est pas rare chez les reptiles.

Troupeaux

Certains sites paléontologiques montrent d'énormes accumulations de fossiles. Au Nouveau-Mexique (États-Unis), près de 1000 squelettes de cœlophysis ont été découverts sur quelques mètres carrés. Cela suggère qu'ils vivaient groupés et peut-être même chassaient en meutes. Les pistes fossiles sont parfois si abondantes qu'on les a nommées « autoroutes à dinosaures ». Cependant, même s'ils se déplaçaient ensemble, rien ne prouve que les individus aient eu des comportements sociaux : les lézards sont parfois nombreux sur un mur au soleil, mais ils cherchent plus la chaleur du soleil que la compagnie de leurs congénères !

Rencontres et combat

Chez tous les reptiles, la reproduction suppose la rencontre entre un mâle et une femelle en vue de l'accouplement. Les mâles doivent également affronter leurs rivaux. Ils ont souvent des organes très colorés qui servent lors de leurs « parades nuptiales », et parfois des armes utilisées dans des combats. On observe des organes similaires chez les dinosaures, comme les cornes des cératosaures ou des tricératops, les crêtes des dilophosaures, les voiles des spinosaures. Ces organes sont souvent trop fragiles pour avoir été vraiment efficaces lors de combats. Ils étaient plutôt destinés à effrayer les rivaux ou à séduire les femelles.

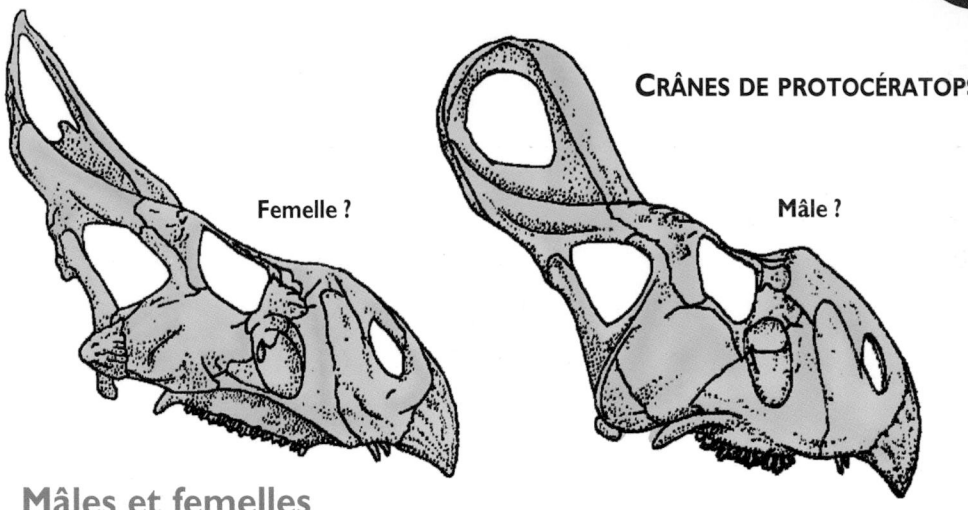

CRÂNES DE PROTOCÉRATOPS

Femelle ?

Mâle ?

Mâles et femelles

Les os fossiles nous donnent également des informations sur les différences entre mâles et femelles, ce que les biologistes nomment dimorphisme sexuel. Chez les protocératops, on peut séparer les crânes en deux groupes distincts, comme s'il s'agissait de deux espèces différentes. Mais comme ils sont souvent trouvés ensemble, il est probable qu'il s'agisse en fait des mâles et des femelles de la même espèce. On attribue souvent aux mâles les plus grandes collerettes. On suppose en effet que cet organe était vivement coloré et attirait les femelles comme les plumages de nombreux oiseaux ou les crêtes de certains reptiles.

ROBUSTES OU LÉGERS

Certains paléontologues estiment qu'il existe 2 formes chez les tyrannosaures, l'une plus robuste et l'autre plus légère, qui correspondraient à l'existence d'un dimorphisme sexuel. Mais laquelle est la forme mâle et laquelle la forme femelle ? Le mâle n'est pas nécessairement le plus imposant : chez les oiseaux rapaces, la femelle est souvent plus grande que le mâle.

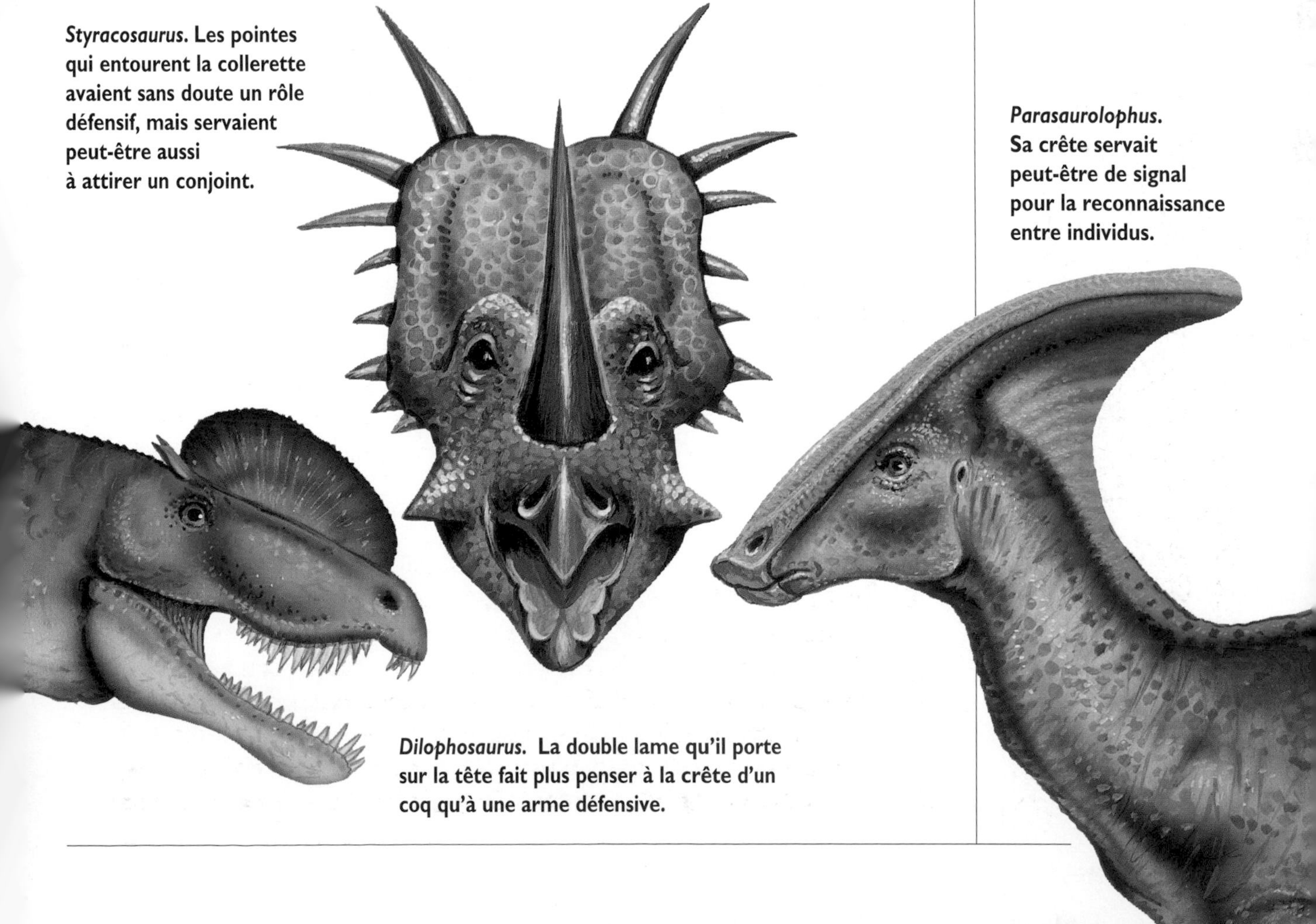

Styracosaurus. **Les pointes qui entourent la collerette avaient sans doute un rôle défensif, mais servaient peut-être aussi à attirer un conjoint.**

Parasaurolophus. **Sa crête servait peut-être de signal pour la reconnaissance entre individus.**

Dilophosaurus. **La double lame qu'il porte sur la tête fait plus penser à la crête d'un coq qu'à une arme défensive.**

Ce fossile trouvé en Chine en 2004 montre un psittacosaure adulte et 34 jeunes regroupés dans leur nid. Ils sont trop nombreux pour provenir d'une seule femelle. Ils ont tous été tués brutalement, peut-être ensevelis sous des cendres volcaniques.

Des nids et des couvées

Les dinosaures pondaient des œufs et certains d'entre eux les couvaient, comme des oiseaux. Des nids et des œufs nous sont parvenus presque intacts, après 100 ou 150 millions d'années enfouis sous nos pieds.

Pontes

Les premiers œufs de dinosaures ont été trouvés en Provence, en 1869 mais ils n'ont pas été identifiés comme tels tout de suite. C'est l'expédition organisée en 1922 dans le désert de Gobi qui a découvert les premiers « nids » de dinosaures, de simples creux dans le sol, contenant une vingtaine d'œufs disposés en cercle. Ces creux étaient probablement ensuite recouverts de sable et chauffés par le soleil. Certains dinosaures les recouvraient peut-être de plantes dont la décomposition s'accompagne d'un dégagement de chaleur. Il existe plusieurs types de nids, parfois très abondants, et construits les uns au-dessus des autres, comme si les dinosaures revenaient chaque année pondre au même endroit.

Bonne mère

L'identification des œufs est très difficile, sauf pour les rares cas où un squelette d'adulte a été découvert sur le nid. Sur un site du Montana (États-Unis), on a trouvé des fragments d'œufs et les squelettes d'une quinzaine de jeunes hadrosaures. Comme il ne s'agissait pas de nouveau-nés, on peut penser qu'ils étaient restés près du nid et que les adultes s'occupaient d'eux, les nourrissaient et les protégeaient contre les prédateurs. Cette espèce a d'ailleurs été nommée *Maiasaura*, c'est-à-dire « reptile bonne mère » !

Reconstitution d'une nichée de *Maiasaura*.

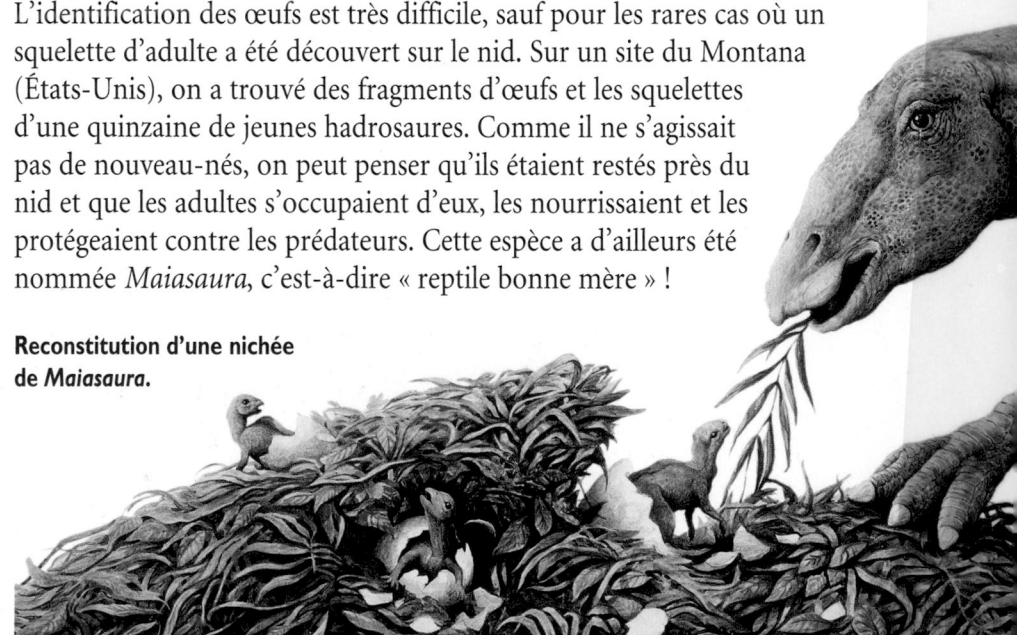

RÉHABILITATION D'UN VOLEUR D'ŒUFS

Les premiers œufs découverts en Mongolie en 1923 ont été attribués au protocératops, car c'était le dinosaure le plus commun sur ce site. Un autre dinosaure présent sur place avait été nommé oviraptor (en latin, le « voleur d'œufs »), car il était soupçonné d'avoir trouvé la mort alors qu'il tentait de piller un nid. Mais il y a quelques années, la découverte d'embryons a montré qu'il s'agissait d'œufs d'oviraptor. Bien plus, un squelette d'oviraptor a été trouvé sur son nid, en train de couver.

Reconstitution
d'un nid de *Maiasaura*.
Dans cette espèce,
les adultes étaient
peut-être trop lourds
pour couver leurs œufs,
mais ils s'occupaient
des petits à l'éclosion.

SOINS PARENTAUX

La plupart des reptiles
pondent des œufs,
mais ne s'occupent pas
des petits à l'éclosion.
Les tortues, les serpents
ou les lézards nouveau-
nés doivent se
débrouiller tout seuls.
Chez les crocodiles,
la femelle est un peu
plus protectrice, mais
cela ne dure pas
longtemps. Comme
les parents les plus
proches des dinosaures
sont les oiseaux, les
paléontologues tendent
de plus en plus, pour
comprendre leurs
comportements, à
observer leurs cousins
à plumes plutôt que
leurs cousins à écailles.

Embryons

Découvert en 1998, le site d'Auca Mahuevo en Patagonie (Argentine) a révélé
des milliers d'œufs répartis sur un kilomètre carré. Il semble que des centaines
de femelles se rassemblaient sur ce site et creusaient des trous dans le sol pour
y pondre leurs œufs. Ceux-ci sont presque sphériques et mesurent de 13 à 15 cm
de diamètre. Le site a peut-être été brusquement inondé, l'eau asphyxiant les œufs
en les recouvrant d'une couche de boue. En examinant soigneusement les œufs,
les paléontologues en ont découvert douze qui contenaient des embryons de
dinosaures. Les petits squelettes ont permis d'identifier précisément l'espèce.
Il s'agissait de titanosaures, un groupe de sauropodes encore mal connu.
Certains œufs contenaient des fragments
de peau fossilisée.

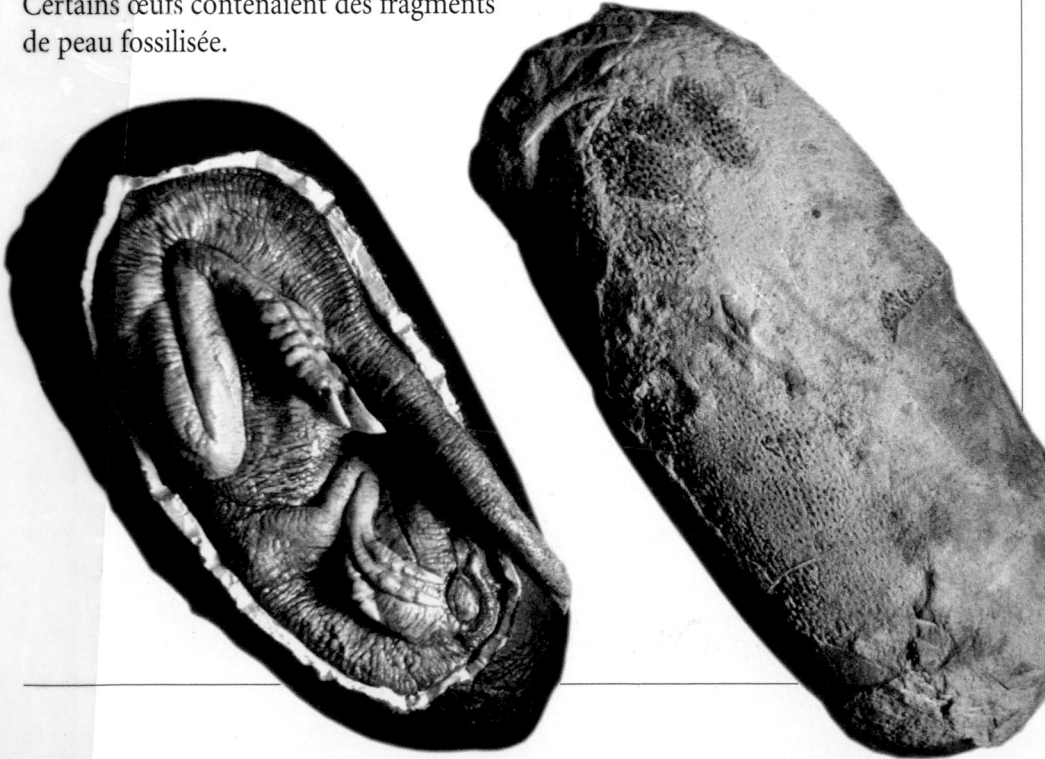

Reconstitution d'un
œuf de dinosaure
(un petit carnivore
de type *Velociraptor*).
Les squelettes
d'embryons trouvés
dans certains œufs
permettent de mieux
se représenter
la façon dont
les dinosaures
grandissaient.

Terrifiants reptiles

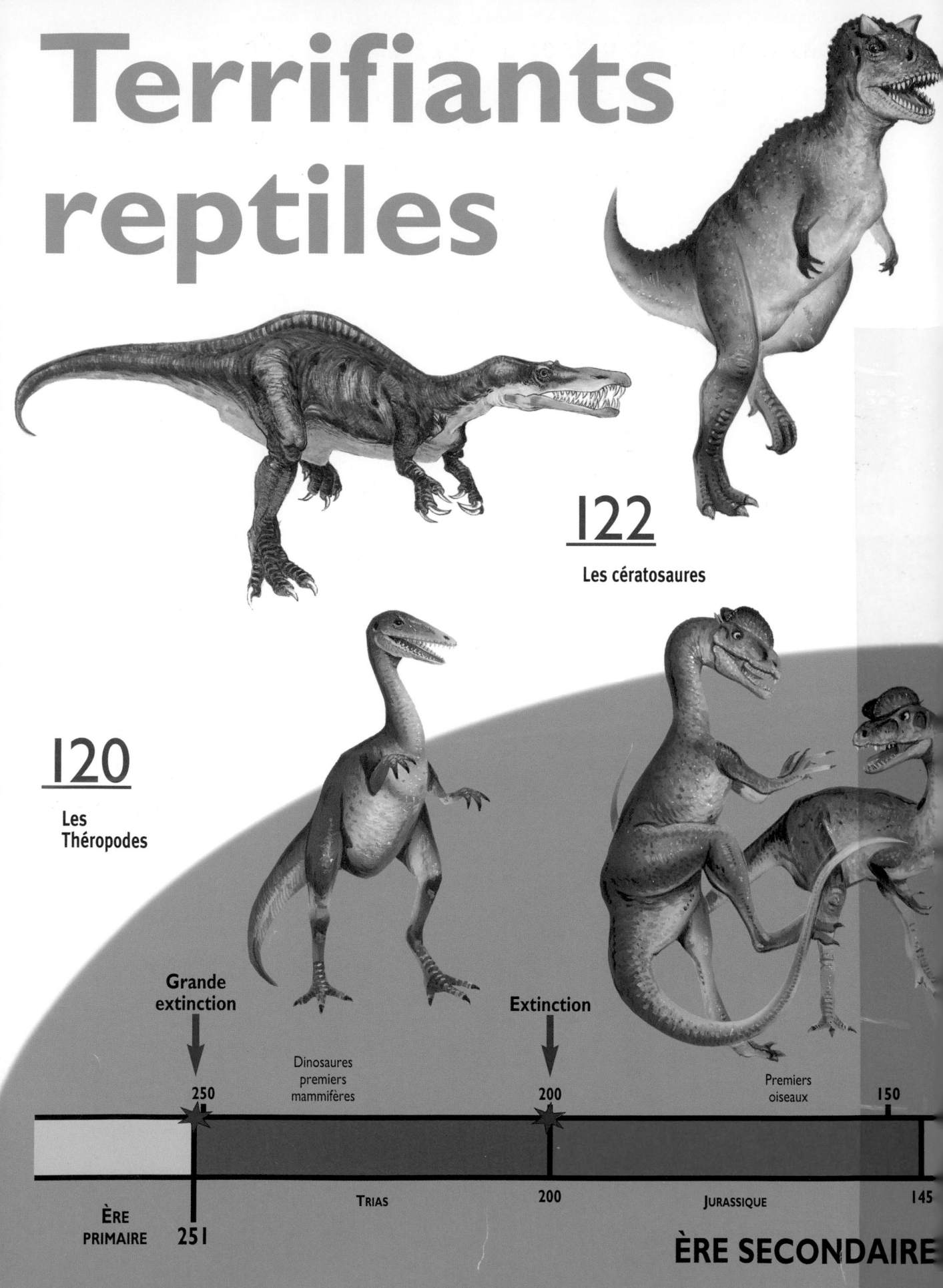

122
Les cératosaures

120
Les
Théropodes

**Grande
extinction**

Extinction

Dinosaures
premiers
mammifères

Premiers
oiseaux

250

200

150

ÈRE
PRIMAIRE   251

TRIAS

200

JURASSIQUE

145

ÈRE SECONDAIRE

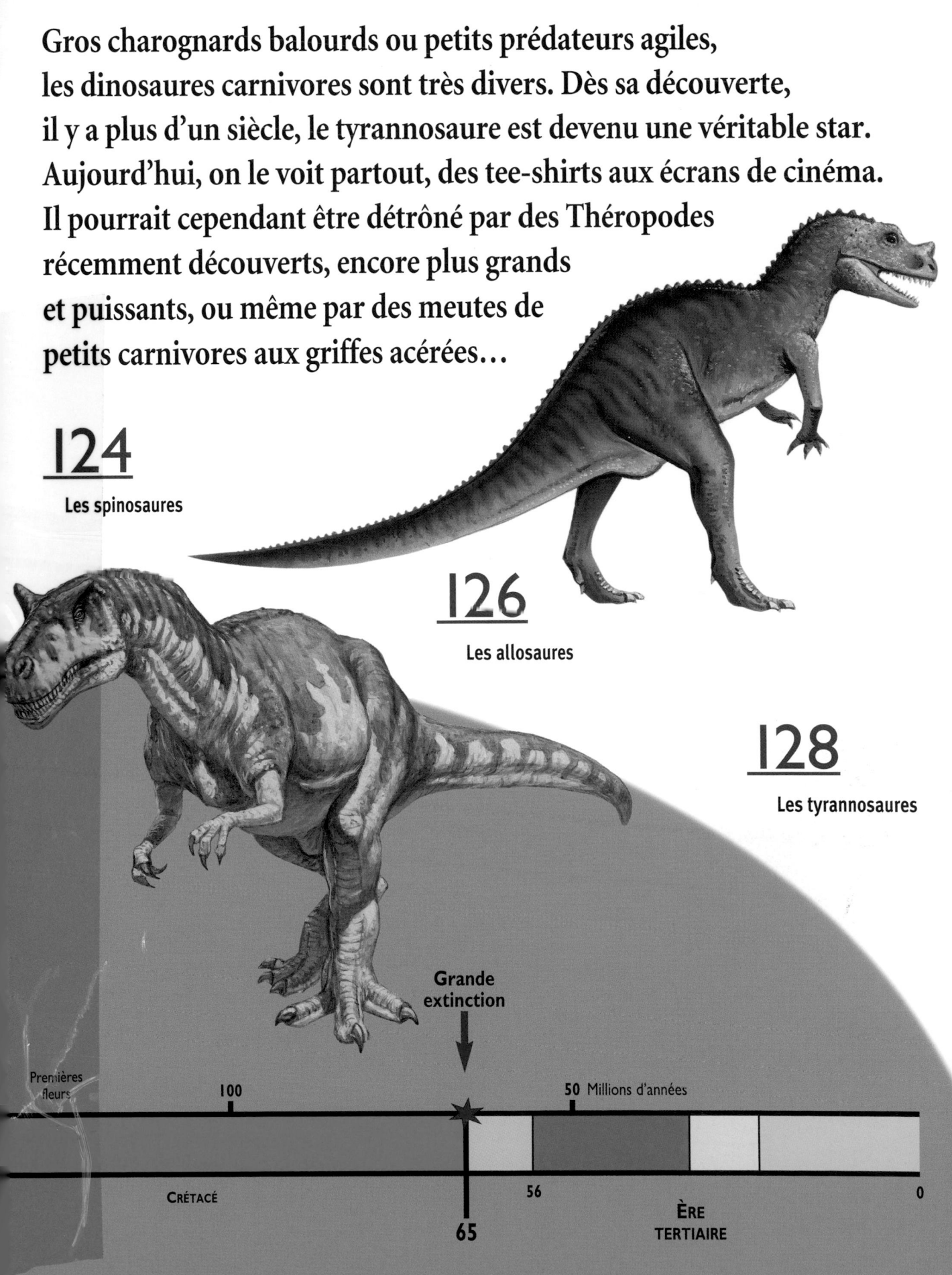

Gros charognards balourds ou petits prédateurs agiles,
les dinosaures carnivores sont très divers. Dès sa découverte,
il y a plus d'un siècle, le tyrannosaure est devenu une véritable star.
Aujourd'hui, on le voit partout, des tee-shirts aux écrans de cinéma.
Il pourrait cependant être détrôné par des Théropodes
récemment découverts, encore plus grands
et puissants, ou même par des meutes de
petits carnivores aux griffes acérées…

124

Les spinosaures

126

Les allosaures

128

Les tyrannosaures

Grande
extinction

Premières
fleurs

100

50 Millions d'années

CRÉTACÉ

56

0

ÈRE
TERTIAIRE

65

Les Théropodes

PIEDS DE GROSSES BÊTES

Théropode signifie « à pieds de bêtes » un terme un peu ambigu, car leurs pieds ressemblent beaucoup à ceux des oiseaux. Leurs empreintes fossiles ont d'ailleurs d'abord été attribuées à des oiseaux terrestres géants. Le pied comporte 3 doigts principaux, le premier et le cinquième étant très réduits ou absents. Les mains n'ont en général que 3 doigts mais elles sont capables de saisir et de tenir les proies. Chaque doigt porte une griffe acérée.

La grande famille des dinosaures carnivores, les Théropodes, nous fascine depuis leur découverte au XIXᵉ siècle. Ils comptent parmi eux les plus grands carnivores terrestres de tous les temps. Présents dès l'origine des dinosaures, ils sont toujours parmi nous sous la forme de leurs lointains descendants, les oiseaux !

Crâne allégé par de larges ouvertures. Les os n'étaient pas tous soudés entre eux, ce qui lui permettait de mieux absorber les chocs, par exemple lors de l'attaque d'une proie.

Grandes mâchoires aux dents crénelées, très tranchantes.

Reconstitution d'un allosaure, théropode du Jurassique.

Mains à 3 doigts. L'allosaure pouvait se servir de ses bras pour maintenir sa proie pendant qu'il en arrachait des morceaux avec ses mâchoires.

Pied de théropode. Les 3 doigts centraux sont dirigés vers l'avant, le 4ᵉ (le « pouce ») vers l'arrière.

Le modèle carnivore

Les Théropodes sont tous bipèdes et presque tous carnivores. Ils présentent cependant une grande diversité, des minuscules *Microraptor* couverts de plumes aux écailleux *Giganotosaurus* de 14 m de long. Leur taille, leur forme et les caractéristiques de leur dentition donnent des informations sur leur mode de vie et leur alimentation. La taille joue un rôle important dans la répartition écologique des prédateurs : les plus grands carnivores s'attaquent parfois à de grandes proies et sont souvent en partie charognards. Les plus petits consomment des lézards et des mammifères, ainsi que des insectes, des escargots ou des vers de terre.

De l'air dans les os

Les os des membres des Théropodes sont creux, ce qui diminue leur poids sans les fragiliser. Ces prédateurs sont ainsi plus légers et plus agiles, des facteurs importants pour la capture des proies. Le crâne est allégé par de larges « fenêtres ». Certains os sont même creusés de cavités qui sont en communication avec les poumons. Ces os « pneumatiques » remplis d'air existent toujours chez les oiseaux actuels.

Les droméosaures sont souvent représentés avec des plumes, sans que l'on sache réellement si toutes les espèces en portaient.

Les grandes familles

La plus ancienne famille de Théropodes, apparue au Trias vers – 230 millions d'années, est celle des cératosaures. Au cours du Jurassique, vers – 180 millions d'années, apparaissent d'autres formes, comme les spinosaures, les allosaures ou les Cœlurosaures. Chacun de ces groupes comprend à la fois des dinosaures de petite taille et des géants. Les cœlurosaures sont aussi à l'origine d'une nouvelle production, les plumes, qu'ils transmettront aux oiseaux.

Les Théropodes sont encore un groupe assez mal connu, et leur classification est parfois modifiée par de nouvelles découvertes.

La queue fortement musclée était tenue à l'horizontale. Elle équilibrait le corps, la tête étant projetée vers l'avant. Elle servait aussi de balancier pendant la marche.

Les pattes disposées bien à l'aplomb du corps étaient soutenues par des os énormes, capables de supporter un poids de plus d'une tonne.

CONCURRENCE RÉDUITE

À l'époque des dinosaures vivaient d'autres petits carnivores terrestres, notamment des reptiles, tels que les lézards ou les serpents. Mais les seuls autres grands prédateurs étaient semi-aquatiques ou marins, comme les crocodiles et les mosasaures. Aujourd'hui, les principaux grands carnivores sont des mammifères nettement plus petits que les théropodes : lions, ours ou phoques.

Herrerasaurus, l'un des premiers théropodes, vivait en Argentine au Trias. Il mesurait 3 à 4 m de long.

Cœlophysis.
Les adultes atteignent 3 m de long pour un poids d'environ 30 kg.

Les cératosaures

La première grande famille de Théropodes est celle des Cératosauridés. Leur tête porte souvent des ornements, comme des cornes ou des crêtes.

Cœlophysis

Cœlophysis, l'un des plus anciens théropodes, vivait il y a 220 millions d'années, à la fin du Trias. Ses fossiles ont été trouvés en Amérique du Nord qui n'était alors pas séparée des autres continents. *Cœlophysis* a les os creux et le cou en S typique des théropodes. La légèreté de son squelette fait penser qu'il était un prédateur rapide et agile, qui saisissait ses proies à l'aide de ses griffes aiguës ou de sa mâchoire aux dents tranchantes. On a trouvé des dizaines de squelettes de jeunes et d'adultes, probablement morts ensemble.

Dilophosaurus

Dilophosaurus vivait au Jurassique inférieur (– 200 à – 175 millions d'années), dans tout l'hémisphère Nord. Nettement plus grand que *Cœlophysis*, il garde une allure assez élancée. Son nom lui vient de sa double crête : *Dilophosaurus* signifie « reptile à deux crêtes ». Celle-ci jouait probablement un rôle lors des parades nuptiales, comme chez certains reptiles actuels. *Dilophosaurus* était peut-être un prédateur, mais sa mâchoire était peu puissante. Certains paléontologues pensent qu'elle n'aurait pu résister à la vigoureuse défense d'une proie de grande taille et qu'il était donc plutôt charognard.

HISTOIRES DE FAMILLES

Dans une famille comme celle des Cératosauridés, la structure des squelettes montre que les espèces sont apparentées. Certaines espèces sont plus anciennes que d'autres, mais leur ordre d'apparition au cours du temps ne suffit pas pour déterminer leurs relations de parenté. Une espèce plus ancienne n'est en effet pas nécessairement l'ancêtre d'une espèce plus récente, même si elle lui ressemble. Les fossiles sont en fait trop peu nombreux pour reconstituer leur histoire en détail.

Combat entre mâles (à crêtes de couleurs bien marquées). *Dilophosaurus* **mesurait environ 6 m de long.**

Ceratosaurus

Les Cératosauridés tiennent leur nom de *Ceratosaurus*, l'un des premiers grands dinosaures carnivores dont on ait trouvé un squelette presque complet, à la fin du XIXe siècle. Il vivait en Amérique du Nord au Jurassique supérieur (vers – 160 à – 145 millions d'années). Très massif, il avait gardé quelques caractères primitifs, comme la présence de quatre doigts bien développés à chaque main. Il portait une petite corne sur le nez et au-dessus de chaque œil : *Ceratosaurus* signifie « reptile à cornes ».
Comme il ne semble pas avoir eu de prédateurs, ces ornements servaient probablement plus pour des combats entre mâles au moment de la reproduction ou pour séduire les femelles.

Ceratosaurus vivait à la même époque et dans la même région qu'*Allosaurus*, mais il était nettement plus petit (6 m de long). Ces 2 espèces ne se nourrissaient pas de la même façon, ce qui réduisait la concurrence entre eux.

Carnotaurus

Ce « taureau carnivore » du Crétacé doit son nom aux deux cornes situées juste au-dessus des yeux. Il mesurait près de 8 m de long. Son museau court et ses bras très réduits le distinguent des autres cératosaures mais, comme eux, il a quatre doigts à chaque main et une mâchoire relativement peu puissante.

Carnotaurus a été trouvé en Argentine, où il devait parfois être confronté à un carnivore bien plus gros, *Giganotosaurus*.

Les traces sur cette côte de **Majungatholus** ont été laissées par des dents d'un autre **Majungatholus** !

CANNIBALISME FOSSILE

À Madagascar, des paléontologues ont découvert des os de dinosaures couverts de marques de dents. Le plus grand carnivore présent était *Majungatholus*, un cératosaure long de 9 m, qui nettoyait les carcasses de ses proies jusqu'à leur dernier lambeau de chair. Il se nourrissait surtout d'hadrosaures, de gros herbivores, mais les fossiles montrent qu'il s'attaquait aussi aux individus de sa propre espèce.

Les spinosaures

Les spinosaures se distinguent des autres théropodes par leur long museau crocodilien, armé de nombreuses petites dents et par leur pouce à la griffe impressionnante.

Spinosaurus

C'est le premier dinosaure connu de cette famille, trouvé en Égypte en 1912. Ses vertèbres dorsales portaient des prolongements atteignant 1,5 m de long et qui soutenaient probablement une sorte de « voile » de peau. Celle-ci était peut-être très colorée et mise en avant lors des parades nuptiales afin d'attirer un partenaire. Elle servait peut-être aussi à faciliter la régulation de la température. Selon certains paléontologues, elle soutenait une bosse qui servait d'organe de réserve en période de disette, comme celle des dromadaires.

Spinosaurus (Afrique, Crétacé inférieur).

Baryonyx

En 1983, un autre spinosaure a été découvert en Angleterre, muni d'un crâne lui aussi mince et allongé. *Baryonyx*, qui vivait au Crétacé inférieur, mesurait près de 12 m de long. Son nom « puissante griffe » vient de son pouce armé d'une griffe particulièrement forte. Comme chez *Spinosaurus*, son museau allongé porte de nombreuses dents en forme de cône. Elles ne sont pas recourbées vers l'arrière, ce qui est inhabituel chez les grands théropodes. Elles ressemblent à celles des crocodiles, ce qui est probablement le signe d'une adaptation à la capture des poissons. On a d'ailleurs trouvé des dents et des écailles de poissons à l'emplacement de son estomac, avec les os d'un jeune iguanodon. *Baryonyx* ne montre cependant pas d'autre adaptation à la vie aquatique que son museau.

Comme les crocodiles, Baryonyx capturait des animaux venant boire ainsi que des poissons.

DINO-CROCOS

Le crâne des spinosaures est remarquablement semblable à celui des crocodiles. Ce phénomène, appelé « convergence » par les biologistes, est souvent lié à des similitudes dans les conditions de vie. La sélection naturelle aboutit alors aux mêmes résultats. Dans le cas des spinosaures et des crocodiles, le phénomène ne concerne que les mâchoires, car le reste du corps est très différent dans les deux lignées.

**Crâne de crocodile (en haut)
Fragments de crâne fossile
de *Baryonyx* (ci-contre).**

Le *Suchomimus* découvert au Niger mesurait environ 11 m de long mais il n'était pas complètement adulte.

Suchomimus

Africain comme *Spinosaurus*, il atteignait probablement la longueur d'un tyrannosaure à l'âge adulte, mais avec un corps moins massif. Il portait aussi des épines dorsales, moins longues que celle de *Spinosaurus*. Ses bras courts étaient armés de griffes en forme de faux, de 30 à 40 cm de long, avec lesquelles il pouvait saisir des poissons ou des animaux venant boire. Son nom « imitateur de crocodile » lui vient de cette alimentation. Ce régime devait lui permettre d'éviter la concurrence avec les autres carnivores terrestres qui partageaient le même territoire.

GROS, C'EST BEAU

Chaque famille de théropodes compte des espèces géantes de 10 à 14 m de long, pesant plusieurs tonnes. À l'origine, la sélection naturelle a peut-être favorisé l'évolution des espèces herbivores vers de plus grandes tailles, car les grands individus étaient mieux protégés contre les prédateurs. La sélection a alors poussé les carnivores dans la même direction.

Les allosaures

**Acrocanthosaurus
(Amérique du Nord,
Crétacé inférieur).**

Les allosaures ont évolué dans le monde entier, donnant naissance à de nombreuses espèces. Leurs fossiles éclairent leur histoire mais aussi celle de la Terre entière.

Acrocanthosaurus

Ce « reptile aux hautes épines » est un cousin d'*Allosaurus*, plus récent et plus petit (il mesurait seulement 12 m de long !). Ses vertèbres dorsales portaient des prolongements verticaux, qui soutenaient probablement une « voile » comme celle de *Spinosaurus*. Il vivait il y a 110 millions d'années en Amérique du Nord et se nourrissait d'iguanodons et de jeunes sauropodes.

POUR LES DISTINGUER

Même si tous les gros théropodes se ressemblent, on peut distinguer plusieurs groupes selon les caractéristiques de leurs squelettes. L'un des critères est la proportion entre les os de la jambe. Chez les allosaures, le fémur est plus long que le tibia. Chez les tyrannosaures, ces os sont presque de même longueur ou de proportion inverse, comme chez leurs cousins droméosaures et chez les oiseaux.

Giganotosaurus

Des os fossiles de ce « reptile gigantesque » ont été découverts en Argentine en 1993. *Giganotosaurus* est daté du Crétacé inférieur (– 90 millions d'années). Avec 14 m de long et un poids estimé de 8 tonnes, soit l'équivalent de deux éléphants, il a détrôné le tyrannosaure de son titre de plus gros carnivore terrestre. Son squelette est cependant moins bien connu que celui du tyrannosaure. Les os trouvés appartenaient à quatre ou cinq individus de différentes tailles. S'ils sont morts ensemble, ce peut être l'indice qu'ils chassaient en meute.

Squelette d'*Allosaurus*.

**Giganotosaurus
(Amérique du Sud,
Crétacé inférieur).
Certains individus
dépassaient
probablement
14 m de long.**

Carcharodontosaurus

Le « reptile aux dents de requin » est
un proche parent de *Giganotosaurus*,
mais il vivait en Afrique et non en
Amérique du Sud. Un individu
de 14 m de long a été découvert
en 1995 dans le désert du
Sahara (Maroc). Il est daté de
– 90 millions d'années. Ses
bras étaient courts mais
puissants et armés de trois
grosses griffes. Son énorme
crâne (1,80 m de long) était allégé par de grandes « fenêtres » situées en avant
et en arrière des orbites. Ses mâchoires portaient près de 80 dents dont les plus
grandes mesuraient 20 cm de long.

Carcharodontosaurus
(Afrique, Crétacé
inférieur).

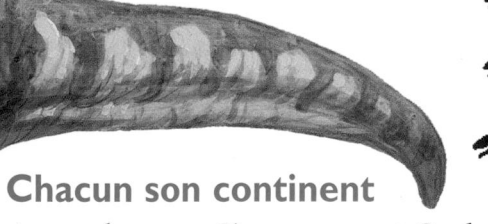

Varan de Komodo dévorant un cerf (Indonésie).

UNE HALEINE DE CHACAL !

Les dents des grands théropodes conservaient
après la morsure des petits morceaux de chair
coincés entre les denticules. Ces fragments
devaient pourrir lentement sur les gencives,
provoquant de graves infections en cas de morsure
non mortelle. La proie mourrait rapidement
et le prédateur n'avait plus qu'à la retrouver
à l'odeur. C'est ce que l'on observe aujourd'hui
chez le varan de Komodo, dont les dents
ressemblent, en plus petit, à celles des théropodes.

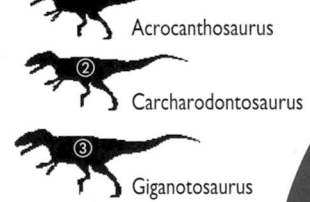

① Acrocanthosaurus
② Carcharodontosaurus
③ Giganotosaurus

La Terre au début
du Crétacé.

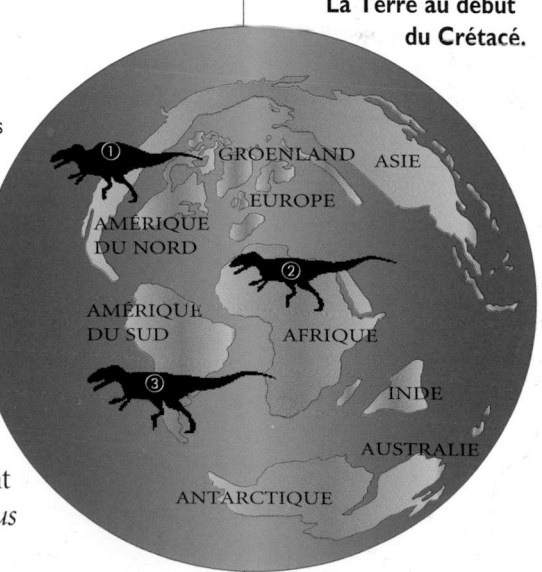

Chacun son continent

Acrocanthosaurus, *Giganotosaurus* et *Carcharodontosaurus*
étaient apparentés. Ils ont tous vécu entre 90 et 120 millions
d'années, mais sur des continents différents. Au début du
Crétacé, le super-continent unique, la Pangée, s'est fragmenté en
deux continents, la Laurasie au nord et le Gondwana au sud. Les
allosauridés ont été séparés en deux populations qui ont évolué de
façon distincte, donnant *Acrocanthosaurus* au nord. Puis le continent
Sud s'est lui aussi divisé, les allosauridés évoluant vers *Giganotosaurus*
en Amérique du Sud et vers *Carcharodontosaurus* en Afrique.

La vision du tyrannosaure était moins performante que son odorat, mais au cinéma, l'œil est plus expressif que la narine !

Les tyrannosaures

Le *Tyrannosaurus rex,* « roi des reptiles tyrans », est le plus célèbre de tous les dinosaures. C'est aussi le dernier représentant des carnivores géants de l'ère secondaire.

Une force brute

L'énorme tête du tyrannosaure est supportée par un cou puissant, renforcé par les prolongements des vertèbres qui servaient de point d'ancrage aux muscles et aux ligaments. Les articulations des mâchoires montrent qu'il pouvait ouvrir très largement la gueule. Elles portent une soixantaine de dents pointues à bord dentelé, au tranchant acéré. Les plus grandes atteignent 18 cm de long. La puissance de sa mâchoire laisse supposer qu'il attaquait ses proies par surprise, les tuant d'une morsure brutale.

Prédateur ou charognard ?

Le tyrannosaure était-il principalement prédateur ou charognard ? Des fossiles d'hadrosaures présentent des traces de blessures cicatrisées, prouvant qu'ils avaient survécu à l'attaque d'un tyrannosaure. Les fossiles de tricératops portent deux fois moins de traces de morsures que ceux des hadrosaures. C'est ce qu'on pourrait attendre s'il était prédateur, car les tricératops étaient plus fortement armés que les hadrosaures. Si les tyrannosaures avaient été seulement charognards, il ne devrait pas y avoir de différence entre les proies. Comme les ours et les hyènes, le tyrannosaure était probablement à la fois chasseur et charognard, profitant des cadavres qu'il pouvait repérer de loin.

UNE CROTTE FOSSILE GÉANTE

Une crotte fossile a été attribuée à un tyrannosaure. Mesurant 44 cm de long et 16 cm de large, elle est en effet trop grande pour les autres carnivores de cette époque, d'autant plus qu'elle a probablement séché et rétréci avant sa fossilisation. Les fragments d'os qu'elle contient montrent qu'il avait mangé un ou plusieurs jeunes dinosaures, peut-être des jeunes hadrosaures.

Coprolithe (crotte fossile) découvert au Canada et daté du Crétacé supérieur, l'époque à laquelle vivait le tyrannosaure.

Petits bras

Les bras du tyrannosaure sont si petits qu'ils n'atteignent pas sa gueule. Des paléontologues ont supposé que les mâles s'en servaient lors de l'accouplement pour tenir la femelle ou qu'il s'aidait de ses bras pour se relever lorsqu'il était couché à terre. Les articulations montrent que les bras n'effectuaient que des mouvements limités. L'animal pouvait cependant saisir quelque chose, par exemple de la nourriture, et la transporter plaquée contre son corps. Cette réduction s'est également produite chez les oiseaux terrestres, comme les autruches. On peut constater que cette quasi-absence ne constitue en rien un handicap !

Crâne de tyrannosaure. Il est plus massif que celui de l'allosaure donc plus lourd, ce qui suppose une musculature du cou et du dos plus puissante.

Scènes de famille

Sur certains sites étaient réunis plusieurs fossiles de tyrannosaures qui sont probablement morts ensemble. Parfois, on distingue des adultes et des jeunes, ce qui laisse penser qu'ils vivaient en groupe, au moins pendant une partie de leur vie. Ils étaient cependant très agressifs : leurs os portent des traces de blessures infligées par leurs congénères. On a même trouvé une mâchoire dans laquelle était plantée une dent !

EXCÈS DE CROISSANCE

D'après les stries de croissance visibles sur certains os, des paléontologues ont estimé la vitesse de croissance du tyrannosaure. Il devait atteindre sa taille adulte en 20 ans, grossissant parfois de 2 kg par jour, beaucoup plus vite que les autres théropodes. Il vivait probablement 30 ans. Pesant 6 à 8 tonnes à l'âge adulte, il devait courir de moins en moins bien et devenait sans doute de plus en plus charognard.

Un tyrannosaure attaquant un *Edmontosaurus*.

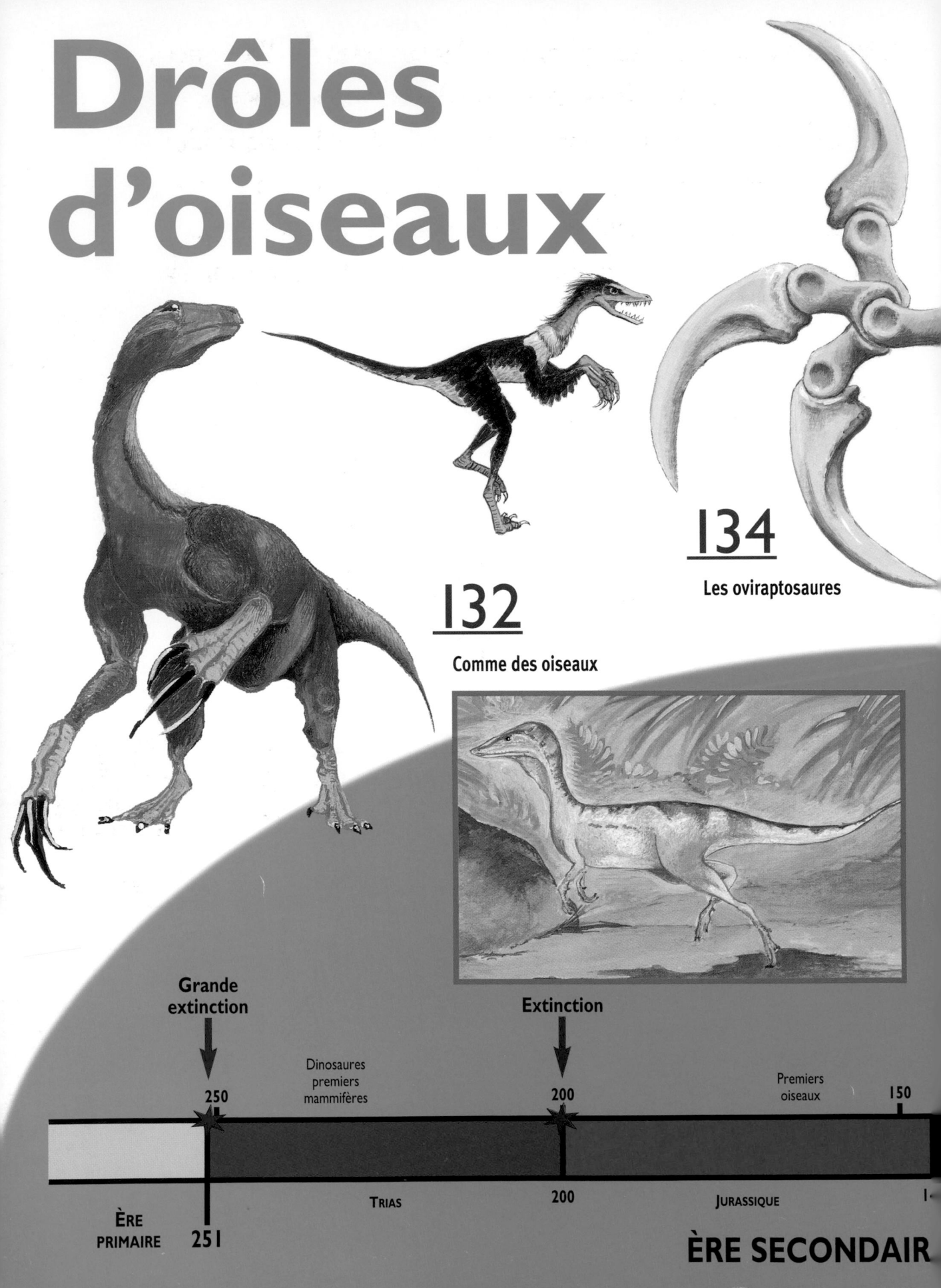

Drôles d'oiseaux

132
Comme des oiseaux

134
Les oviraptosaures

Grande extinction

Extinction

Dinosaures premiers mammifères

Premiers oiseaux

250

200

150

ÈRE PRIMAIRE

251

TRIAS

200

JURASSIQUE

ÈRE SECONDAIR

Depuis quelques années, plusieurs découvertes de dinosaures
à plumes ont renouvelé notre vision des petits carnivores.
La parenté des dinosaures et des oiseaux est maintenant bien
établie. Mais, si les oiseaux actuels descendent de dinosaures,
ne peut-on pas les considérer simplement comme de petits
dinosaures à plumes et dépourvus de dents ? Les dinosaures
sont encore parmi nous !

136

Les droméosaures

138

**Les dinosaures
du ciel**

140

**Les descendants
des dinosaures**

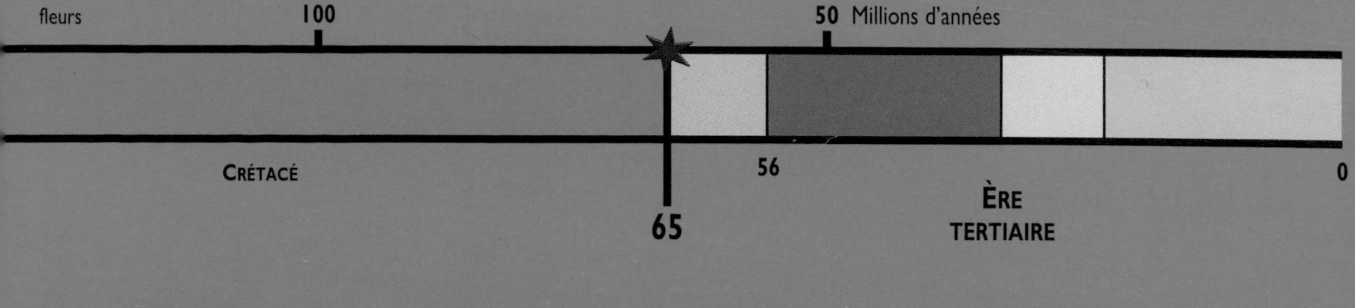

**Grande
extinction**

Premières
fleurs

100

50 Millions d'années

CRÉTACÉ

56

65

ÈRE
TERTIAIRE

0

Comme des oiseaux

Entre les pattes des géants du Mésozoïque couraient de nombreux petits dinosaures à l'œil vif et aux dents aiguës. Des découvertes récentes les révèlent de plus en plus proches des oiseaux, dont ils ont jusqu'au plumage.

Compsognathus (« mâchoire élégante ») vivait en Europe à la fin du Jurassique. Mesurant moins d'1 m de long, queue comprise, ce cœlurosaure se nourrissait de petits animaux qu'il coursait à terre.

Les Cœlurosaures

La famille des Cœlurosaures « reptiles à queue creuse » comprend des petits carnivores légers et rapides comme *Compsognathus* mais aussi l'énorme tyrannosaure. On y trouve également les thérizinosaures, d'étranges dinosaures aux griffes impressionnantes, ainsi que des espèces à l'allure d'oiseaux coureurs. Malgré ces différences, les squelettes de toutes ces espèces présentent des points communs qui marquent leur parenté. Les Cœlurosaures ressemblent aussi aux oiseaux, et pas seulement par le squelette. Certains d'entre eux étaient couverts de plumes et pouvaient voler ! L'une des espèces de ce groupe est sans doute l'ancêtre des oiseaux actuels.

Struthiomimus (« qui imite l'autruche ») vivait en Amérique du Nord au Crétacé supérieur. Il mesurait 3 à 4 m de long et était capable de courir très vite, peut-être à plus de 80 km/h, comme les autruches.

Les dinos-autruches

Les Ornithomimidés « qui imitent les oiseaux » ont un corps élancé et de puissantes pattes postérieures. Leur forme générale rappelle celle de l'autruche. Leurs longues mâchoires ne portent que des dents minuscules et quelques espèces sont même édentées. Ils étaient probablement incapables de tuer autre chose que de très petits animaux. Omnivores, ils avalaient tout ce qui passait à portée de bec : insectes, grenouilles, petits mammifères, œufs ou fruits.

Les griffes du Mésozoïque

Les Thérizinosaures, « reptiles à faux », sont encore assez mal connus. Plus massifs que les Ornithomimidés, ils s'en distinguent aussi par leurs griffes démesurées. L'un des doigts de *Therizinosaurus*, dont on ne connaît que les bras, se termine ainsi par une phalange en forme de faux de 70 cm de long. La griffe soutenue par cette phalange devait être encore plus longue ! Malgré ces armes redoutables, ils étaient dépourvus de dents et étaient probablement herbivores. Ils se servaient peut-être de leurs griffes pour creuser le sol à la recherche de racines ou d'insectes. Plus surprenant encore, *Beipiaosaurus*, « reptile de la ville de Beipiao », en Chine, semble avoir été couvert de filaments semblables au duvet des oiseaux.

Deinocheirus (« la terrible main ») est peut-être un ornithomimidé, mais ce n'est pas certain car on n'en connaît que les bras, qui mesurent 2,40 m de long. Il a été découvert en Mongolie et il est daté du Crétacé supérieur.

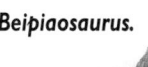

Beipiaosaurus.

Sinosauropteryx (Chine, Crétacé inférieur). Les filaments portés par ce fossile sont interprétés comme une sorte de plumage rudimentaire.

PROTOPLUMES

Les filaments observés sur les fossiles sont décrits par les paléontologues comme des protoplumes, c'est-à-dire des plumes primitives. Ils sont parfois ramifiés, comme le duvet des oiseaux actuels. Ces filaments pourraient être un stade intermédiaire dans l'évolution qui a abouti aux véritables plumes. Celles-ci sont des structures plus organisées avec un axe central et des filaments maintenus les uns contre les autres par des centaines de petits crochets.

Un dragon inattendu

En 2004, des paléontologues chinois ont découvert un petit dinosaure dont le squelette montre une parenté avec le tyrannosaure, mais qui date du Crétacé inférieur, donc beaucoup plus ancien. Mesurant moins de 1,5 m de long, il était légèrement bâti, avec des bras relativement grands et munis de trois doigts. Son nom, *Dilong paradoxus*, « dragon paradoxal », vient de la surprise des chercheurs qui ont constaté qu'il était couvert de filaments, comme ceux de *Beipiaosaurus*. Si les tyrannosaures adultes ne semblent pas avoir eu de plumage, leurs petits étaient peut-être couverts de duvet au sortir de l'œuf.

Dilong paradoxus.

Les oviraptosaures

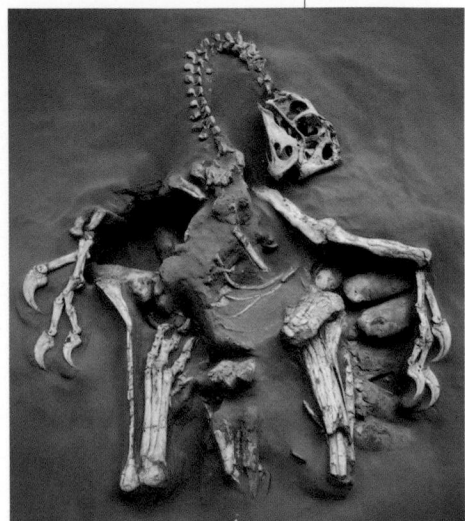

Fossile d'*Oviraptor* mort sur son nid, en train de couver une vingtaine d'œufs (Mongolie, Crétacé supérieur).

UN SITE PRODIGIEUX

Depuis plusieurs années, les sites chinois de la province du Liaoning offrent aux paléontologues des fossiles toujours plus étonnants. Le sédiment très fin, d'argile ou de cendres volcaniques, révèle des détails qui sont perdus la plupart du temps. C'est là qu'ont été découverts les premiers dinosaures à plumes et de nombreux oiseaux primitifs. Ces sites datés du Crétacé inférieur (vers – 125 millions d'années) donnent aussi des informations passionnantes sur les mammifères de l'ère secondaire et sur l'évolution des plantes.

Il est difficile d'imaginer l'apparence des oviraptosaures à partir de leurs seuls squelettes. Ils font penser à de gros oiseaux carnivores montés sur de longues pattes griffues, mais leur peau était-elle écailleuse et verdâtre ou au contraire recouverte d'un plumage richement coloré ?

Les étranges têtes

Oviraptor, « le voleur d'œufs », a été découvert lors de la célèbre expédition paléontologique dans le désert de Gobi (Mongolie) en 1923. Haut sur pattes, il mesurait plus de 2 m de long. Sa mâchoire édentée portait un gros bec d'oiseau. Sa tête était rehaussée d'un « casque » osseux recouvert de corne, similaire à celui des casoars actuels. Comme certains oiseaux, il nichait au sol et couvait ses œufs. L'un de ses cousins, *Incisivosaurus,* « le reptile aux incisives », vivait dans la province du Liaoning (Chine) au Crétacé inférieur (– 130 millions d'années). On n'en connaît que la tête, mais il mesurait probablement moins d'un mètre de long. Ses dents semblables à des incisives de rongeur suggèrent une alimentation herbivore, peu courante chez les théropodes.

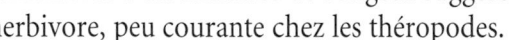

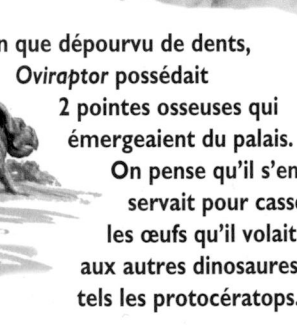

Bien que dépourvu de dents, *Oviraptor* possédait 2 pointes osseuses qui émergeaient du palais. On pense qu'il s'en servait pour casser les œufs qu'il volait aux autres dinosaures, tels les protocératops.

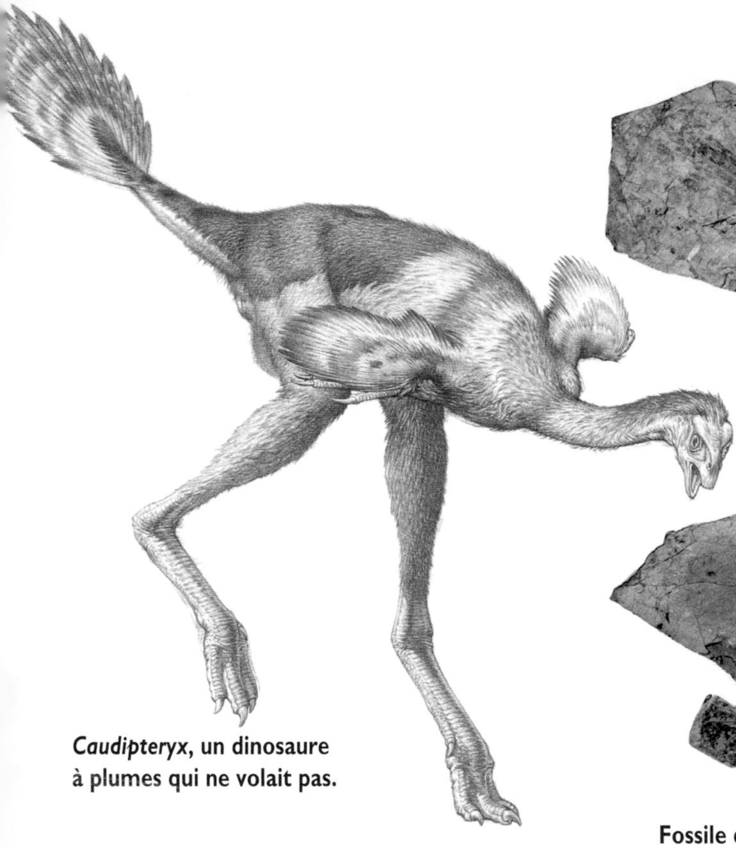

Caudipteryx, un dinosaure
à plumes qui ne volait pas.

Fossile de *Caudipteryx*.
Les plumes de sa queue (à gauche)
et de ses bras (à droite) sont bien
visibles dans la roche.

Caudipteryx

Caudipteryx, « plumes sur la queue », vivait dans la même région, à la même
période. Il est considéré comme très proche des oviraptosaures. Les fossiles
présentent des empreintes de plumes sur les bras et la queue.
Cependant, ses bras assez courts et la forme des plumes indiquent
qu'il ne pouvait pas voler. Il ne semble pas descendre d'un véritable
oiseau qui aurait évolué vers une vie plus terrestre. Malgré son
plumage, *Caudipteryx* est bien un dinosaure.

Plumes multifonctions

Les plumes des oiseaux actuels ne servent pas seulement au vol.
Le duvet est un excellent isolant qui les aide à conserver leur chaleur.
Il facilite également la couvaison en amortissant les chocs et les écarts
de température pour les œufs. Les grandes plumes des ailes et de la
queue jouent souvent un rôle important dans les parades nuptiales,
lorsque les mâles tentent de séduire les femelles. La première
fonction du plumage n'était donc peut-être pas le vol mais la
reproduction ou la régulation de la température. Pour certains
paléontologues, le plumage des dinosaures est la preuve qu'ils avaient
une température constante, ce qui correspondrait bien à l'image
que l'on se fait actuellement de ces petits prédateurs actifs.

Casoar à casque.
Sa tête vivement colorée
a servi de modèle pour
de nombreux dinosaures !

Les droméosaures

Ils couraient vite, ils mordaient, ils griffaient :
les droméosaures étaient les tigres de l'ère secondaire,
peut-être encore plus dangereux que les grands
théropodes, malgré leur petite taille.

Deinonychus

Deinonychus, « à la terrible griffe », était un peu
plus haut qu'un homme et mesurait 3 à 4 m de long. D'après
son squelette, c'était un prédateur vif et habile. Il équilibrait sa course
avec sa longue queue maintenue à l'horizontale, rigidifiée par de multiples
baguettes osseuses. Il pouvait saisir de petites proies avec
ses longs bras et les déchiquetait avec ses mâchoires
aux dents tranchantes. Il était aussi capable de
tuer des gros animaux à l'aide de deux armes
redoutables, les griffes portées par son
deuxième orteil, longues de plus de 15 cm.
Relevées pendant la marche,
elles ne s'usaient pas et
restaient parfaitement
aiguisées. *Deinonychus*
poignardait ses proies d'une détente brusque
de l'une de ses pattes, plantant sa griffe dans
leur chair.

**La griffe relevable
des droméosaures fait penser
aux griffes rétractiles des félins.**

Sinornithosaurus

Par son squelette, *Sinornithosaurus*, « l'oiseau-
reptile chinois », est un proche parent
de *Deinonychus*. Il vivait comme lui
au Crétacé inférieur, mais en

**Sinornithosaurus
(Chine, Crétacé
inférieur). Son squelette
est similaire à celui
d'un oiseau.**

Asie et non en Amérique
du Nord. Comme d'autres
dinosaures trouvés en Chine,
il était couvert de filaments
semblables à du duvet,
mais ne possédait pas de véritables plumes.
Deinonychus en portait peut-être lui aussi,
mais les fossiles n'en montrent aucune trace.

ABSENCE DE PREUVE

Dans une même famille, qu'il s'agisse des thérizinosaures ou des oviraptosaures, certains fossiles présentent du duvet ou des plumes et d'autres non. Pourtant, si la présence de plumage est la preuve que l'animal en portait, son absence ne prouve rien du tout ! En effet, seuls certains sites exceptionnels ont conservé ces éléments mous qui d'habitude ne se fossilisent pas. Il est impossible de savoir si ce plumage primitif était un trait commun à tous les membres de ces familles.

Un *Protoceratops* mord un *Velociraptor* qui lui a enfoncé sa fameuse griffe dans le flanc (Mongolie, Crétacé supérieur). Cette scène n'est pas totalement imaginaire ! On a trouvé un fossile montrant les 2 animaux en plein combat. Ils semblent avoir été tués brusquement, peut-être ensevelis dans l'éboulement d'une dune.

Les dinos rapaces

Les droméosaures, « reptiles coureurs », ont vécu dans le monde entier : *Deinonychus* et *Utahraptor* en Amérique du Nord, *Velociraptor* en Mongolie ou *Variraptor* en France. Ils ne sont en général pas très grands, comparés aux théropodes géants, mais ils semblent avoir été de redoutables prédateurs. Il est possible qu'ils aient chassé en meute, capables d'attaquer d'énormes proies comme des sauropodes, en sélectionnant les animaux malades ou fatigués. Ce mode de vie très actif et leur plumage de duvet laissent également supposer qu'ils étaient endothermes, c'est-à-dire, qu'ils produisaient leur propre chaleur et régulaient leur température.

DES DINOS INTELLIGENTS ?

C'est dans ce groupe ou chez leurs proches cousins, les troodons, que l'on trouve les dinosaures aux plus gros cerveaux. Des bipèdes relativement intelligents : cela ressemble à des êtres que nous connaissons bien ! Il est tentant d'imaginer ce qu'ils auraient pu devenir s'ils n'avaient pas disparu à la fin de l'ère secondaire. En fait, comme ils ont fort peu changé en 150 millions d'années, ils seraient peut-être simplement restés les mêmes !

Un troodon (à droite) et un être imaginaire (à gauche). Même si le troodon avait acquis un gros cerveau, il est peu probable qu'il ait évolué vers une forme humanoïde !

Les dinosaures du ciel

Archaeopteryx.
Son squelette ressemble beaucoup à celui de *Compsognathus*, un petit cœlurosaure terrestre. Ses plumes sont identiques à celles d'un oiseau.

Depuis longtemps, les paléontologues ont remarqué des points communs entre les squelettes des dinosaures et ceux des oiseaux. Ils se ressemblent en fait comme seuls peuvent le faire de proches parents.

CHANGEMENT D'USAGE

De nombreux organes ont changé de fonction au cours de l'évolution : des antennes sont devenues des nageoires, un nez s'est transformé en une trompe préhensile… Le duvet est apparu d'abord comme isolant. La sélection naturelle a simplement utilisé un élément disponible pour une fonction nouvelle et utile, le vol. Aujourd'hui, notre gros cerveau nous permet de lire un livre, et pourtant il ne s'est pas transformé « pour » cela !

Microraptor possède la fameuse griffe des droméosaures. Il mesurait 50 cm de long.

L'oiseau reptile

En 1861, un fossile stupéfie le monde des paléontologues : cet animal a le corps et les dents d'un reptile mais les plumes d'un oiseau. Il est alors interprété comme un oiseau primitif, un véritable « chaînon manquant » entre les Reptiles et les Oiseaux. Il est nommé *Archaeopteryx*, l'« aile ancienne ».

De la taille d'un pigeon, il vivait près des lagunes d'eau salée qui couvraient une partie de l'Europe au Jurassique supérieur, vers – 150 millions d'années. Ses plumes sont asymétriques, comme celles des oiseaux actuels, ce qui indique qu'il pouvait voler. Un autre fossile de cette espèce a d'abord été décrit comme un dinosaure, jusqu'à ce qu'un examen attentif révèle la présence de plumes. L'archéoptéryx descend probablement d'un petit cœlurosaure terrestre du milieu du Jurassique. On le considère comme un proche parent de l'ancêtre des oiseaux.

Un dinosaure volant

Des découvertes récentes ont cependant montré que l'histoire du vol animal était peut-être plus compliquée. *Microraptor* est un droméosaure récemment découvert en Chine. De la grosseur d'un merle, c'est l'un des plus petits dinosaures connus. Il portait des plumes sur les bras et sur les jambes, et possédait ainsi quatre ailes fonctionnelles ! Comme il est difficile d'imaginer un animal battant à la fois des ailes et des jambes pour voler, on suppose qu'il s'en servait pour planer d'un arbre à l'autre. Il vivait au Crétacé inférieur, donc plusieurs millions d'années après l'archéoptéryx, à une époque où de vrais oiseaux volaient déjà dans le ciel.

L'origine du vol

Certains paléontologues pensent
que les ailes ont d'abord servi à planer.
Les oiseaux auraient acquis le vol battu
par la suite, par évolution des articulations
et des muscles des ailes. D'autres supposent
au contraire que les premiers oiseaux battaient
des ailes, mais peut-être pas pour voler. Ainsi,
certains oiseaux actuels, comme les poules, s'aident
de leurs ailes lorsqu'ils courent, par exemple pour
grimper une pente, mais ils ne volent pas réellement.
Même si le débat n'est pas tranché, savoir voler était
certainement un avantage : ces espèces de petite taille
pouvaient accéder à de nouvelles proies, comme les insectes
volants, et échappaient plus facilement aux prédateurs.

**Squelette fossile
d'*Archaeopteryx*, trouvé
en Allemagne en 1861.**

**Plume d'oiseau moderne.
Sa forme est asymétrique : un côté est plus
large que l'autre. Cela indique que cette
plume est utilisée pour le vol.**

Ichthyornis.

Les descendants des dinosaures

Les découvertes d'espèces intermédiaires entre les dinosaures et les oiseaux se sont multipliées. Leurs squelettes, les œufs fossiles et les quelques indices que nous avons de leur comportement indiquent que les oiseaux sont en fait des petits dinosaures spécialisés !

LES REPTILES N'EXISTENT PLUS

Le mot « reptile » est pratique pour décrire un animal à 4 pattes, qui pond des œufs et qui n'est ni un oiseau ni un mammifère. Mais pour les zoologistes, la classe des Reptiles n'a plus vraiment de sens. En effet, selon les méthodes modernes de classification, un groupe inclut des espèces apparentées et tous leurs descendants. Si les dinosaures sont des Reptiles, alors les oiseaux en sont aussi ! C'est pourquoi les zoologistes n'emploient plus ce terme que dans un sens descriptif et non comme terme de classification. Au contraire, la classe des Oiseaux réunit bien l'ancêtre des oiseaux et tous ses descendants, fossiles ou actuels.

Confuciusornis

Confuciusornis, « l'oiseau de Confucius », est très commun parmi les fossiles qui ont été découverts dans la province du Liaoning, en Chine. On en a trouvé des centaines d'exemplaires qui font supposer qu'il nichait en colonies nombreuses. Cette espèce ressemblait nettement plus à un oiseau que l'*Archaeopteryx*. Il avait un véritable bec, sans la moindre dent. Sa queue était très courte, avec des vertèbres réunies en un « pygostyle », caractéristique des oiseaux modernes. Son squelette montre aussi une bonne aptitude au vol. Il garde quelques éléments reptiliens, comme ses mains qui comportent trois doigts libres munis de griffes, alors que les doigts des oiseaux modernes sont en partie soudés.

Lignées éteintes

Confuciusornis appartient en fait à une lignée qui a disparu, car certains détails de son squelette sont si différents des oiseaux actuels qu'il ne peut pas être leur ancêtre. *Ichthyornis*, « l'oiseau-poisson », vivait en Amérique du Nord au Crétacé supérieur. Son nom lui vient de la forme de ses vertèbres. Malgré son bec armé de dents, il ressemblait aux mouettes actuelles. Il appartient lui aussi à une famille aujourd'hui éteinte. Plusieurs lignées d'oiseaux ont ainsi évolué en parallèle jusqu'à la fin de l'ère secondaire. Seule l'une d'entre elles a survécu et est à l'origine de tous les oiseaux actuels.

Confuciusornis.

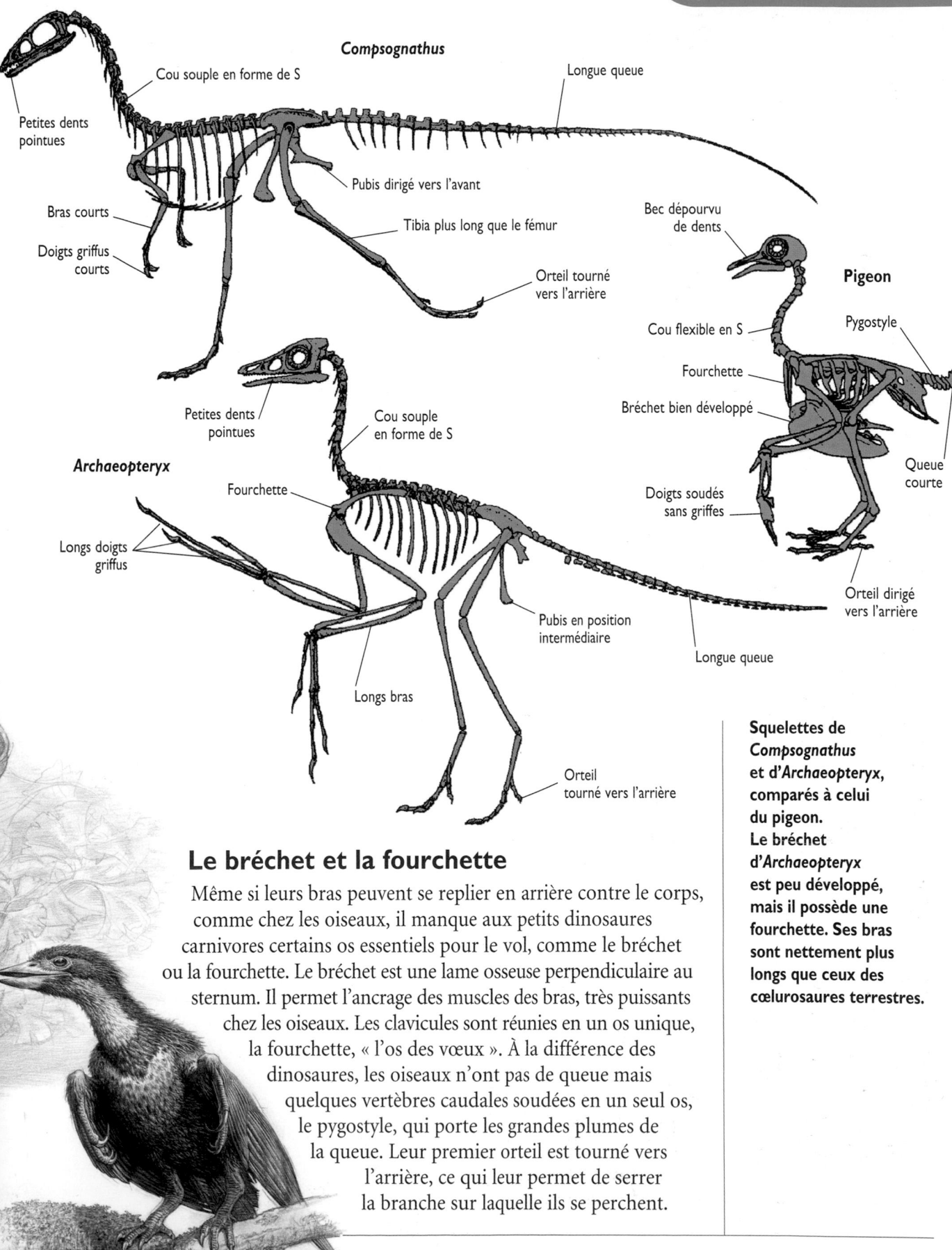

Compsognathus

Cou souple en forme de S

Longue queue

Petites dents pointues

Pubis dirigé vers l'avant

Bras courts

Tibia plus long que le fémur

Doigts griffus courts

Orteil tourné vers l'arrière

Bec dépourvu de dents

Pigeon

Cou flexible en S

Pygostyle

Fourchette

Bréchet bien développé

Petites dents pointues

Cou souple en forme de S

Archaeopteryx

Fourchette

Longs doigts griffus

Doigts soudés sans griffes

Pubis en position intermédiaire

Longue queue

Queue courte

Orteil dirigé vers l'arrière

Longs bras

Orteil tourné vers l'arrière

Squelettes de *Compsognathus* et d'*Archaeopteryx*, comparés à celui du pigeon. Le bréchet d'*Archaeopteryx* est peu développé, mais il possède une fourchette. Ses bras sont nettement plus longs que ceux des cœlurosaures terrestres.

Le bréchet et la fourchette

Même si leurs bras peuvent se replier en arrière contre le corps, comme chez les oiseaux, il manque aux petits dinosaures carnivores certains os essentiels pour le vol, comme le bréchet ou la fourchette. Le bréchet est une lame osseuse perpendiculaire au sternum. Il permet l'ancrage des muscles des bras, très puissants chez les oiseaux. Les clavicules sont réunies en un os unique, la fourchette, « l'os des vœux ». À la différence des dinosaures, les oiseaux n'ont pas de queue mais quelques vertèbres caudales soudées en un seul os, le pygostyle, qui porte les grandes plumes de la queue. Leur premier orteil est tourné vers l'arrière, ce qui leur permet de serrer la branche sur laquelle ils se perchent.

Paisibles reptiles

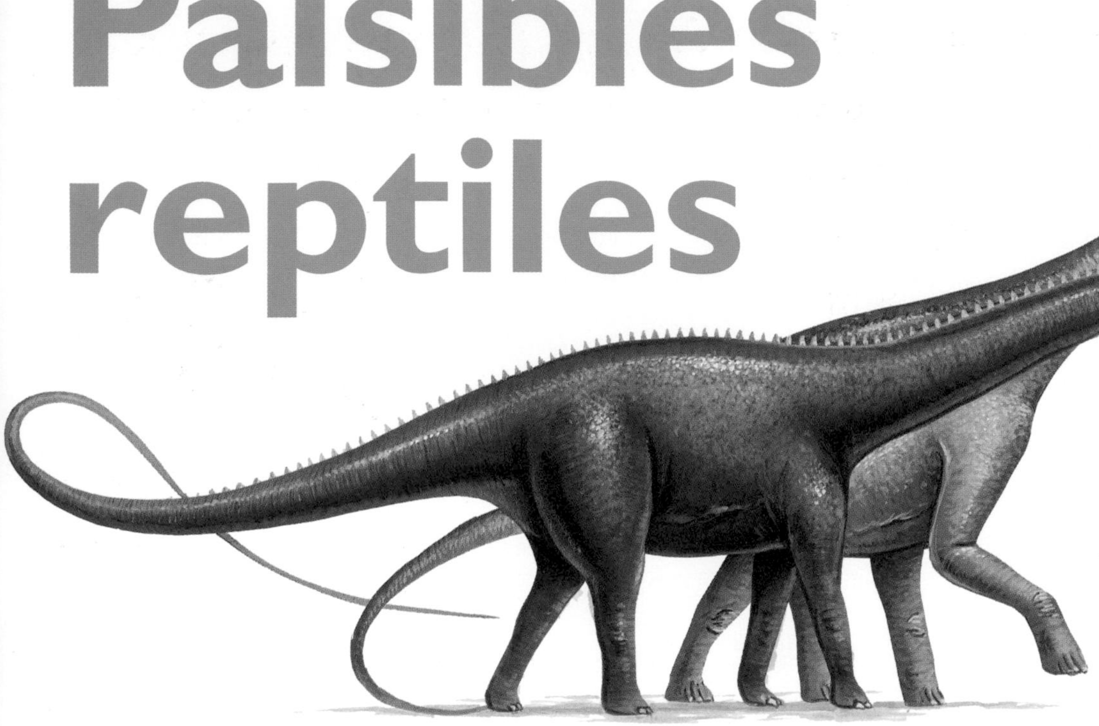

146

L'aube
des géants

144

Les
Sauropodes

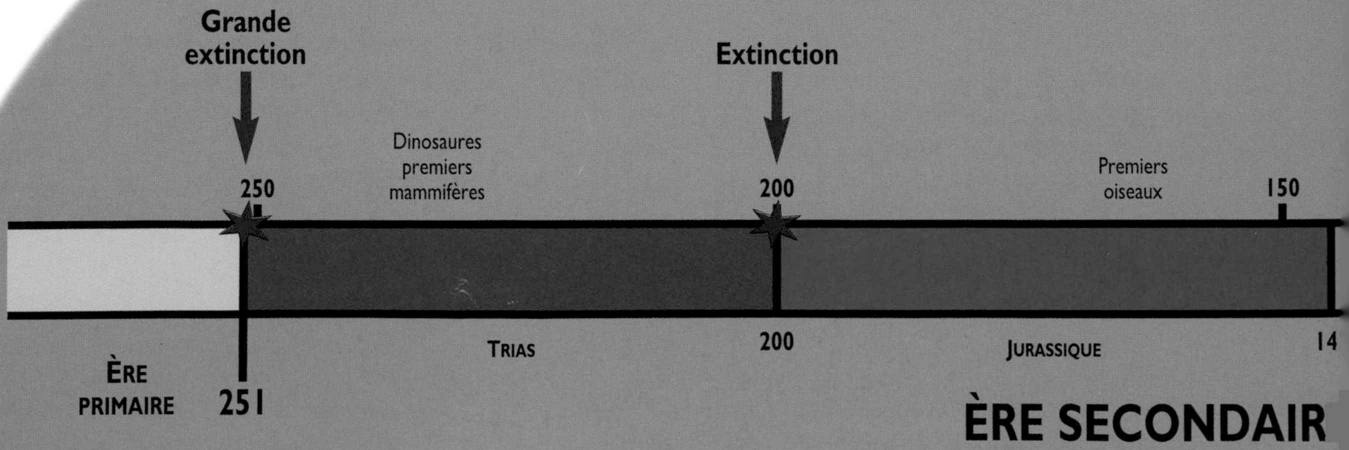

**Grande
extinction**

Extinction

Dinosaures
premiers
mammifères

250

200

Premiers
oiseaux

150

ÈRE
PRIMAIRE

251

TRIAS

200

JURASSIQUE

14

ÈRE SECONDAIR

Les diplodocus et les brachiosaures sont incontestablement les plus grands animaux terrestres de tous les temps. Ces géants ont probablement atteint la taille limite accessible à un animal terrestre sur notre planète. Même les plus petits représentants de cette famille, les Sauropodes, sont plus grands que la plupart des animaux actuels !

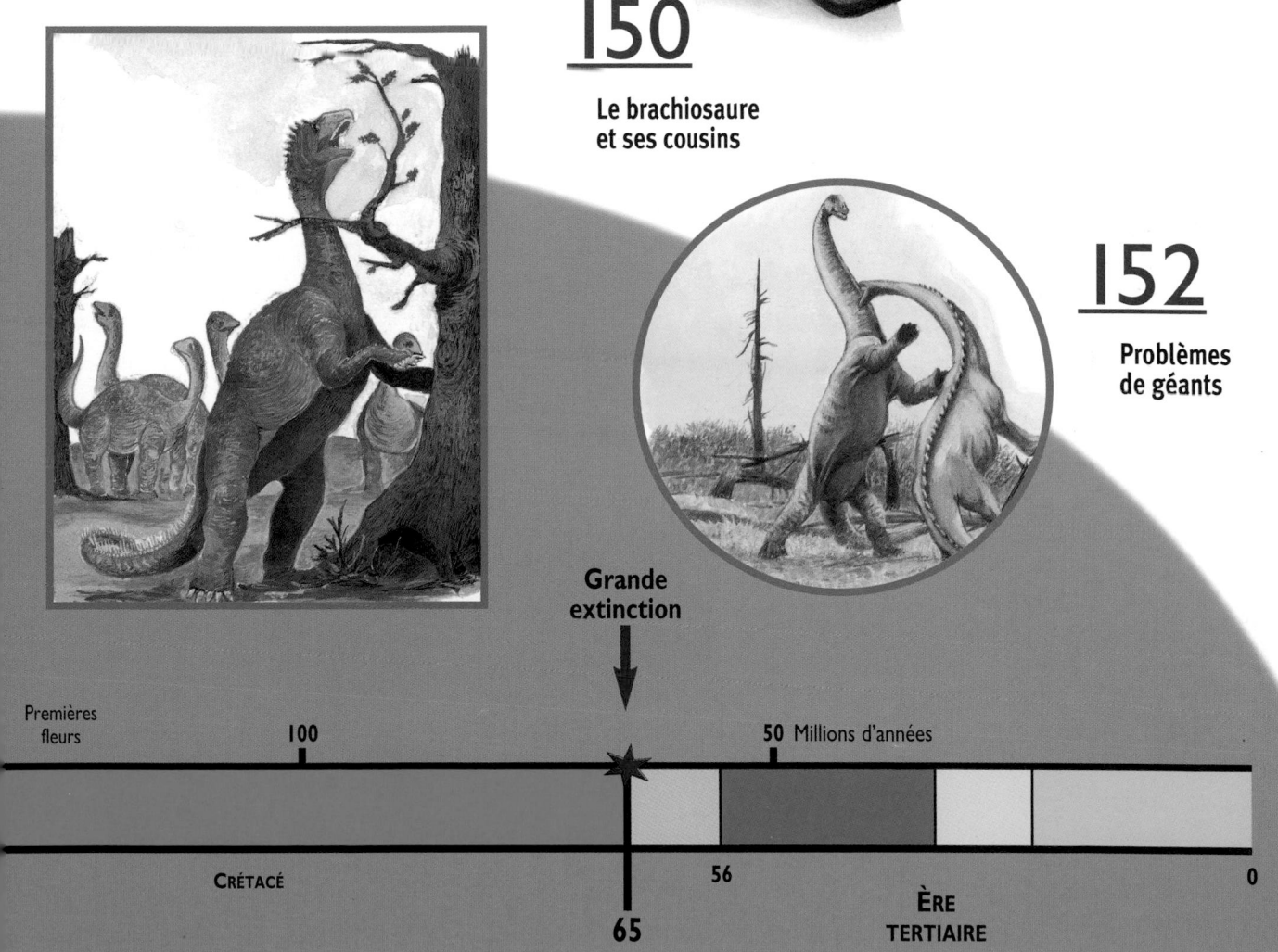

148
Le diplodocus
et ses cousins

150
Le brachiosaure
et ses cousins

152
Problèmes
de géants

Grande
extinction

Premières
fleurs

100

50 Millions d'années

CRÉTACÉ

56

65

ÈRE
TERTIAIRE

0

Les Sauropodes

À partir des premiers dinosaures qui étaient de petits bipèdes carnivores, une nouvelle lignée apparaît, les Sauropodes. Ce sont les premiers dinosaures herbivores. Au cours de leur évolution, ils vont devenir de gigantesques quadrupèdes.

Crâne de Diplodocus. Parmi tous les dinosaures, ce sont les sauropodes qui ont les plus petits crânes, proportionnellement à leur corps.

Les géants du Mésozoïque

Les Sauropodes sont des quadrupèdes au corps massif prolongé d'un long cou, et d'une queue parfois encore plus longue. Ils se distinguent aussi par leur pouce portant une forte griffe et leur crâne présentant de larges ouvertures correspondant aux narines. Les plus petits d'entre eux mesuraient moins de 3 m de long, alors que les plus grands dépassaient peut-être 40 m. Dès le Trias coexistent deux lignées : la première est celle des Prosauropodes, « avant les Sauropodes » qui s'éteignent au début du Jurassique. C'est alors que la lignée des Sauropodes (à pied de reptile) commence à se diversifier. Ils évoluent jusqu'à la fin de l'ère secondaire, avec deux familles principales : les Brachiosauridés, aux dents en forme de cuillère, et les Diplodocidés, aux dents plus minces, en forme de piquet. D'autres familles sont encore mal connues car les fossiles sont souvent fragmentaires.

Les cous et les queues

Le cou des premiers sauropodes contient environ 12 vertèbres, mais ce nombre a augmenté par la suite. Chez certaines espèces, les vertèbres s'allongent jusqu'à plus d'un mètre de long. Elles portent des prolongements osseux qui renforcent les articulations. Des ligaments et des muscles les relient les unes aux autres, de la tête au bout de la queue. Les traces de pas fossiles des Sauropodes montrent qu'ils ne laissaient pas traîner leur queue par terre. Il est donc probable qu'ils la tenaient à l'horizontale. Les ligaments agissent comme des cordages élastiques en maintenant le cou et la queue soulevés sans que l'animal n'ait à fournir de gros efforts musculaires.

PONTS SUSPENDUS

Pour comprendre comment les Sauropodes parviennent à maintenir leur cou et leur queue dressés, on peut les comparer à un pont suspendu. Leurs pattes presque verticales, solidement fixées au niveau des omoplates et du bassin, sont les piliers du pont. Les vertèbres situées au niveau du bassin sont souvent soudées les unes aux autres ce qui renforce la colonne vertébrale. Les ligaments fixés aux vertèbres correspondent aux câbles qui soutiennent le pont.

Diplodocus.

L'un des sites les plus riches des États-Unis est une carrière de l'Utah. Fouillé dès le début du XXᵉ siècle, ce site est aujourd'hui le *Dinosaur National Monument*. On peut y voir un squelette d'*Apatosaurus* presque complet qui affleure sur une dalle rocheuse.

Brachiosaurus.

Pieds d'éléphants

Les pattes antérieures des Sauropodes reposent sur les doigts qui sont en général très courts, réduits à une seule phalange. Seul le pouce porte une forte griffe, les autres doigts se terminant sans doute en ongles arrondis similaires à ceux des éléphants. Ce sont les pattes postérieures qui supportent la plus grande partie du poids de l'animal. Les pieds portent sur toute la surface de la plante et des doigts. L'arrière de la plante du pied est surélevé par une sorte de « coussin » élastique, comme chez les éléphants actuels. Les doigts des pieds comportent plus de phalanges que ceux des mains. Selon les espèces, les pieds portent deux ou trois grosses griffes.

Pied droit de diplodocus. De nombreux spécimens ont été montés ainsi, avec 3 griffes, mais un squelette complet a montré qu'il n'en portait que 2 !

L'aube des géants

Jusqu'à l'apparition des dinosaures, les gros reptiles herbivores étaient rivés au ras du sol, du fait de leurs courtes pattes et de leur grosse tête. Avec les Prosauropodes au long cou, un nouveau moyen de s'alimenter apparaît : manger les feuilles des arbres.

Plateosaurus
(Europe, Trias, vers − 220 millions d'années). La forte griffe de son pouce lui servait probablement d'arme défensive contre les gros archosaures carnivores.

Plateosaurus

Plateosaurus, « reptile plat », est l'un des rares dinosaures du Trias qui soit bien connu. C'est aussi le premier géant, puisqu'il atteignait 8 m de long. Il pouvait se dresser sur ses pattes postérieures pour brouter les feuilles des arbres. Chaque pied comprend quatre doigts longs et forts, terminés par des griffes, ainsi qu'un doigt très réduit. La main n'est pas particulièrement adaptée à la marche : elle peut aussi bien soutenir le poids de l'avant du corps que saisir une branche ou creuser le sol à la recherche de racines. Le pouce porte une grosse griffe en forme de faux. Les dents crénelées du *Plateosaurus* lui permettent de déchiqueter les branches et les feuilles, ce qui facilite la digestion de cette nourriture fibreuse.

Les Prosauropodes

Les Prosauropodes, comme *Plateosaurus*, sont les principaux gros herbivores terrestres de la fin du Trias. Présents partout dans le monde, ils apparaissent avant les Sauropodes et ont été, pour cette raison, considérés comme leurs ancêtres. Cependant, certaines de leurs caractéristiques, comme la forme de leurs doigts, semblent montrer qu'ils se sont éteints sans descendants. Leur forme générale donne malgré tout une bonne idée de l'allure des ancêtres des Sauropodes. Leur démarche est en effet intermédiaire entre celle des premiers dinosaures qui étaient des bipèdes, et les Sauropodes qui sont totalement quadrupèdes. Les Prosauropodes disparaissent des archives fossiles au début du Jurassique, remplacés par les Sauropodes.

Crâne de *Plateosaurus*. Les orbites de grande taille sont situées sur les côtés du crâne, ce qui permettait aux animaux d'avoir un très vaste champ de vision, utile pour repérer les prédateurs. Les petites dents crénelées sont toutes semblables, ce qui est un caractère primitif.

Les premiers sauropodes

Isanosaurus,« reptile d'Isan », d'après la région de Thaïlande où il a été trouvé en 2000, vivait à la fin du Trias, vers – 205 millions d'années. Les paléontologues ont d'abord découvert une quinzaine d'os ou de fragments appartenant à un jeune individu d'environ 6,50 m, puis les restes d'un adulte de 15 m de long, au cou relativement court. Sa queue et son crâne sont encore inconnus. Malgré cela, les autres os en font un véritable Sauropode, l'un des plus anciens jamais trouvés. Peu de temps après, des paléontologues ont décrit une espèce un peu plus ancienne, *Antetonitrus*,« avant le tonnerre », un nom qui rappelle celui du brontosaure, le « reptile tonnerre ». Les os avaient été trouvés en 1981 en Afrique du Sud. Mal identifiés, ils étaient restés 20 ans sur l'étagère d'une université. À la différence des Prosauropodes, il avait des pattes de même longueur à l'avant et à l'arrière et était donc plus franchement quadrupède. Il avait cependant gardé le pouce libre et mobile de ses ancêtres bipèdes.

Isanosaurus (Thaïlande, Trias supérieur). C'est un véritable Sauropode, plus nettement quadrupède que *Plateosaurus*.

DEBOUT DANS LA BOUE

Les premiers fossiles de *Plateosaurus* furent découverts en Allemagne en 1837. Des campagnes de fouilles furent organisées en 1921 et 1922, donnant 9 squelettes complets et une soixantaine d'individus partiels. Tous ces os s'étaient déposés au fond de l'eau, au même endroit. Pour les paléontologues, 2 hypothèses peuvent expliquer une telle accumulation : soit les animaux étaient morts ailleurs, leurs cadavres étant réunis par le jeu des courants, soit ils avaient été piégés tous ensemble dans la boue. Certains squelettes montrent que les animaux sont morts debout, ce qui renforce cette dernière hypothèse.

Le diplodocus et ses cousins

Le diplodocus est l'un des dinosaures les plus célèbres dans le monde entier. Plusieurs espèces apparentées vivaient comme lui, en Amérique du Nord, au Jurassique supérieur.

Diplodocus

Les plus grands individus connus mesurent 27 m de long. Leur crâne est allongé, avec un museau projeté vers l'avant et des narines situées très en arrière, au-dessus des orbites. Les dents en forme de piquet ne sont présentes qu'à l'avant de la mâchoire. Elles s'usaient et étaient régulièrement remplacées par de nouvelles dents. Le poids du corps est soutenu par un bassin énorme renforcé par cinq vertèbres soudées. Certains diplodocus sont morts dans de la boue qui a conservé l'empreinte de leur peau, montrant qu'ils portaient des rangées d'épines de corne le long du dos.

Diplodocus.
Malgré sa taille, ce Sauropode n'était pas très lourd (environ 10 tonnes), car ses vertèbres sont creusées de cavités.

Une queue-fouet

La queue des Sauropodes servait probablement à contrebalancer le poids du cou, mais sa longueur est cependant surprenante. La queue du diplodocus contient ainsi 73 vertèbres dont les dernières ne sont que de minces baguettes. Elle se termine en fouet effilé, dépourvu de muscles et de ligaments. Des paléontologues ont suggéré que l'animal s'en servait comme arme défensive, en la faisant claquer comme un fouet, mais il est probable que l'extrémité en aurait été rapidement détruite ! Selon une autre hypothèse, le cou et la queue permettaient aux animaux d'évacuer la chaleur produite par leur corps, comme le long tuyau d'un radiateur.

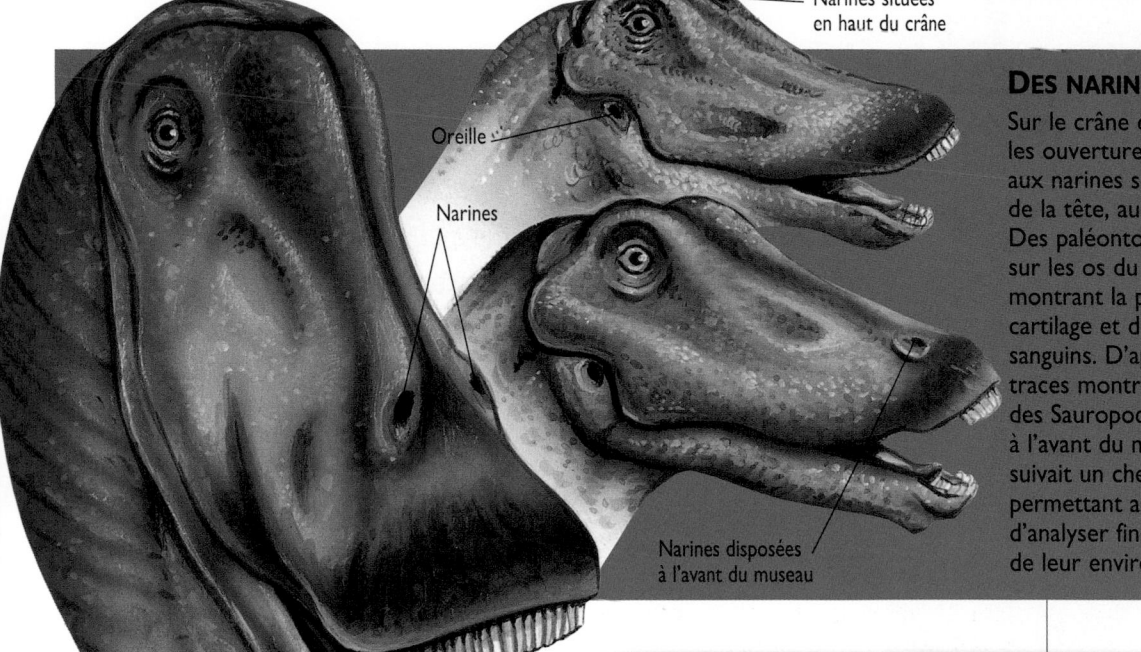

Narines situées
en haut du crâne

Oreille

Narines

Narines disposées
à l'avant du museau

DES NARINES MOBILES

Sur le crâne des Diplodocidés, les ouvertures correspondant aux narines sont situées en haut de la tête, au-dessus des orbites. Des paléontologues ont trouvé sur les os du crâne des traces montrant la présence de cartilage et de vaisseaux sanguins. D'après eux, ces traces montrent que les narines des Sauropodes étaient situées à l'avant du museau. L'air suivait un chemin complexe permettant aux animaux d'analyser finement les odeurs de leur environnement.

Les longs cous

Les Diplodocidés, dinosaures parents de *Diplodocus*, sont surtout abondants au Jurassique supérieur, en Amérique du Nord, mais ils sont également présents au Crétacé, en Afrique, en Amérique du Sud ou en Asie. *Apatosaurus*, « reptile décevant », est encore souvent appelé *Brontosaurus* « reptile tonnerre ». Il est presque aussi grand que *Diplodocus* mais plus trapu, avec un cou nettement plus puissant. *Mamenchisaurus*, « reptile de Mamenchi », une ville de Chine, mesurait près de 25 m. Avec 19 vertèbres cervicales, son cou atteignait à lui seul 15 m de long ! D'après quelques vertèbres, la longueur de *Seismosaurus*, « le reptile qui fait trembler la terre », a été estimée à 40 voire 50 m, puis réévaluée à 35 m : les estimations dépendent en fait de la position que l'on attribue aux vertèbres !

**Mamenchisaurus (Asie, Jurassique).
Le cou de ce Sauropode est le plus long
de tout le règne animal !**

Le brachiosaure et ses cousins

Avec les os des membres dépassant la taille d'un homme, les brachiosaures symbolisent toute la démesure du monde des dinosaures. Ce ne sont pas les plus longs, mais sans doute les plus hauts et les plus lourds de tous les animaux terrestres.

Le brachiosaure du Muséum de Berlin.

L'éléphant-girafe !

Brachiosaurus, « reptile à bras », a les pattes antérieures plus grandes que les pattes postérieures, ce qui est rare chez les dinosaures. Comme les girafes, il avait le cou situé dans le prolongement du dos. Sa tête se dressait à près de 13 m de haut. Des os fossiles de brachiosaures ont été trouvés en Afrique, en Amérique du Nord et en Europe. Le squelette le plus complet provient d'Afrique de l'Est où il a été découvert vers 1910. Il est toujours exposé au Muséum de Berlin. Mesurant 22,50 m de long et 12 m de haut, c'est toujours le plus grand squelette de dinosaure du monde.

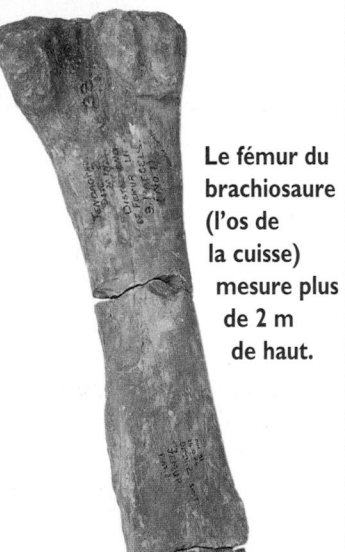

Le fémur du brachiosaure (l'os de la cuisse) mesure plus de 2 m de haut.

Les Brachiosauridés

Les brachiosaures et leurs parents se nourrissaient de feuilles d'arbres. Ils arrachaient sans peine les branches des arbres avec leurs larges dents en cuillère et les avalaient sans les mâcher. Ils sont caractérisés par leurs crânes aux ouvertures nasales plus grandes que les orbites. Autre particularité, les métacarpes (les os des paumes des mains) sont plus longs que chez les Diplodocidés. *Camarasaurus* est un cousin américain du brachiosaure : il s'en distingue par son crâne massif au museau aplati. *Sauroposeidon* est l'un des plus grands brachiosaures. D'après quelques vertèbres cervicales trouvées en 1994, on estime qu'il atteignait 30 m de long, pour un poids de 50 tonnes. Il vivait il y a 105 millions d'années en Amérique du Nord.

Crâne de *Camarasaurus*. Les narines sont les grandes ouvertures situées en avant des orbites. Le museau est court.

Argentinosaurus.

Sauroposeidon.

Brachiosaurus.

Les Titanosaures sont les plus abondants des Sauropodes à la fin du Crétacé. Les nombreux œufs d'*Argentinosaurus* trouvés en Argentine montrent qu'ils se réunissaient pour pondre tous au même endroit.

DIFFICULTÉS GÉANTES

L'étude des Sauropodes est particulièrement délicate. Comme les os énormes sont difficiles à dégager, le travail est long et coûteux. Le transport et le stockage des fossiles pose d'énormes problèmes. De plus, les fossiles sont presque toujours fragmentaires : la plupart des animaux reconstitués dans les musées sont des puzzles réalisés à partir de plusieurs individus. Le crâne manque très souvent car il était faiblement attaché à la première vertèbre cervicale.

Les titanosaures

Ces proches parents des Brachiosauridés sont apparus à la fin du Jurassique. Ils sont abondants en Amérique du Sud jusqu'au Crétacé supérieur, mais ils ont aussi été trouvés en Inde, à Madagascar ou en Europe. Certains d'entre eux (peut-être tous) avaient le dos et les flancs protégés par des plaques osseuses. Un site de ponte a été découvert en Argentine. Les œufs contenaient des embryons fossilisés montrant même des empreintes de peau. *Argentinosaurus*, « le reptile d'Argentine », vivait il y a 105 millions d'années. Sa longueur est estimée à 35 m, pour un poids allant de 80 à 100 tonnes, ce qui en ferait le plus lourd animal terrestre de tous les temps. Les titanosaures n'étaient cependant pas tous géants : on en connaît même des espèces « naines » qui vivaient peut-être dans des îles. La plupart d'entre elles sont mal connues. *Rapetosaurus*, « le reptile de Rapeto », un géant mythique malgache, a été découvert en 2001 à Madagascar. Il mesure « seulement » 8,5 m de long mais c'est le mieux préservé et le plus complet des titanosaures.

Ampelosaurus, « le reptile du vignoble », trouvé dans le sud de la France, était un « petit » titanosaure de 15 m de long.

Rapetosaurus. Daté de la fin du Crétacé (– 70 millions d'années), il vivait à Madagascar qui était alors déjà séparée de l'Afrique.

Problèmes de géants

Dans le monde animal, c'est souvent un avantage d'être grand : on a accès à plus de nourriture et on se défend plus facilement. Mais les géants doivent manger plus et doivent être capables de supporter leur propre poids !

Un paléontologue prépare une vertèbre géante, appartenant à un **Sauropode**.

Maquettes de dinosaures

La longueur des grands Sauropodes est impressionnante, mais leur poids est un élément bien plus important pour comprendre leur biologie. C'est en effet le poids et non la longueur qui permet d'évaluer la quantité de nourriture nécessaire ou la vitesse de croissance. Leur masse est malheureusement inaccessible aux chercheurs, qui ne peuvent faire que des estimations. Pour cela, ils construisent des maquettes pour évaluer la corpulence des animaux. Mais la taille des poumons ou la forme des os ont une grosse influence sur le poids. Ainsi, les estimations proposées pour le brachiosaure varient selon les paléontologues de 32 à 78 tonnes !

Les brachiosaures se servaient peut-être de leurs cous pour des combats entre mâles au moment de la reproduction, comme chez les girafes !

Taille limite

Si une antilope avait la taille d'un éléphant, ses pattes seraient trop fines pour soutenir le poids de son corps. Lorsqu'un animal grandit, ses os s'allongent, mais doivent aussi grossir afin de rester suffisamment solides. Ses membres deviennent de plus en plus épais et donc de plus en plus lourds et augmentent encore son poids total. La taille maximale d'un animal terrestre est donc limitée. Chez les Sauropodes, les vertèbres et les côtes sont creusées de multiples cavités (les pleurocœles) qui allègent considérablement le squelette sans diminuer sa solidité. Malgré cela, il semble bien qu'aucun dinosaure n'ait pu dépasser une longueur de 40 m et un poids d'une centaine de tonnes !

Le cou et le cœur

Les Sauropodes tenaient-ils leur cou à l'horizontale ou à la verticale ? La question est importante car cela influe sur la quantité de nourriture qu'ils pouvaient atteindre. La forme du squelette semble montrer que les brachiosaures tenaient leur tête 7 à 8 mètres au-dessus du cœur. Il est en fait bien plus simple de tenir un long cylindre verticalement plutôt qu'horizontalement car cette position est plus stable et moins fatigante. Elle suppose cependant une très forte pression sanguine pour envoyer le sang jusque dans la tête.
Les paléontologues supposent donc que les brachiosaures disposaient d'adaptations particulières pour faciliter la circulation du sang.

Un diplodocus se défend contre un allosaure. On peut imaginer une scène de ce type, mais en réalité, on ne sait pas si les allosaures attaquaient les diplodocus, ni si ceux-ci pouvaient se dresser de cette façon ! Ainsi, les brachiosaures n'auraient sans doute pas pu le faire car leur poids repose surtout sur l'avant du corps. La question reste ouverte pour les diplodocus.

Ornitischiens

162
Les hadrosaures

160
Les iguanodontes

158
Les premiers
Ornitischiens

156
Les familles
des Ornitischiens

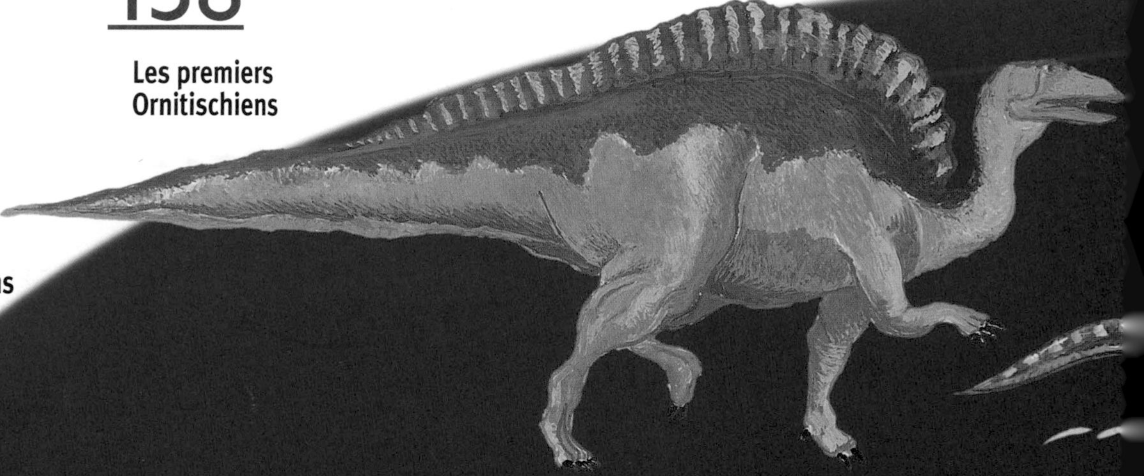

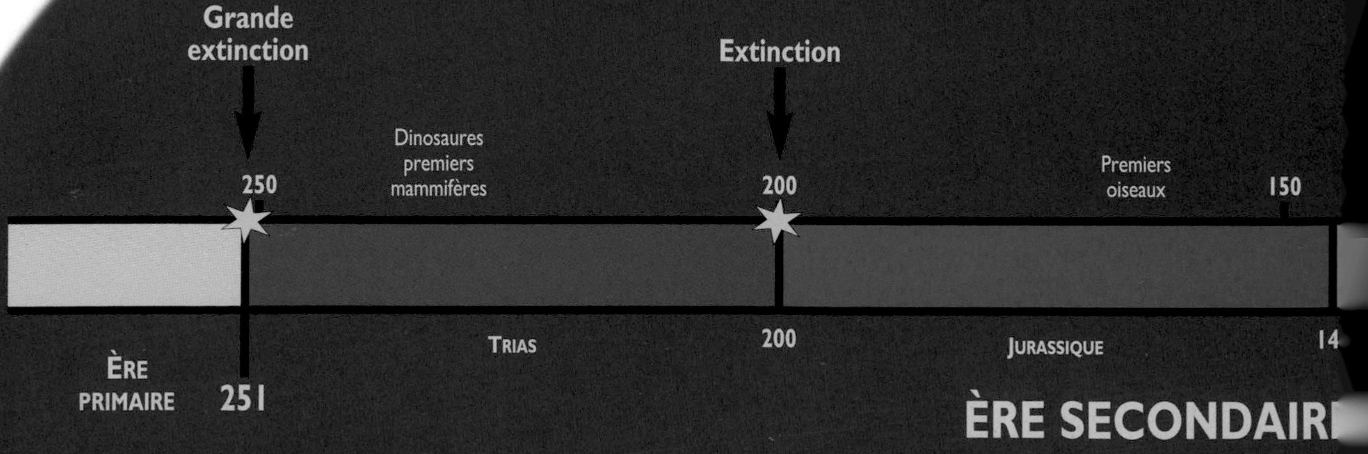

Grande
extinction

Extinction

Dinosaures
premiers
mammifères

Premiers
oiseaux

250

200

150

ÈRE
PRIMAIRE

251

TRIAS

200

JURASSIQUE

14

ÈRE SECONDAIRE

Parallèlement aux Sauropodes et aux Théropodes, assez faciles
à distinguer, s'est développée une troisième lignée de dinosaures,
les Ornitischiens. Presque tous herbivores, ils sont bien plus
diversifiés. Petits ou grands, bipèdes ou quadrupèdes, cuirassés
ou cornus, ils sont probablement aussi
les plus nombreux à peupler les forêts
et les rivages de l'ère
secondaire.

164
**Les
cératopsiens**

166
**Les
pachycéphalosaures**

168
Les stégosaures

170
**Les
ankylosauriens**

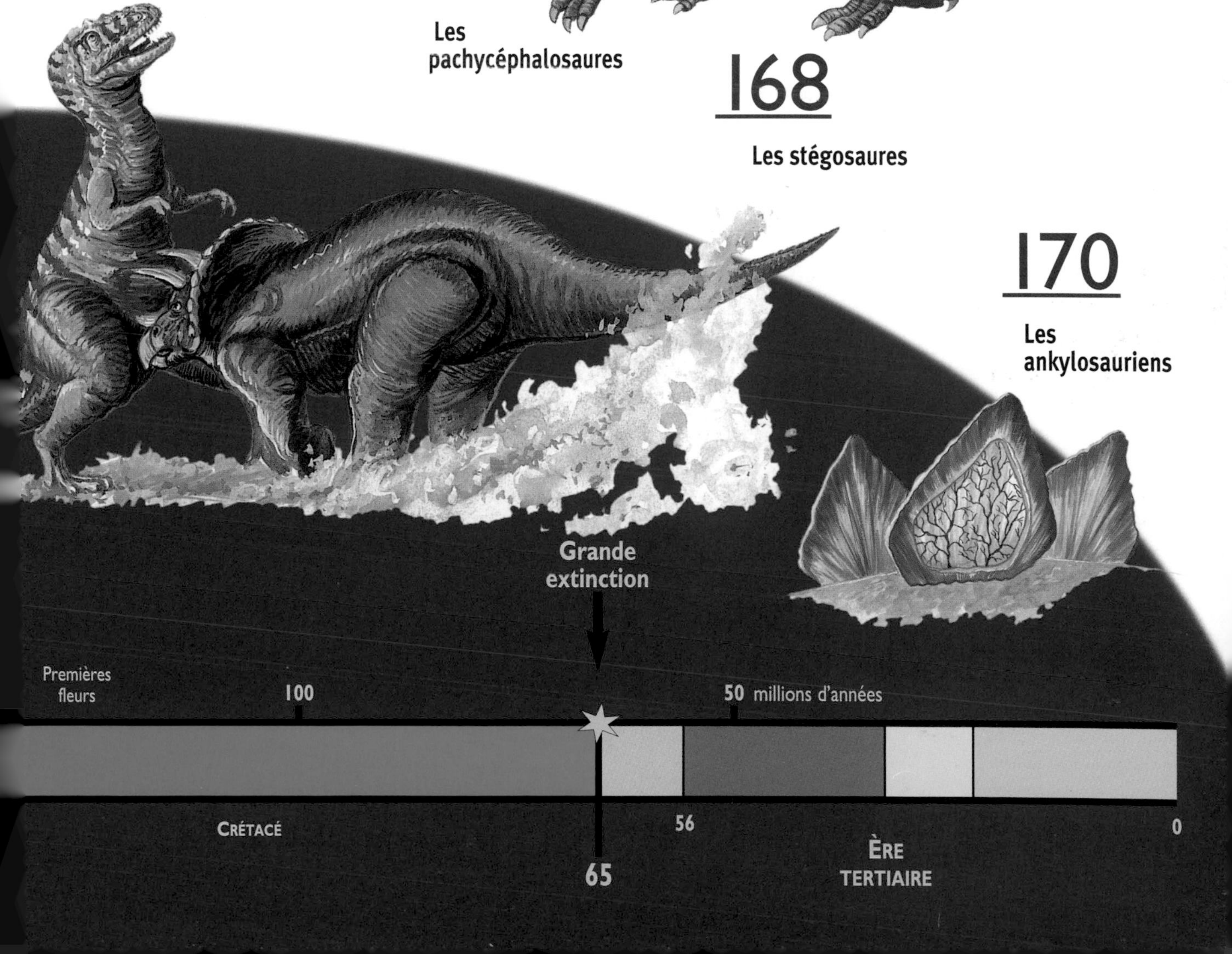

Grande
extinction

Premières
fleurs

100

50 millions d'années

CRÉTACÉ

56

0

65

ÈRE
TERTIAIRE

Vertèbres d'iguanodon. Elles sont reliées les unes aux autres par des tendons qui renforcent la colonne vertébrale. Ces tendons sont ossifiés, c'est-à-dire imprégnés de calcium et durcis. Ils se fossilisent facilement.

AMATEURS DE FLEURS

Les plantes à fleurs apparaissent au début du Crétacé. Elles constituent une nourriture plus riche et plus variée que les fougères et les cycas qui formaient auparavant l'essentiel de la végétation. Pour certains paléontologues, cette évolution de la flore a favorisé la diversification des Ornithischiens. Les fossiles montrent, par exemple, qu'en Amérique du Nord les Sauropodes sont plutôt associés à des conifères, alors que les Ornithischiens sont plus souvent trouvés avec des fossiles de plantes à fleurs.

Crâne d'iguanodon. L'os situé à l'avant de la mâchoire présente les traces d'un revêtement corné, un véritable bec.

Les familles des Ornithischiens

Malgré quelques points communs, les Ornithischiens sont très variés. Du début du Jurassique à la fin du Crétacé, plusieurs familles se diversifient, produisant de légers bipèdes et d'énormes quadrupèdes cuirassés.

Les Ornithischiens

Les iguanodons, les tricératops ou les stégosaures ne se ressemblent pas, mais ils partagent certaines caractéristiques qui permettent de les classer dans le groupe des Ornitischiens. Ce nom signifie « à bassin d'oiseau », car c'est d'abord la structure de cet os qui les distingue des Sauropodes et des Théropodes. Les vertèbres situées au niveau du bassin sont renforcées par des tendons qui relient les os entre eux. Ils rigidifient ainsi la partie arrière du corps et parfois la queue entière. Pour les espèces les plus petites et les plus rapides cette queue rigide servait à stabiliser la course et permettait de brusques changements de direction.

Dinos à joues

Le crâne des Ornithischiens comprend un os supplémentaire, le prédentaire. Situé à l'avant de la mâchoire inférieure, il était recouvert de corne comme un bec d'oiseau. Dans certaines familles, l'évolution a transformé les dents pointues habituelles chez les dinosaures, en lames aplaties qui fonctionnent comme des râpes. Ce sont les seuls dinosaures à mâcher leur nourriture ! Ils possédaient probablement des joues qui leur permettaient de conserver les aliments dans la gueule pendant la mastication.

ARBRE SIMPLIFIÉ DES ORNITHISCHIENS

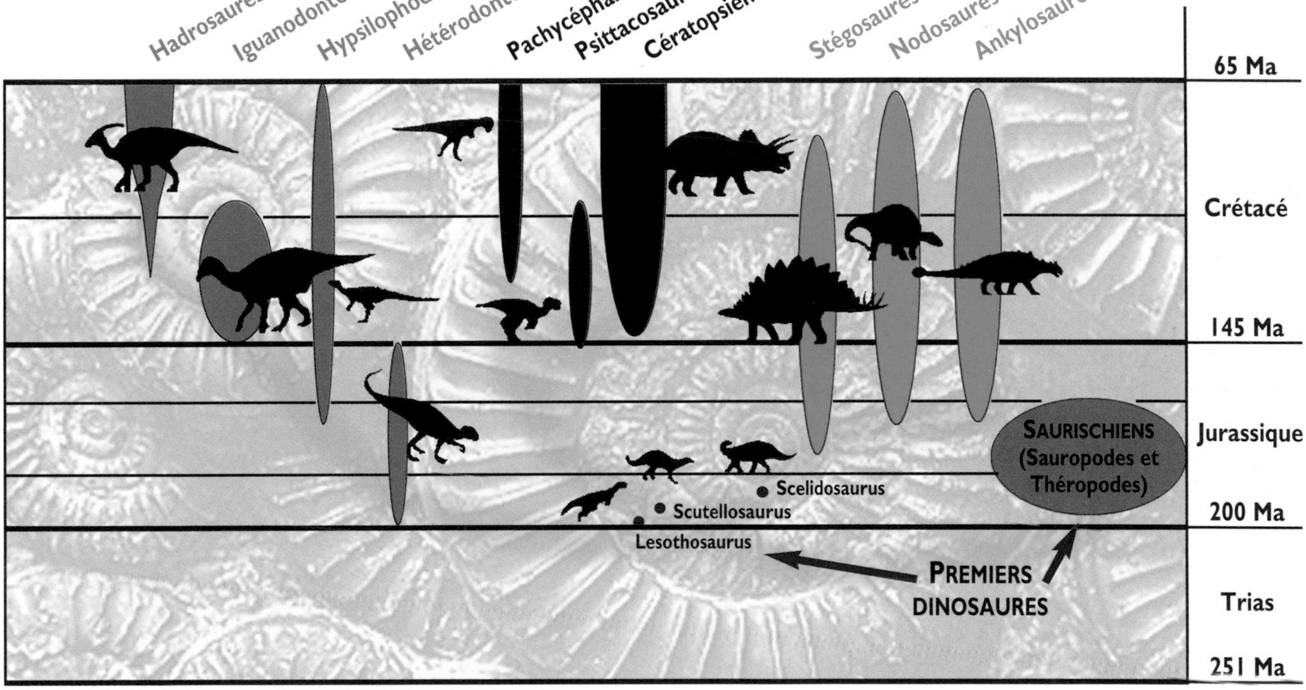

ORNITHOPODES **MARGINOCÉPHALES** **THYRÉOPHORES**

Hadrosaures Iguanodontes Hypsilophodontes Hétérodontes **Pachycéphalosaures** **Psittacosaures** **Cératopsiens** Stégosaures Nodosaures Ankylosaures

65 Ma

Crétacé

145 Ma

Jurassique

SAURISCHIENS
(Sauropodes et
Théropodes)

200 Ma

• Scelidosaurus

• Scutellosaurus

Lesothosaurus

PREMIERS DINOSAURES

Trias

251 Ma

Les grandes familles

Les paléontologues distinguent plusieurs familles chez les Ornithischiens. Les principales sont :
• **les iguanodontes**, mi-bipèdes, mi-quadrupèdes, armés d'un pouce-éperon ;
• **les hadrosaures**, proches cousins des précédents, au museau en « bec de canard » ;
• **les pachycéphalosauriens**, au crâne renforcé d'un dôme d'os ;
• **les cératopsiens**, au cou protégé par une large collerette osseuse ;
• **les stégosauriens**, porteurs de plaques osseuses dressées sur le dos et de grandes épines ;
• **les ankylosauriens**, des quadrupèdes puissamment cuirassés.

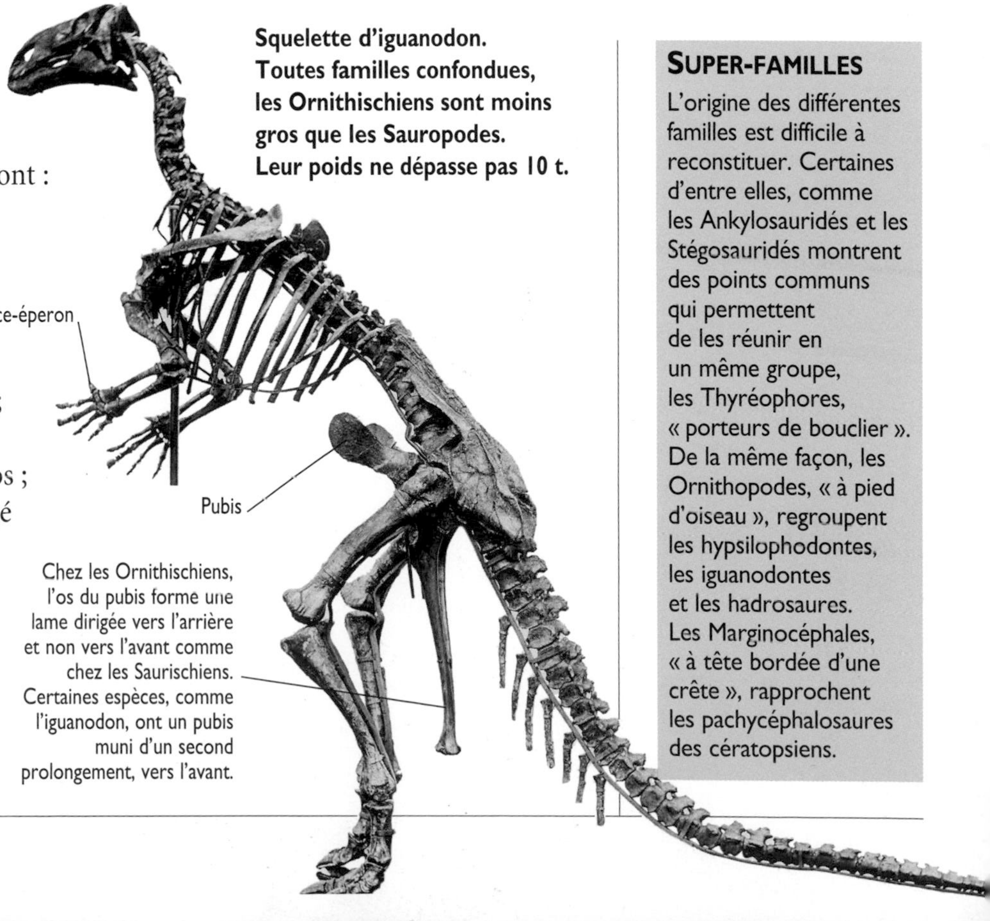

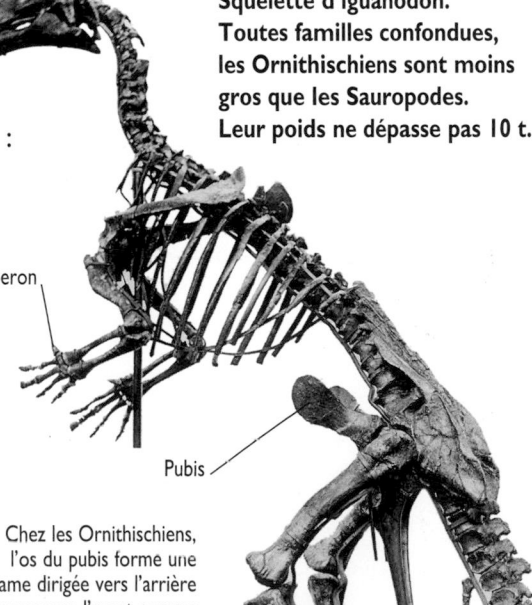

Squelette d'iguanodon. Toutes familles confondues, les Ornithischiens sont moins gros que les Sauropodes. Leur poids ne dépasse pas 10 t.

Pouce-éperon

Pubis

Chez les Ornithischiens, l'os du pubis forme une lame dirigée vers l'arrière et non vers l'avant comme chez les Saurischiens. Certaines espèces, comme l'iguanodon, ont un pubis muni d'un second prolongement, vers l'avant.

SUPER-FAMILLES

L'origine des différentes familles est difficile à reconstituer. Certaines d'entre elles, comme les Ankylosauridés et les Stégosauridés montrent des points communs qui permettent de les réunir en un même groupe, les Thyréophores, « porteurs de bouclier ». De la même façon, les Ornithopodes, « à pied d'oiseau », regroupent les hypsilophodontes, les iguanodontes et les hadrosaures. Les Marginocéphales, « à tête bordée d'une crête », rapprochent les pachycéphalosaures des cératopsiens.

Les premiers Ornithischiens

Lesothosaurus.
Ce petit ornithischien primitif était légèrement bâti et devait pouvoir courir rapidement. C'était son unique moyen de défense contre les prédateurs.

Dès le début du Jurassique, de nombreuses espèces de petits dinosaures bipèdes et herbivores voient le jour. Les fossiles ne sont pas encore assez nombreux pour pouvoir reconstituer leur histoire avec précision, mais certains d'entre eux sont les ancêtres des hadrosaures ou des cératopsiens qui domineront la faune au Crétacé.

Petits et rapides

Parmi ces petits ornithischiens, la seule espèce qui soit connue par un squelette presque complet est *Lesothosaurus* (« reptile du Lesotho », une région d'Afrique du Sud). Il mesurait à peine 1 m de long et se déplaçait sur ses pattes postérieures. Ses bras étaient très courts. Ses dents crénelées, en forme de feuilles, étaient espacées. Elles étaient bien adaptées à déchiqueter les végétaux fibreux qui poussaient dans son milieu assez aride.

Les premiers cuirassés

Scutellosaurus, « reptile à petits boucliers », vivait en Amérique du Nord au Jurassique inférieur. Il mesurait un peu plus d'un mètre pour un poids d'une dizaine de kilos. Il était recouvert de nombreuses petites plaques osseuses. Comme cette armure était assez légère, il devait plutôt compter sur son agilité pour échapper aux prédateurs. Probablement quadrupède, il est considéré comme proche des ancêtres des stégosaures et des ankylosaures.

MUSEAU CORNU

Chez tous ces dinosaures, les signes de présence d'un bec corné sont assez nets. L'os est rugueux, souvent percé de multiples petits trous par lesquels passent les vaisseaux sanguins. En effet, le bec s'use rapidement et cette zone doit être bien irriguée pour assurer une production continue de corne. Comme chez les tortues actuelles, les 2 parties du bec s'affûtent l'une contre l'autre et restent très tranchantes. Ce bec coupe facilement les végétaux, ce qui compense l'absence de dents à l'avant de la mâchoire.

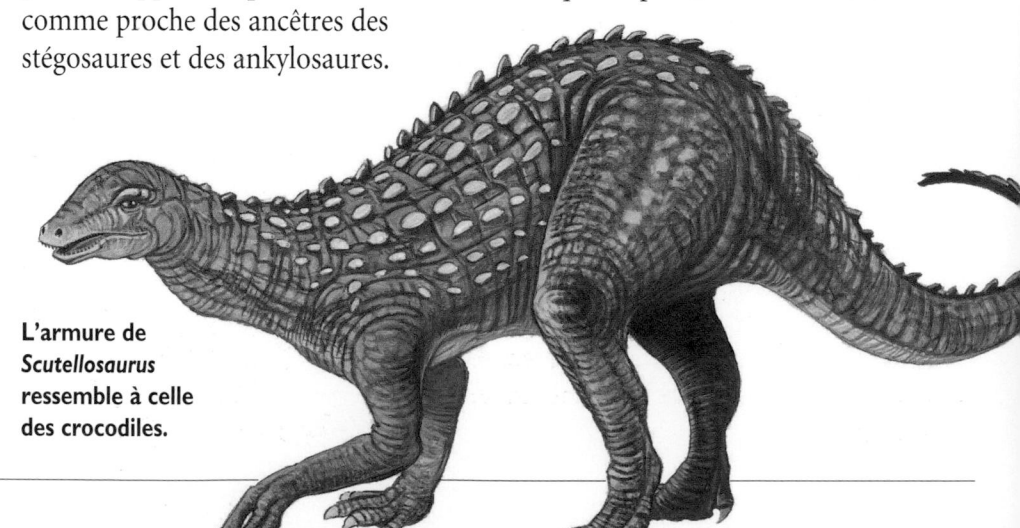

L'armure de *Scutellosaurus* ressemble à celle des crocodiles.

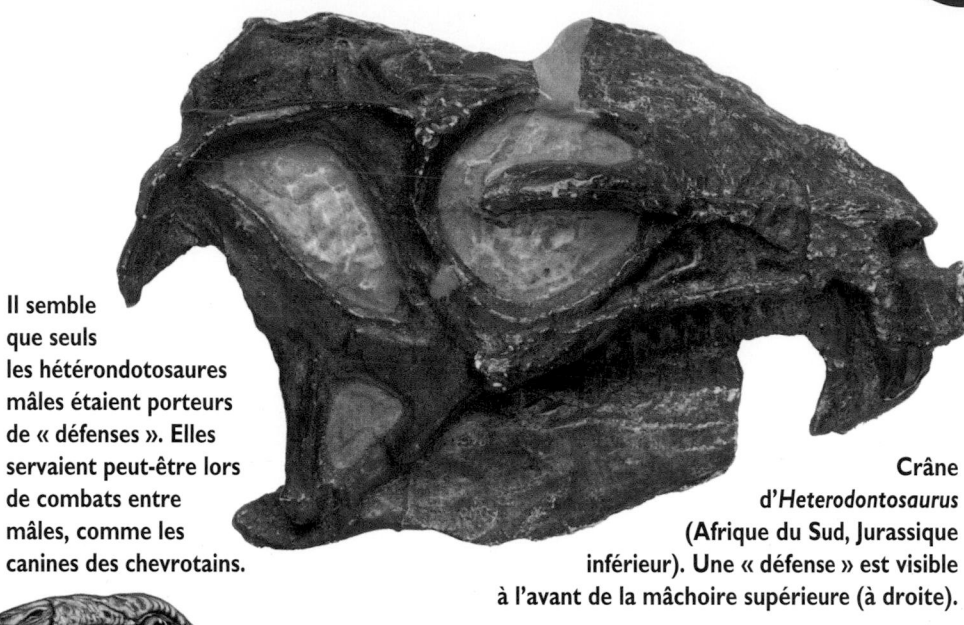

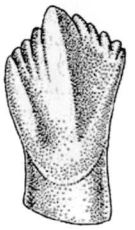

Dents d'*Heterodontosaurus*. Celle de droite est nettement plus usée.

Il semble que seuls les hétérondotosaures mâles étaient porteurs de « défenses ». Elles servaient peut-être lors de combats entre mâles, comme les canines des chevrotains.

Crâne d'*Heterodontosaurus* (Afrique du Sud, Jurassique inférieur). Une « défense » est visible à l'avant de la mâchoire supérieure (à droite).

Les hétérodontosaures

Les hétérodontosaures, « reptiles à dents variées », apparaissent au début du Jurassique. Ils étaient bipèdes et leurs longs tibias témoignent d'une bonne aptitude à la course. Leur allure générale est assez primitive, mais leurs dents sont très évoluées : des dents coupantes comme des incisives à l'avant, puis derrière celles-ci, des canines pointues semblables à des défenses, et enfin une rangée de molaires. Cette spécialisation de la denture est aujourd'hui banale chez les mammifères, mais elle était très inhabituelle chez les dinosaures.

Les hypsilophodontes

À la fin du Jurassique, les hétérodontosaures disparaissent et sont remplacés par leurs cousins, les hypsilophodontes, « à dents d'iguane » (*Hypsolophus* étant le nom latin de l'iguane actuel). Ces petits bipèdes se distinguent aussi par leur denture. Leurs dents sont serrées les unes contre les autres et forment une ligne continue, susceptible de mâcher les végétaux. L'avant de la mâchoire ne porte pas de dents ou seulement en haut. Cette disposition évoque les mâchoires des ruminants actuels comme les vaches ou les chèvres. Ces petits dinosaures herbivores, légers et rapides, sont peut-être l'équivalent dinosaurien des gazelles actuelles !

QUESTIONS SANS RÉPONSES

Ces petits dinosaures sont souvent difficiles à identifier, surtout si l'on ne trouve pas leurs dents qui sont les principaux éléments permettant de les distinguer. Leur succession soulève quelques questions. La disparition d'une famille comme celle des hétérodontosaures est-elle une simple impression, due au fait qu'on n'a pas encore trouvé de fossiles plus anciens ? Est-ce, au contraire, une véritable extinction ? Dans ce cas, quelle pourrait en être la cause ? Les débats entre paléontologues sont loin d'être terminés !

Hypsilophodon (Europe, Crétacé inférieur). Il mesurait 2 m de long.

Les iguanodontes

Iguanodon en position de marche quadrupède. Les nombreuses empreintes découvertes en Angleterre laissent

penser qu'il vivait en troupeaux. Au Crétacé, les iguanodontes sont abondants dans le monde entier. Par la suite, ils seront remplacés par leurs proches parents, les hadrosaures.

On suppose que *l'Iguanodon* se servait des pointes de ses mains pour se défendre. Cet éperon osseux était probablement recouvert de corne, et donc plus long que l'os seul.

L'iguanodon est le deuxième dinosaure décrit par les paléontologues, dès 1825. De nombreux squelettes, trouvés en Europe, en Asie et en Amérique du Nord, ont permis de bien se représenter cet animal.

Un grand herbivore

Iguanodon bernissartensis, l'iguanodon de Bernissart, dépassait 10 m de long. Il vivait au Crétacé inférieur, dans toute l'Europe de l'Ouest. À l'arrêt, lorsqu'il broutait les feuilles d'un arbre, il pouvait se tenir sur ses pattes postérieures, mais il marchait à quatre pattes. Lorsqu'il accélérait, ses bras courts ne pouvaient pas soutenir le rythme de ses longues jambes. Il se redressait alors et courait en position bipède. La tête allongée se termine par un museau édenté recouvert d'un bec corné. Les mâchoires portent de chaque côté une rangée de dents broyeuses. L'iguanodon pouvait ainsi arracher les feuillages avec son bec et mâcher sa nourriture avant de l'avaler.

Squelette de la main d'un iguanodon, avec son pouce-éperon (en haut), ses 3 doigts à sabot et son petit doigt mobile (en bas).

Un pouce-éperon

Ses mains ont conservé les cinq doigts de ses ancêtres, mais avec des spécialisations très particulières. Les trois doigts centraux se terminent par des sabots courts, semblables à ceux des tapirs. Le petit doigt est plus mobile et peut former une pince avec la paume, par exemple pour saisir une branche. Le pouce porte une forte pointe qui devait constituer une arme défensive redoutable. La robustesse des os des bras et le poignet renforcé prouve qu'ils avaient souvent à soutenir le poids du corps. Les omoplates de grande taille servaient de support à des muscles puissants.

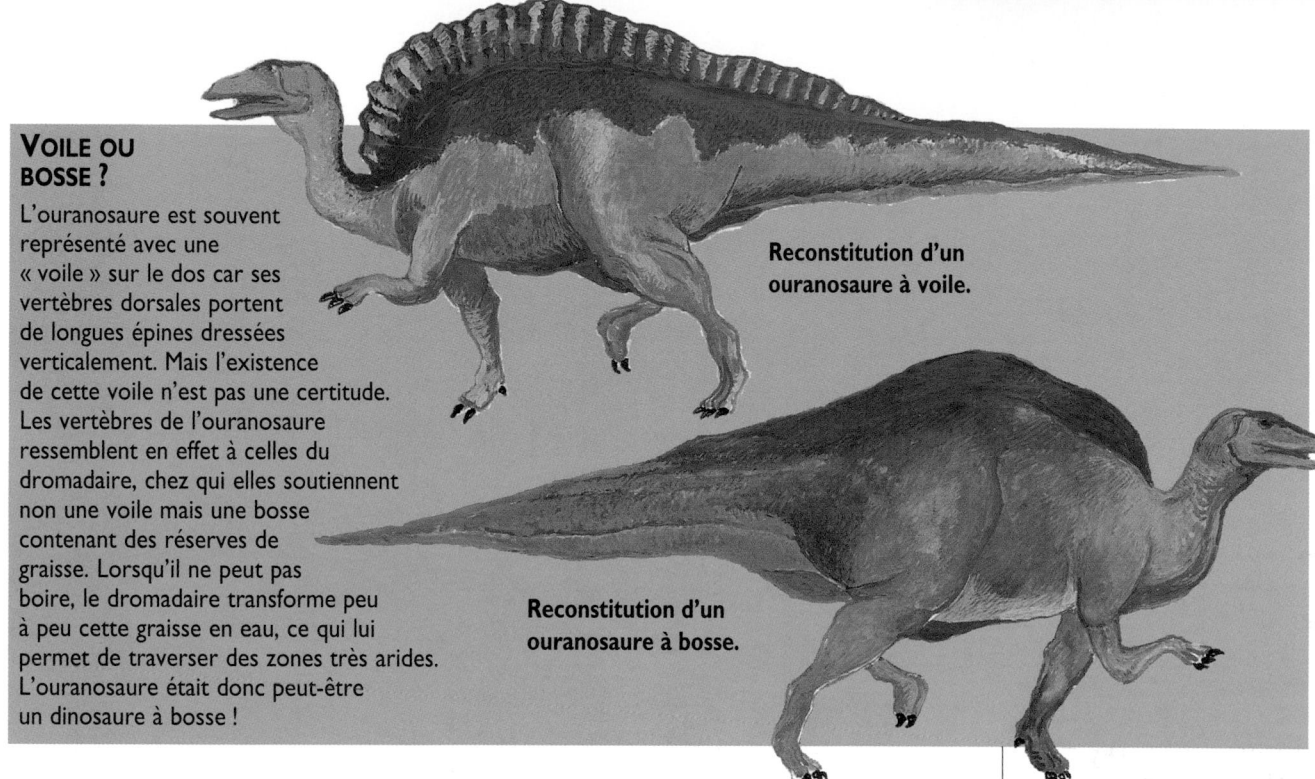

Voile ou bosse ?

L'ouranosaure est souvent représenté avec une « voile » sur le dos car ses vertèbres dorsales portent de longues épines dressées verticalement. Mais l'existence de cette voile n'est pas une certitude. Les vertèbres de l'ouranosaure ressemblent en effet à celles du dromadaire, chez qui elles soutiennent non une voile mais une bosse contenant des réserves de graisse. Lorsqu'il ne peut pas boire, le dromadaire transforme peu à peu cette graisse en eau, ce qui lui permet de traverser des zones très arides. L'ouranosaure était donc peut-être un dinosaure à bosse !

Reconstitution d'un ouranosaure à voile.

Reconstitution d'un ouranosaure à bosse.

Diversité

Les paléontologues ont identifié des squelettes qui ressemblent beaucoup à ceux de l'iguanodon de Bernissart, mais plus petits et avec des membres plus fins. On a supposé qu'il s'agissait simplement d'individus plus jeunes mais les gisements comprennent nettement des squelettes des deux groupes, sans intermédiaires. Ils pourraient aussi représenter les deux sexes d'une même espèce. Il resterait alors à déterminer si les grands sont les mâles ou les femelles. Autre hypothèse, ce sont deux espèces distinctes, se nourrissant de plantes différentes sans se gêner malgré leur habitat commun.

Les Ornithopodes

Le pied des iguanodons est caractéristique des Ornithopodes, « à pieds d'oiseaux », l'une des plus importantes familles de dinosaures au Crétacé. Les premiers ornithopodes apparaissent au début du Jurassique, parmi les nombreuses espèces de petits dinosaures herbivores, tels les hypsilophodontes ou les hétérodontosaures.

L'un de ces groupes va évoluer vers les iguanodontes, des espèces beaucoup plus grosses caractérisées par leur pouce-éperon. Ils sont abondants au Crétacé inférieur, puis sont remplacés par les hadrosaures.

Les vaches du Mésozoïque

Les iguanodontes étaient des herbivores de grande taille chez qui les mâles et les femelles étaient probablement différents. Ils vivaient en groupe, comme le prouvent les découvertes de multiples traces de pas et de squelettes fossiles accumulés au même endroit. Ces caractéristiques font penser aux grands ruminants actuels, tels les antilopes ou les bisons. La vie en troupeau constitue une protection efficace contre les prédateurs.

Pied droit d'un grand iguanodon. Les 3 doigts se terminent par des griffes en forme de sabot.

Les hadrosaures

Ils sont parfois appelés « dinosaures à bec de canard ». Leur mâchoire large et plate se terminait en effet par un bec différent de celui des autres ornithischiens et qui évoque celui d'un canard géant.

Crâne de *Corythosaurus*, avec sa haute crête creuse.

Mâchoire d'*Edmontosaurus*, un grand hadrosaure du Crétacé supérieur d'Amérique du Nord. Les dents serrées les unes contre les autres forment une véritable râpe.

MIGRATIONS ANNUELLES ?

Les *Maiasaura* se déplaçaient en troupeaux qui pouvaient atteindre plusieurs milliers d'individus. Les nids fossiles ont été trouvés à différents niveaux dans la roche, comme si les *Maiasaura* revenaient chaque année pondre au même endroit. Ce lieu de ponte était peut-être régulièrement inondé, des sédiments recouvrant alors les nids abandonnés. L'année suivante, le troupeau revenait et les adultes creusaient de nouveaux nids.

Mâchoires-râpes

Les hadrosaures, « reptiles puissants », ont la même allure générale que leurs cousins iguanodontes. Comme eux, ce sont de grands quadrupèdes herbivores, mais ils sont dépourvus de pouce-éperon. Leurs mâchoires portent des centaines de dents broyeuses, disposées en larges plaques agissant comme des râpes et capables de déchiqueter les végétaux les plus durs. Les fossiles d'hadrosaures sont parfois accompagnés de coprolithes contenant des tiges de conifères. Les hadrosaures, les derniers grands ornithopodes, sont nombreux au Crétacé supérieur, en Amérique et en Asie.

Bonnes mères

Maiasaura, « reptile bonne mère », est un hadrosaure de 9 mètres de long, et qui pesait 2 à 3 tonnes. On le trouve à la fin du Crétacé dans tout l'hémisphère Nord. De véritables colonies ont été découvertes au Montana (Canada). Les sites regroupaient plusieurs dizaines de « nids », des cuvettes de 2 mètres de diamètre creusées dans le sol et qui recevaient une quinzaine d'œufs. Les nids sont situés à 7 mètres les uns des autres, ce qui suggère que les adultes se tenaient à proximité mais sans se gêner. Certains paléontologues pensent que les jeunes n'étaient pas capables de se déplacer seuls à l'éclosion, leurs os n'étant pas suffisamment solides. L'usure de leurs dents montre qu'ils se nourrissaient de feuillages apportés par les adultes (leur mère ou peut-être les deux parents). Cela pourrait constituer l'une des rares preuves de soins parentaux de la part de dinosaures.

Chez *Parasaurolophus* et d'autres lambéosaurinés, la crête est parcourue par un système complexe de canaux qui entrent en communication avec les narines. Cette disposition renforce l'hypothèse selon laquelle la crête servait à émettre des sons graves. Chaque espèce portant une crête différente des autres, les sons émis leur auraient permis de repérer les autres individus de leur espèce dans les forêts du Crétacé.

Mâle ?

Femelle ?

Les crêtes

Les lambéosaurinés (« reptiles de Lambe », un paléontologue canadien) possèdent d'étranges crêtes crâniennes. Assez fragiles, elles ne pouvaient être utilisées pour se défendre contre les prédateurs ou pour des combats entre mâles au moment de la reproduction. Elles avaient sans doute une fonction de signal, par exemple entre individus, pour définir la hiérarchie dans le groupe. On peut supposer qu'elles étaient très colorées et servaient à attirer un partenaire pour la reproduction lors des parades nuptiales. Chez *Parasaurolophus*, « proche du reptile à crête », la crête était creuse et permettait peut-être à l'animal de produire des sons graves pour communiquer entre individus. Cette espèce présente d'ailleurs deux formes différentes, l'une avec une grande crête et l'autre avec une petite. Il pourrait s'agir d'un cas de dimorphisme sexuel, mais il n'est pas possible d'attribuer avec certitude chacune des formes à l'un ou l'autre sexe.

Corythosaurus
(Amérique du Nord, Crétacé supérieur).
Il mesurait 10 m de long. Sa mâchoire portait le large bec caractéristique des hadrosaures.

Parasaurolophus
(Amérique du Nord, Crétacé supérieur). Sa crête peut atteindre 1,80 m de long. Certains paléontologues pensent qu'elle était reliée au cou par un voile de peau vivement coloré.

Tsintaosaurus
(Chine, Crétacé supérieur). Sa corne unique est creuse et reliée aux narines.

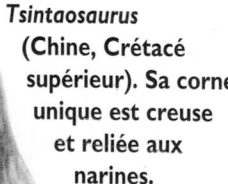

Les cératopsiens

Protoceratops
(Asie, Crétacé supérieur).
La présence d'espèces
voisines en Amérique
du Nord montre que
ces animaux pouvaient
facilement passer d'Asie
en Amérique par le
détroit de Béring, alors
émergé.

Parmi toutes les grandes familles de dinosaures, les cératopsiens sont les derniers venus. Ils deviennent nombreux à la fin du Crétacé, au moins dans l'hémisphère Nord.

Les moutons du secondaire

Si les iguanodontes sont les « vaches de l'ère secondaire », les *Protoceratops* (« première face cornue ») en sont les moutons ! En effet, ces petits cératopsiens sont très abondants dans certaines régions et devaient fournir des proies faciles aux grands carnivores, d'autant plus qu'ils vivaient en troupeaux. *Protoceratops* était un quadrupède herbivore à grosse tête et mesurant moins de 2 m de long. Sa mâchoire se terminait par un bec corné semblable à celui d'un perroquet. La tête portait une collerette osseuse qui couvrait la nuque, mais pas de corne. C'est l'un des dinosaures les mieux connus. Les paléontologues ont en effet découvert près de cent crânes, de nombreux squelettes, des nids et des œufs.

Les grands cornus

Des espèces plus grandes apparaissent par la suite. Ces cératopsiens ont tous la même allure : un corps lourd et puissant avec une queue assez courte. La tête est armée de longues cornes sur le museau et au-dessus des yeux. Elle se prolonge d'une vaste collerette. Les pattes postérieures sont nettement plus longues que les antérieures. Les cératopsiens se caractérisent aussi par leur mâchoire : haute et étroite, elle est armée d'un bec acéré. Les dents sont situées plus en arrière et forment des lames tranchantes capables de déchiqueter des végétaux fibreux et durs. On connaît plusieurs dizaines d'espèces de cératopsiens, qui diffèrent par la taille totale, la forme et la longueur de la collerette, ou le nombre de cornes.

Le célèbre tricératops est l'un des dinosaures les plus communs à la fin du Crétacé. Il mesurait 9 m de long et était plus gros qu'un éléphant.

Son énorme tête était soutenue par une architecture osseuse très puissante, renforcée par des vertèbres fusionnées et des tendons ossifiés.

Combats

Sur certains sites ont été trouvés de nombreux fossiles de cératopsiens appartenant à la même espèce et de tailles diverses. Il semble qu'ils vivaient en troupeaux. On peut les imaginer en train de paître, protégés par quelques mâles prêts à faire face aux tyrannosaures attirés par la présence des petits.

Si les cornes des cératopsiens les protégeaient contre les prédateurs, leurs crânes montrent des traces de blessures qu'ils se sont eux-mêmes infligées. Il s'agissait sans doute de mâles qui se battaient à l'époque de la reproduction.

Les cornes des cératopsiens étaient de redoutables armes défensives. Dans les combats entre mâles, ces animaux évitaient probablement les blessures mortelles.

La collerette de *Styracosaurus* était entourée de grandes et fortes épines.

Le rôle de la collerette

Si la collerette du tricératops est massive, dans la plupart des espèces, elle est percée de larges fenêtres qui en diminuent le poids. Comme cela en réduit également la solidité, il est peu probable qu'elle ait eu pour fonction principale de protéger la nuque contre les morsures des prédateurs. Elle servait peut-être de structure d'ancrage pour les puissants muscles masticateurs. Dans certaines espèces, elle n'a pas la même forme dans les deux sexes. C'était donc probablement aussi un élément de séduction entre mâles et femelles.

Psittacosaurus. Ce cératopsien primitif mesurait environ 2 m de long.

UN FAUX ANCÊTRE RÉVÉLATEUR

Le petit *Psittacosaurus*, « reptile perroquet », vivait en Asie au Crétacé inférieur. Les os de sa mâchoire ressemblent à ceux de *Triceratops*. Comme lui, il portait un bec corné tranchant et sa tête était ornée d'une ébauche de collerette, mais il était bipède. On pourrait imaginer que cette espèce a évolué au cours du Crétacé, donnant naissance aux grands cératopsiens, mais ses mains ne comprennent que 4 doigts et non 5 comme *Triceratops*. Il ne peut donc pas être leur ancêtre car les organes perdus ne réapparaissent pas au cours de l'évolution. *Psittacosaurus* nous permet cependant de comprendre comment sont apparus les énormes cératopsiens.

Les pachycéphalosaures

Pachycephalosaurus
(Amérique du Nord,
Crétacé supérieur).
Ce dinosaure n'est connu
que par un unique crâne.
Le dôme osseux au
sommet atteint 25 cm
d'épaisseur. D'après
ce crâne, on estime la
taille de l'animal entre
5 et 8 m de long.

Stygimoloch
(Amérique du Nord,
Crétacé supérieur).
Il mesurait 2 à 3 m de
long, comme la plupart
des pachycéphalosaures.
La forme du crâne et les
cornes suggèrent que ces
formations avaient plutôt
un rôle de signal entre
individus, pour la
reproduction.

Les pachycéphalosaures constituent l'un des plus étranges groupes de dinosaures. Ils sont encore assez mal connus car les fossiles se réduisent souvent à leur épaisse calotte crânienne !

Petits bipèdes

Les pachycéphalosaures sont des herbivores bipèdes assez petits. Leurs restes ont été trouvés presque uniquement dans l'hémisphère Nord (Asie et Amérique du Nord) dans des terrains datés du Crétacé supérieur. Leurs bras courts laissent penser qu'ils étaient bipèdes. La queue était rigidifiée par des tendons ossifiés disposés tout autour de la colonne vertébrale. Cette queue devait rester pratiquement droite lorsque l'animal se déplaçait. Les dents sont petites, adaptées à un régime herbivore.

Têtes d'os

La particularité la plus frappante des pachycéphalosaures est leur crâne. Leur nom signifie « reptile à tête épaisse ». Chez *Stegoceras*, « au toit de corne », qui mesurait 2 m de long, le sommet du crâne était protégé par une paroi osseuse de 5 cm d'épaisseur (notre propre crâne possède une paroi de 6 mm seulement) ! Le crâne devenait de plus en plus épais au cours de la vie de l'animal. Les espèces les plus anciennes ont un crâne assez plat, mais chez les pachycéphalosaures les plus récents, la tête forme un dôme élevé. Le dôme lui-même reste lisse mais certaines espèces, comme *Stygimoloch*, portent également des protubérances osseuses et des cornes autour du crâne et sur le museau.

« Coups de boule »

Les paléontologues ont supposé que ces animaux se battaient en duel comme
le font les béliers, en se lançant tête en avant l'un contre l'autre. Pour les jeunes
mâles, c'est un moyen d'établir la hiérarchie au sein du groupe. Les crânes
fossiles présentent l'empreinte de forts ligaments qui devaient absorber une
partie des chocs. Des traces évoquent également des séquelles de coups brutaux.
Mais chez les béliers, le crâne plat et la large surface des cornes répartissent
les chocs sur une grande superficie, ce qui en atténue les effets sur la colonne
vertébrale. Chez les pachycéphalosaures, la tête est en forme de dôme.
Les chocs dirigés en un seul point auraient pu broyer les vertèbres cervicales.
De plus, un léger décalage au moment de l'impact aurait provoqué une brutale
torsion du cou. Certains paléontologues pensent donc qu'ils se battaient plutôt
en se donnant des coups sur les côtés et non de face. On ne connaît cependant
pas de combats de ce type chez les animaux actuels. La question est loin
d'être résolue !

DES COUSINS DES CÉRATOPSIENS

Les pachycéphalosaures
semblent apparentés
aux cératopsiens car ils
possèdent le même os
particulier à l'avant de la
mâchoire, et une sorte
d'ébauche de collerette
sous la forme d'un
bourrelet osseux en
arrière de la tête. Leurs
ancêtres ressemblaient
probablement
beaucoup à ceux des
psittacosaures. Ils sont
tous réunis sous le nom
de Marginocéphales.

Les stégosaures

Plaque dorsale
d'un *Stegosaurus*.

Les stégosaures ont disparu au moins 40 millions d'années avant la fin de l'ère secondaire. Ils ont la réputation d'avoir été des animaux particulièrement lents et stupides. Pourtant, leur évolution connue s'étend sur près de 60 millions d'années, ce qui prouve qu'ils n'étaient pas si mal adaptés à leur environnement !

Les stégosaures ont été trouvés en Amérique du Nord, en Europe, en Asie et en Afrique. Abondants au Jurassique, ils semblent disparaître vers le milieu du Crétacé pour des raisons inconnues. Ils sont alors remplacés par les ankylosaures.

Les joues des stégosaures

Les stégosaures ont, comme presque tous les dinosaures quadrupèdes, les pattes arrière plus hautes que les pattes avant, une caractéristique particulièrement marquée chez *Stegosaurus* (« reptile à toit »). La cuisse nettement plus longue que le tibia indique que ces lourds animaux étaient plus marcheurs que coureurs. Au cours de leur évolution, ils perdent les dents situées à l'avant des mâchoires. C'est leur bec corné qui en assure la fonction, pour saisir et couper les plantes dont ils se nourrissent. Ils possédaient sans doute des joues leur permettant de conserver la nourriture dans la gueule assez longtemps pour la déchiqueter. Probablement incapables de se dresser sur leurs pattes arrière, les stégosaures devaient brouter les plantes basses.

Plaques dorsales

La principale marque distinctive des stégosaures est la présence de deux rangées de plaques osseuses dorsales. Chez le grand *Stegosaurus*, elles atteignent 2 m de haut. Ces plaques sont creusées de multiples trous où passaient les artères. Cette irrigation sanguine montre qu'elles n'avaient pas de fonction protectrice, car la moindre blessure aurait pu provoquer une forte hémorragie. On peut imaginer qu'elles jouaient un rôle dans la régulation de la température de l'animal. Le sang circulant à la surface des plaques permettait d'évacuer rapidement à l'extérieur les excès de chaleur interne, ou au contraire, réchauffait l'animal grâce à la chaleur du soleil. Cette hypothèse ne permet cependant pas de comprendre pourquoi certaines espèces proches ont des épines à la place des plaques. Le sang colorait peut-être les plaques en rouge, pour effrayer les prédateurs ou pour attirer un partenaire à l'époque de la reproduction.

Les fossiles ont gardé la trace de l'irrigation sanguine des plaques dorsales de *Stegosaurus*. Elles évacuaient peut-être la chaleur comme les oreilles des éléphants d'Afrique.

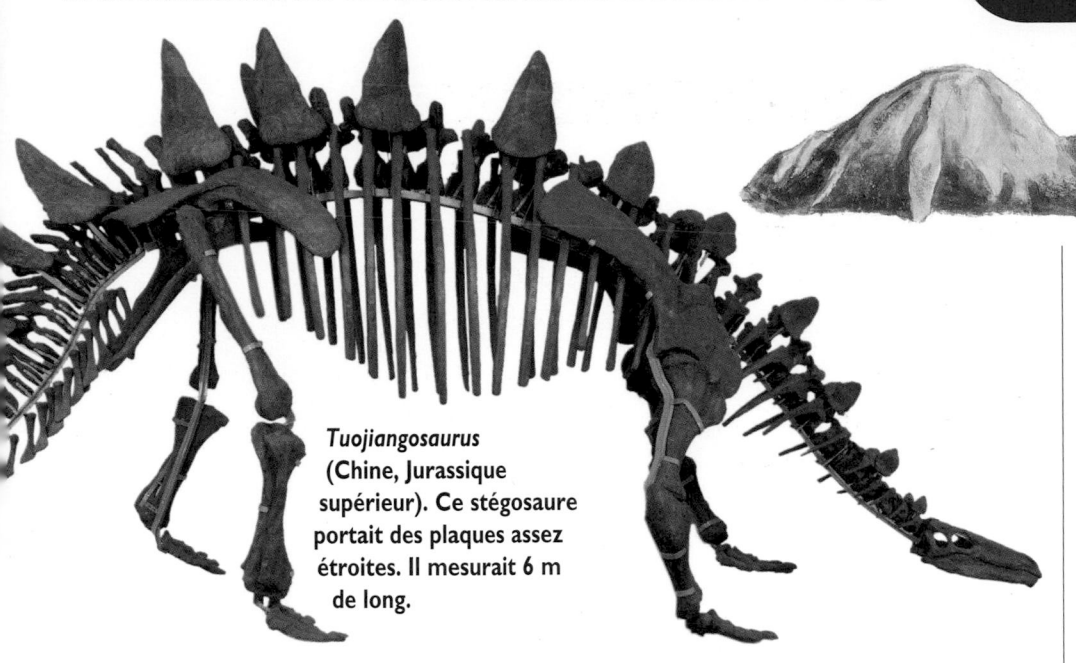

Tuojiangosaurus
(Chine, Jurassique
supérieur). Ce stégosaure
portait des plaques assez
étroites. Il mesurait 6 m
de long.

Moulage du cerveau
(à droite) et du
renflement de
la mœlle épinière
de *Kentrosaurus*.

Dangereux hérissons

Contrairement aux autres ornithischiens, les stégosaures ne présentent pas de
traces de tendons ossifiés sur la colonne vertébrale. Leur queue devait donc être
plus souple. L'animal pouvait la balancer de droite à gauche,
menaçant les prédateurs avec les fortes épines
situées à l'extrémité. Certains stégosaures
portent aussi des épines sur
le dos et les épaules, pointant
de part et d'autre du corps.

Stegosaurus
(Amérique du
Nord, Jurassique
supérieur).
Il atteint 9 m
de long pour
un poids estimé
de 5 tonnes.

UN DEUXIÈME CERVEAU ?

Le cerveau de
Kentrosaurus, « reptile
à aiguillons », n'était pas
plus gros qu'une noix,
mais ce stégosaure
présente un gros
renflement de la mœlle
épinière au niveau
du bassin. Cette masse
a longtemps été
considérée comme
un « deuxième
cerveau », comme
si le vrai cerveau
ne lui suffisait pas pour
contrôler son corps !
En fait, il s'agit seulement
d'un élargissement
de la moelle épinière
correspondant au départ
des nombreuses fibres
nerveuses qui alimentent
les 2 pattes arrière.
Une partie de cette
cavité contenait
probablement aussi du
glycogène, une substance
qui sert de réserves
énergétiques pour
les cellules nerveuses,
comme on en observe
chez les oiseaux.

Les ankylosauriens

Moulage fossile
de la cuirasse osseuse
d'*Euoplocephalus*,
l'un des plus gros
ankylosauriens.

UN ANCÊTRE ?

Scelidosaurus (« reptile
à jambes ») est un
dinosaure herbivore
qui vivait au Jurassique
inférieur. Un squelette
presque complet a été
trouvé en Angleterre
en 1859. Sa peau était
couverte de petits
cônes osseux qui
formaient une armure
protectrice.
Ce quadrupède
de 4 m de long,
aux pattes courtes et
robustes, est souvent
considéré comme
proche des ancêtres
des ankylosaures
et des nodosaures.
Cependant,
ses caractères
d'ornithischien primitif
le rapprochent
également des
stégosaures.

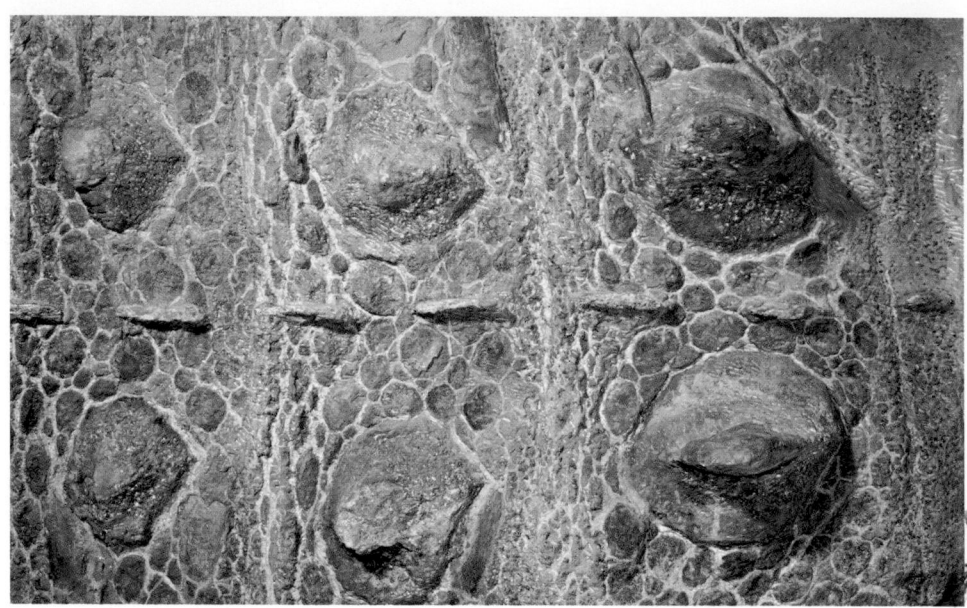

Un tatou de la taille d'un éléphant : c'est un ankylosaure, le plus lourdement cuirassé de tous les dinosaures ! Malgré leur armure, leurs longues épines et leur massue, les ankylosaures n'ont jamais été très abondants, mais ils ont vécu pendant près de 100 millions d'années.

Les cuirassés

Ces quadrupèdes herbivores lourdement bâtis ont un corps large et peu élevé. Les plus grands dépassent 6 m de long pour un poids d'environ 2 tonnes. Le dos et la tête étaient couverts de plaques osseuses, de clous et de pointes. Chez certaines espèces, même les paupières sont cuirassées ! Deux familles distinctes, les Nodosauridés et les Ankylosauridés, descendent sans doute d'un ancêtre commun, mais on connaît mal les plus anciens ankylosauriens qui datent du Jurassique moyen, vers – 170 millions d'années. Leur principale période de diversification est le Crétacé supérieur. Ils sont alors présents en Asie et en Amérique du Nord, mais aussi en Australie et en Antarctique. Il semble qu'ils aient disparu un peu avant l'extinction générale des dinosaures.

Scelidosaurus.

Les Ankylosauridés

Chez les Ankylosauridés, la queue se termine par une « massue », une grosse boule osseuse qu'ils utilisaient probablement comme une masse d'armes de chevalier pour se défendre contre les prédateurs. Les plaques osseuses protectrices sont rectangulaires ou ovales. Les espaces entre ces plaques sont comblés par des billes osseuses, qui couvrent également le ventre et les pattes. Leur large mâchoire indique qu'ils étaient des herbivores peu sélectifs, broutant tout ce qui passait à portée de leur gueule. Comme leurs dents étaient petites et assez peu solides, le broyage des végétaux était probablement assuré par l'estomac lui-même. D'après les sites asiatiques, il semble que les Ankylosauridés préféraient les environnements arides, mais en Amérique du Nord, ils vivaient aussi dans des zones côtières plus humides.

Massue d'*Euoplocephalus* (Amérique du Nord, Crétacé supérieur).

Elle est formée par plusieurs os, soudés entre eux et aux vertèbres de l'extrémité de la queue.

Reconstitution d'*Edmontonia* (au premier plan) et d'*Euoplocephalus* (en arrière-plan).

Les Nodosauridés

Leur armure est plus épaisse que celle des Ankylosauridés. Ils portent de grandes épines sur le cou et les épaules mais pas de masse. On a également observé des plaques osseuses sur les côtés de la tête. Cela indique qu'ils avaient des joues et donc qu'ils mâchaient leur nourriture. Leur museau est plus étroit, ce qui témoigne peut-être d'une alimentation plus sélective que celle des Ankylosauridés. Ils vivaient à la même époque que ces derniers mais semblent avoir préféré des environnements chauds et humides.

NEDEGOAPEFERIMA

Tianchiasaurus nedegoapeferima est l'un des plus anciens ankylosaures. Il vivait en Chine au Jurassique moyen. Son nom de genre vient de l'endroit où il a été trouvé, le lac Tian Chi. Son nom d'espèce a été construit à partir des premières lettres des acteurs du film « Jurassic Park » : Sam Neill, Laura Dern, Jeff Goldblum, Richard Attenborough, Bob Peck, Martin Ferrero, Ariana Richards et Joseph Mazzello !

Aux côtés des dinosaures

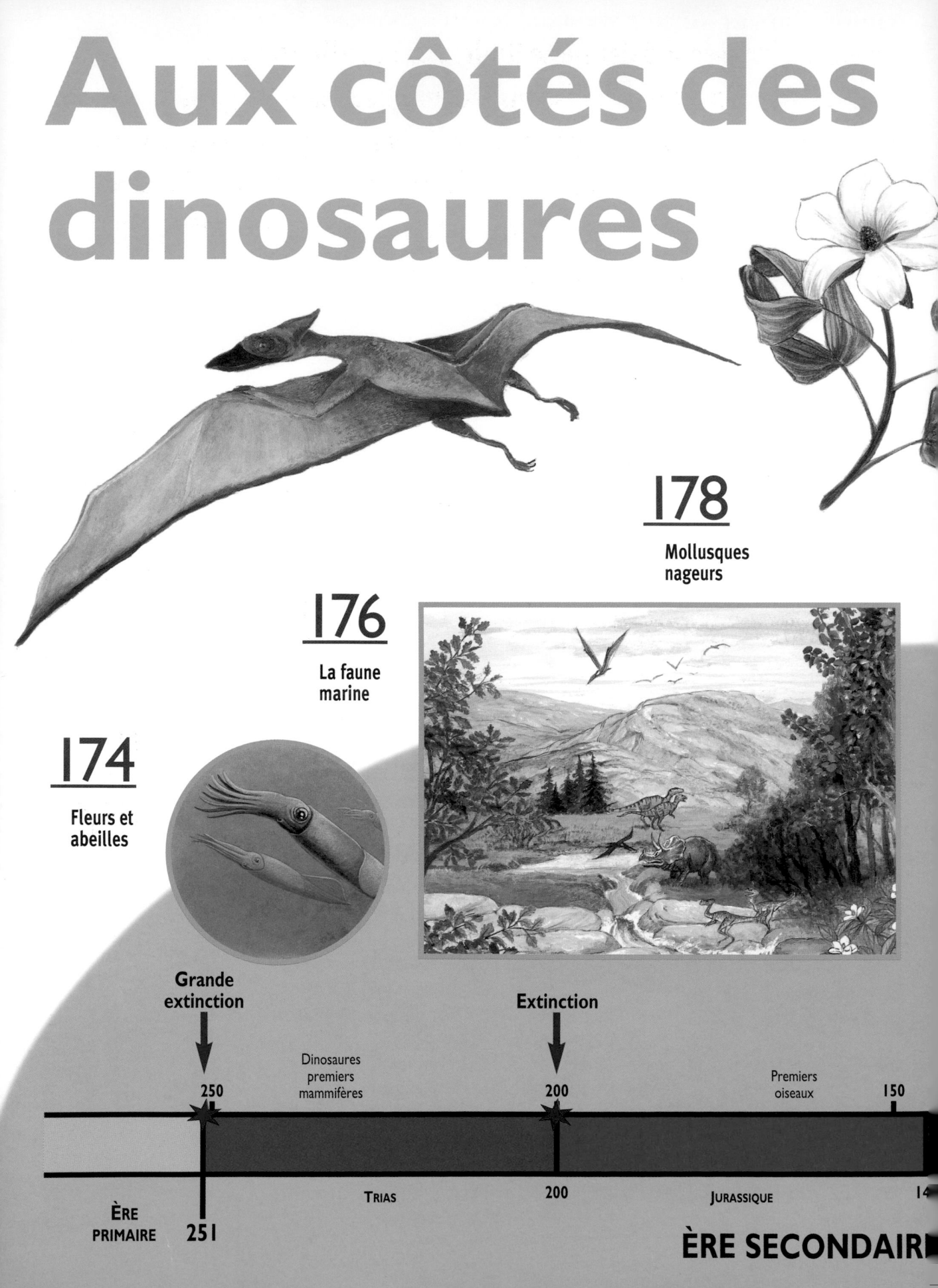

178

Mollusques
nageurs

176

La faune
marine

174

Fleurs et
abeilles

Grande
extinction

Extinction

Dinosaures
premiers
mammifères

Premiers
oiseaux

250

200

150

ÈRE
PRIMAIRE

251

TRIAS

200

JURASSIQUE

14

ÈRE SECONDAIRE

La vie de l'ère secondaire ne se limite pas aux dinosaures.
Les océans regorgent de poissons, de mollusques et de grands
reptiles. Les oiseaux et les ptérosaures se partagent l'espace aérien.
Des milliers d'espèces d'insectes et de vers grouillent sous la terre
ou dans les branches des arbres. Des petits mammifères observent
le monde et attendent leur heure…

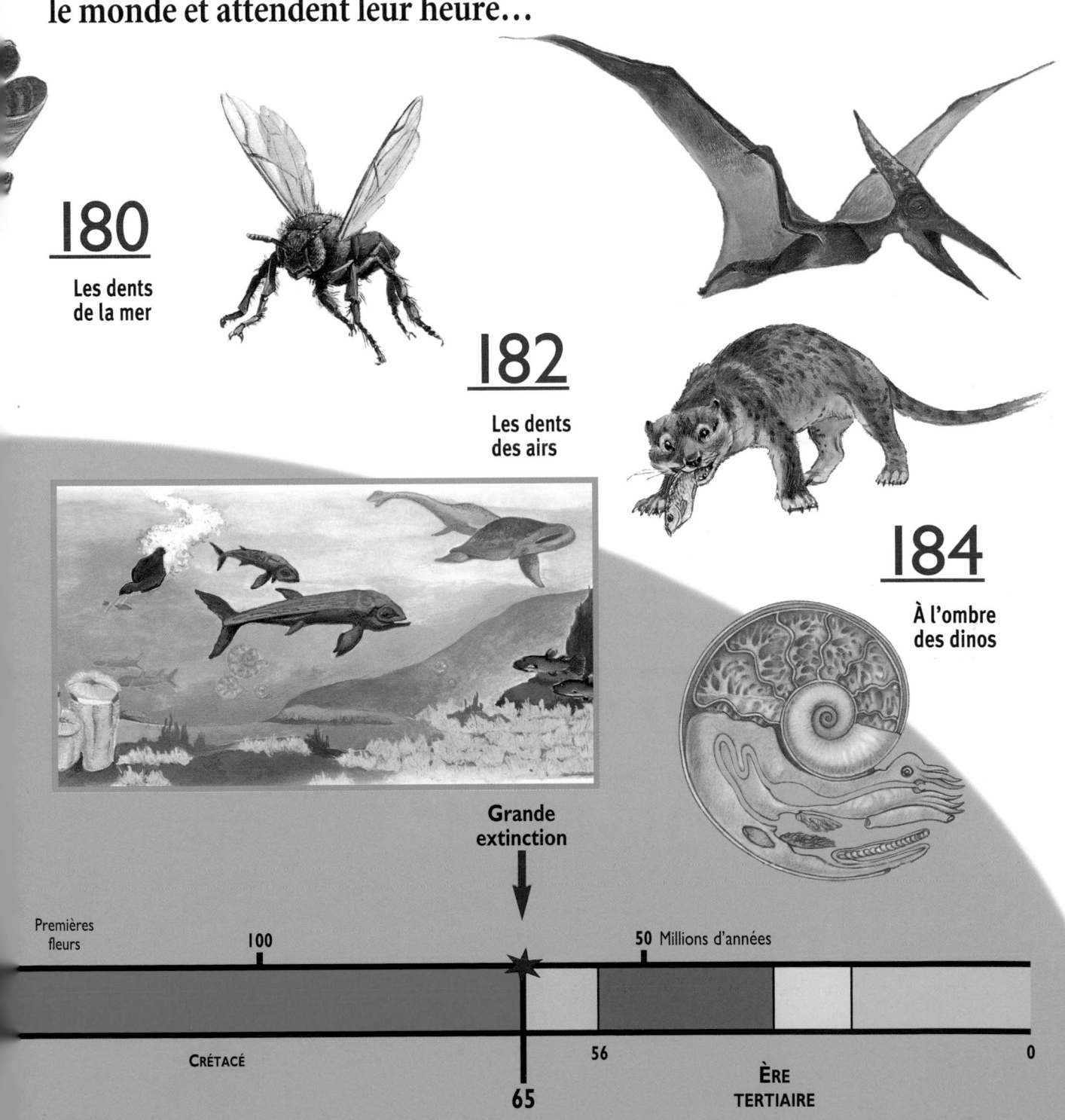

180
Les dents
de la mer

182
Les dents
des airs

184
À l'ombre
des dinos

Grande
extinction

Premières
fleurs

100

50 Millions d'années

CRÉTACÉ

56

ÈRE
TERTIAIRE

65

0

Fleurs et abeilles

Cretatrigona est l'unique abeille connue datant de l'ère secondaire. Elle est presque identique à certaines espèces actuelles d'abeilles tropicales.

UN CERCUEIL D'AMBRE

Des insectes sont parfois englués dans la résine qui coule le long des troncs des conifères. Lorsque cette résine sèche, elle durcit et se transforme en ambre, une pierre jaune translucide qui peut se conserver des millions d'années. Les insectes emprisonnés ne se décomposent pas et gardent intacts les moindres détails de la surface de leur corps.

Un paysage du Jurassique.

Le monde des dinosaures grouillait d'insectes qui volaient, rampaient ou creusaient la terre. C'est à leur époque que sont apparus les abeilles, les fourmis et les papillons. C'est aussi sous leurs pattes que le monde s'est couvert de fleurs !

Du vent et des insectes

Au début de l'ère secondaire, les forêts sont dominées par les fougères arborescentes, les cycadales et les conifères. La pollinisation de ces plantes est assurée par le vent ou par la pluie qui transportent le pollen émis par les organes mâles. Les grains de pollen atteignent alors, par hasard, les ovules d'autres individus et assurent la reproduction des plantes. Certains insectes se nourrissent de pollen, ce qui pourrait apparaître comme une forme de parasitisme. Mais, lorsqu'ils passent d'une plante à l'autre, ces insectes transportent des grains de pollen qui sont ainsi directement apportés aux ovules, au lieu d'être soumis aux caprices du vent. Les avantages de ce nouveau mode de pollinisation en dépassent donc largement les inconvénients. Au début du Crétacé, cette association entre plantes et insectes devient de plus en plus étroite.

Évolutions parallèles

Les libellules, les blattes et les punaises étaient nées à l'ère primaire. Depuis, de nouveaux groupes avaient fait leur apparition : les coléoptères (la famille des scarabées ou des coccinelles), puis les premières mouches, les abeilles et même quelques petits papillons… Une abeille du Crétacé, *Cretatrigona*, porte sur ses pattes des soies particulières, bien connues chez les abeilles actuelles. Ces soies constituent une adaptation à la pollinisation car elles fixent le pollen lorsque l'insecte se pose sur la plante. À la même époque apparaissent les premières fleurs, des organes végétaux dont la seule fonction est d'attirer les insectes ! Les couleurs des pétales et l'odeur des fleurs attirent les insectes qui trouvent là du nectar, un liquide sucré nourrissant, ainsi que du pollen à consommer et à transporter.

Fleur du Crétacé.

Insecte du Crétacé supérieur conservé dans l'ambre.

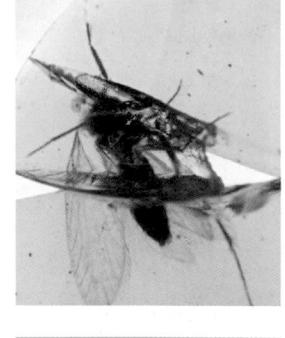

Les spécialistes

Les premières fleurs ressemblent à celles des magnolias actuels, avec de grands pétales ovales. Puis, comme les insectes, les fleurs se transforment et se spécialisent. Leurs pétales acquièrent des formes et des couleurs de plus en plus variées. Elles produisent des parfums attractifs pour les insectes. Aujourd'hui, certaines fleurs attirent une seule espèce d'insecte, qui elle-même dépend totalement de cette plante pour se nourrir.

À la fin du Crétacé, la flore présente un nouveau visage, qui nous paraîtrait bien plus familier. Les plantes à fleurs sont devenues dominantes. Aux côtés des conifères, poussent maintenant des noyers, des hêtres et des platanes.

Un paysage du Crétacé.

SPORES, GRAINES ET FLEURS

Les plus anciens végétaux terrestres, comme les mousses et les fougères, se reproduisent par l'intermédiaire d'éléments microscopiques, les spores. Les plantes à graines sont apparues plus tard, au Carbonifère. Chez ces plantes, la graine se forme lorsqu'un grain de pollen féconde un ovule. Celui-ci se transforme alors en graine, qui germe et produit un nouvel individu. Certaines plantes à graines, comme les conifères (appelés gymnospermes), ne portent pas de fleurs. Les premières plantes à fleurs, ou angiospermes, sont datées du Crétacé inférieur.

La faune marine

176

RÉCIFS ET PÉTROLE

Les récifs construits par les coraux ou par les rudistes sont peu à peu recouverts par de nouveaux individus et sont ainsi lentement enfouis dans le sous-sol. Ils constituent alors une roche calcaire poreuse, percée d'innombrables petites anfractuosités. Ces pores représentent parfois la moitié du volume de la roche. Lorsque du pétrole se forme dans le sous-sol, il arrive qu'il soit piégé dans cette roche « éponge ». Ainsi, une grande part des réserves de pétrole des Émirats arabes unis provient de récifs à rudistes !

Les mers littorales chaudes de l'ère secondaire s'étendaient loin au nord et au sud. *Muraenosaurus*, un reptile marin du Jurassique, a été découvert en Angleterre et en France, *Leedsichthys* (Jurassique) en Écosse. Ce poisson a été reconstitué à partir de 900 fragments d'os.

Hippurites, **rudiste du Crétacé supérieur trouvé en France. Les rudistes vivaient peut-être en association avec des algues microscopiques installées dans leurs propres cellules, comme les coraux.**

Au Crétacé, la montée du niveau de la mer noie d'immenses surfaces qui étaient situées à basse altitude. Ces nouvelles mers, chaudes et peu profondes, offrent un environnement idéal pour un grand nombre d'espèces animales.

Récifs à rudistes

Depuis l'ère primaire, les mollusques bivalves, telles les huîtres ou les coquilles Saint-Jacques, se sont beaucoup diversifiés. Les rudistes sont une famille de bivalves qui devient importante au Crétacé. Leur coquille est formée d'une valve en forme de cône atteignant jusqu'à un mètre de hauteur et d'une valve supérieure qui fait office de couvercle. Certains rudistes sont solitaires, mais d'autres forment des colonies denses. Ils construisent alors de véritables récifs offrant un abri aux poissons, aux oursins, aux crevettes ou aux limaces de mer, comme les récifs coralliens actuels.

Leedsichthys

Hesperornis

Rudistes

Ammonites

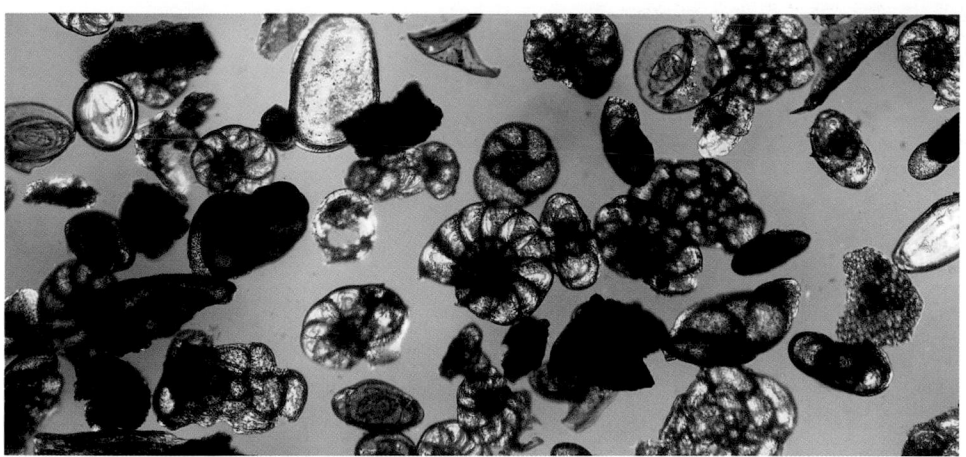

Foraminifères
(grossis 50 fois).
Les espèces actuelles
ne sont pas les mêmes
que celles qui vivaient
au Crétacé.

Foraminifères

Pour se nourrir, les rudistes filtraient l'eau de mer et captaient au passage le plancton et les débris en suspension dans l'eau. De même qu'aujourd'hui, le plancton était constitué d'algues et d'animaux minuscules, comme des petits crustacés, des vers nageurs, des larves d'oursins ou des foraminifères. Ces derniers sont des animaux unicellulaires protégés par une coquille calcaire enroulée sur elle-même. Bien qu'ils ne soient constitués que d'une seule cellule, ils atteignent jusqu'à 8 cm de diamètre ! Leurs coquilles (ou tests) se sont accumulées au fond des océans. On en connaît de nombreuses espèces fossiles, dont les tests permettent de dater les roches du Jurassique et du Crétacé. Ils sont toujours présents dans les océans actuels.

OISEAUX NAGEURS

Les océans abritent aussi de nombreux oiseaux marins, comme *Hesperornis* (Crétacé supérieur). Cet oiseau plongeur mesurait 1,80 m de haut. Il pêchait des poissons en nageant sous l'eau à l'aide de ses pattes postérieures. Son bec était muni de dents, une caractéristique héritée de ses ancêtres dinosauriens et qui n'avait pas disparu chez cette espèce. L'évolution avait été plus rapide pour une autre partie de son anatomie, puisqu'il avait déjà perdu la capacité de voler !

Poissons

Muraenosaurus

Poissons téléostéens

Profitant du plancton et des innombrables animaux qui vivent dans les récifs, les poissons ne manquent pas. Au cours de l'ère secondaire, les holostéens se diversifient et occupent tous les milieux, du grand large au bord de mer. Ces poissons aux grosses écailles en forme de losange ne sont plus aujourd'hui représentés que par quelques espèces cantonnées aux eaux douces. Ils ont laissé la place à un autre groupe, les téléostéens, qui sont les poissons modernes, semblables aux saumons ou aux daurades. Les téléostéens sont apparus au Trias, mais sont encore peu abondants. Parmi eux, *Leedsichthys* est le plus grand poisson découvert à ce jour. Il dépassait 15 m de long et était probablement un mangeur de plancton, comme les requins-baleines actuels. En effet, ses branchies étaient munies de filtres qui pouvaient retenir les minuscules animaux en suspension dans l'eau lorsqu'il nageait la gueule grande ouverte.

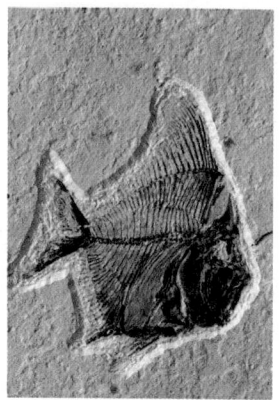

Diplomystus est un poisson du Crétacé supérieur. Il est similaire aux poissons actuels.

Mollusques nageurs

Les loges disposées en spirale sont bien visibles sur les fossiles d'ammonites coupés en deux.

Une ammonite nage au-dessus de la riche faune des fonds marins du **Crétacé** : oursins, crinoïdes, mollusques, crustacés, brachiopodes, vers, etc.

Les ammonites sont des mollusques nageurs caractéristiques des océans de l'ère secondaire qui jouaient un rôle écologique très important et atteignaient des tailles considérables.

Les ammonites

Les ammonites étaient des mollusques céphalopodes, la famille des seiches et des pieuvres. Elles étaient protégées par une coquille en forme de spirale aplatie constituée d'une série de loges. L'animal se tenait dans la dernière loge, la plus vaste, et en construisait régulièrement de nouvelles, chacune plus grande que la précédente. Il se déplaçait au moyen d'un « entonnoir », un petit tube qu'il pouvait orienter à volonté et par lequel il projetait de l'eau. Il était alors propulsé dans la direction inverse, comme un avion à réaction. Ses tentacules (probablement plusieurs dizaines) étaient munis de ventouses avec lesquelles il saisissait ses proies. Il les broyait ensuite entre ses mâchoires cornées semblables à un bec de perroquet.

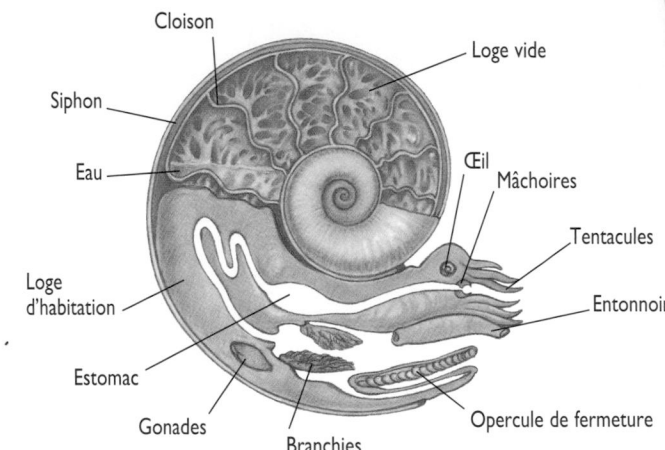

Cloison — Loge vide — Siphon — Eau — Œil — Mâchoires — Tentacules — Entonnoir — Loge d'habitation — Estomac — Gonades — Branchies — Opercule de fermeture

Asteroceras (Jurassique)
mesurait 8 cm. Certaines
ammonites dépassaient
2,50 m de diamètre !

Biodiversité

On connaît plus
de 5 000 espèces
d'ammonites, qui se
sont succédé tout au long
de l'ère secondaire. Elles se
distinguent par leur taille, leur
forme et l'ornementation de leur
coquille. Les cloisons internes deviennent
souvent visibles lorsque la coquille est usée,
et ce dessin permet alors de les identifier.
Certaines espèces vivaient probablement
en pleine eau et parcouraient les océans à la
recherche de poissons et de petites ammonites.
Les plus petites se nourrissaient de plancton.
D'autres vivaient près du fond, cherchant
les crabes, les coquillages ou les cadavres
d'animaux. Leurs fossiles dominent souvent
en nombre les autres espèces marines,
ce qui montre leur importance dans les mers
du Mésozoïque.

Didymoceras, une ammonite
« déroulée » de la fin
du Crétacé.

Bélemnites.

Les bélemnites

Les bélemnites étaient
également des Céphalopodes,
mais leur coquille était interne,
comme chez les seiches et les
calmars. Elles avaient un corps
très hydrodynamique qui leur
permettait d'atteindre une grande vitesse de nage. Elles se propulsaient par réaction,
comme les ammonites, et s'équilibraient au moyen de nageoires situées le long
du corps. Elles étaient carnivores et capturaient des poissons en pleine eau à l'aide
de leurs dix tentacules armés de crochets cornés. On n'en retrouve en général
que la partie la plus dure, le rostre, qui est situé tout à fait à l'arrière de l'animal.
Ammonites et bélemnites ont disparu à la fin de l'ère secondaire.

GROS CERVEAUX !

Comparés à leurs
cousins coquillages
ou escargots, les
Céphalopodes ont
de gros cerveaux, ce
qui est important pour
des animaux prédateurs
très mobiles.
À l'ère secondaire,
ils constituaient un
groupe aussi varié
et aussi abondant que
les Poissons. Aux côtés
des ammonites et des
bélemnites, vivaient
aussi des nautiles, dont
la famille avait évolué
à part depuis l'ère
primaire. Aujourd'hui,
il ne reste que
6 espèces de nautiles,
mais les seiches et les
calmars sont toujours
très abondants.

Rostre de bélemnite.
La partie élargie est
rarement trouvée
intacte.

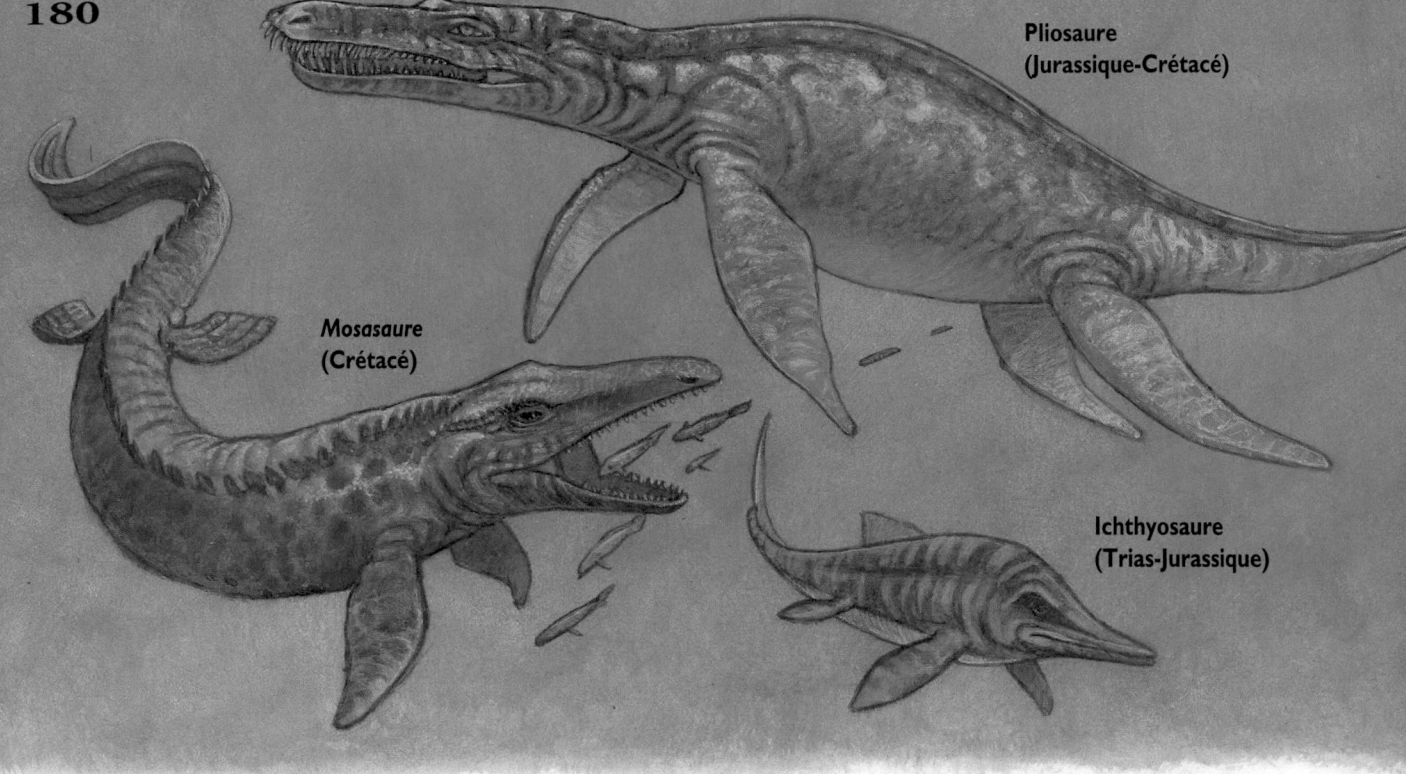

Pliosaure
(Jurassique-Crétacé)

Mosasaure
(Crétacé)

Ichthyosaure
(Trias-Jurassique)

Les dents de la mer

On connaît environ 500 espèces de reptiles marins fossiles, presque tous de l'ère secondaire.

ADAPTATION

Les fossiles ne permettent pas de connaître le degré d'adaptation de ces animaux au milieu marin. Ainsi, on ne sait pas où ils se reproduisaient. Les immenses mosasaures ou les plésiosaures au cou démesuré venaient-ils pondre leurs œufs à terre, comme les tortues marines ? Certains fossiles de plésiosaures ont été trouvés dans des roches continentales, montrant qu'ils s'aventuraient en eau douce, mais on ne sait pas si c'était pour se nourrir ou pour pondre.

Parmi les grands prédateurs marins de l'ère secondaire, les plus terribles étaient sans doute les reptiles marins. Très diversifiés, ils occupaient tous les milieux, des récifs du littoral à la haute mer.

Les ichthyosaures

Ils étaient abondants au Trias, mais se sont raréfiés au Jurassique. Les dernières espèces disparaissent au milieu du Crétacé, pour une raison encore inconnue. Ils semblent pourtant parfaitement adaptés au milieu marin. Ils passent leur vie entière en mer et donnent naissance à leurs petits sous l'eau. Les œufs se développent dans l'abdomen de la femelle et éclosent à l'intérieur. À la naissance, les petits sont déjà capables de nager.

Les plésiosaures et les pliosaures

Descendants des nothosaures du Trias, les Plésiosauriens ne nagent pas avec leur queue mais avec leurs pattes transformées en palettes natatoires. On a d'abord imaginé qu'ils s'en servaient comme des rames, d'avant en arrière, puis comme des ailes, sur le modèle des tortues marines (mais celles-ci n'utilisent que leurs bras). D'autres les comparent plutôt aux otaries qui combinent ces deux mouvements. Les Plésiosauriens ont évolué en deux types distincts, les plésiosaures au long cou et les pliosaures, bien plus massifs, avec un cou court et un crâne énorme. Ces prédateurs se nourrissaient d'ammonites, de poissons et d'autres reptiles marins.

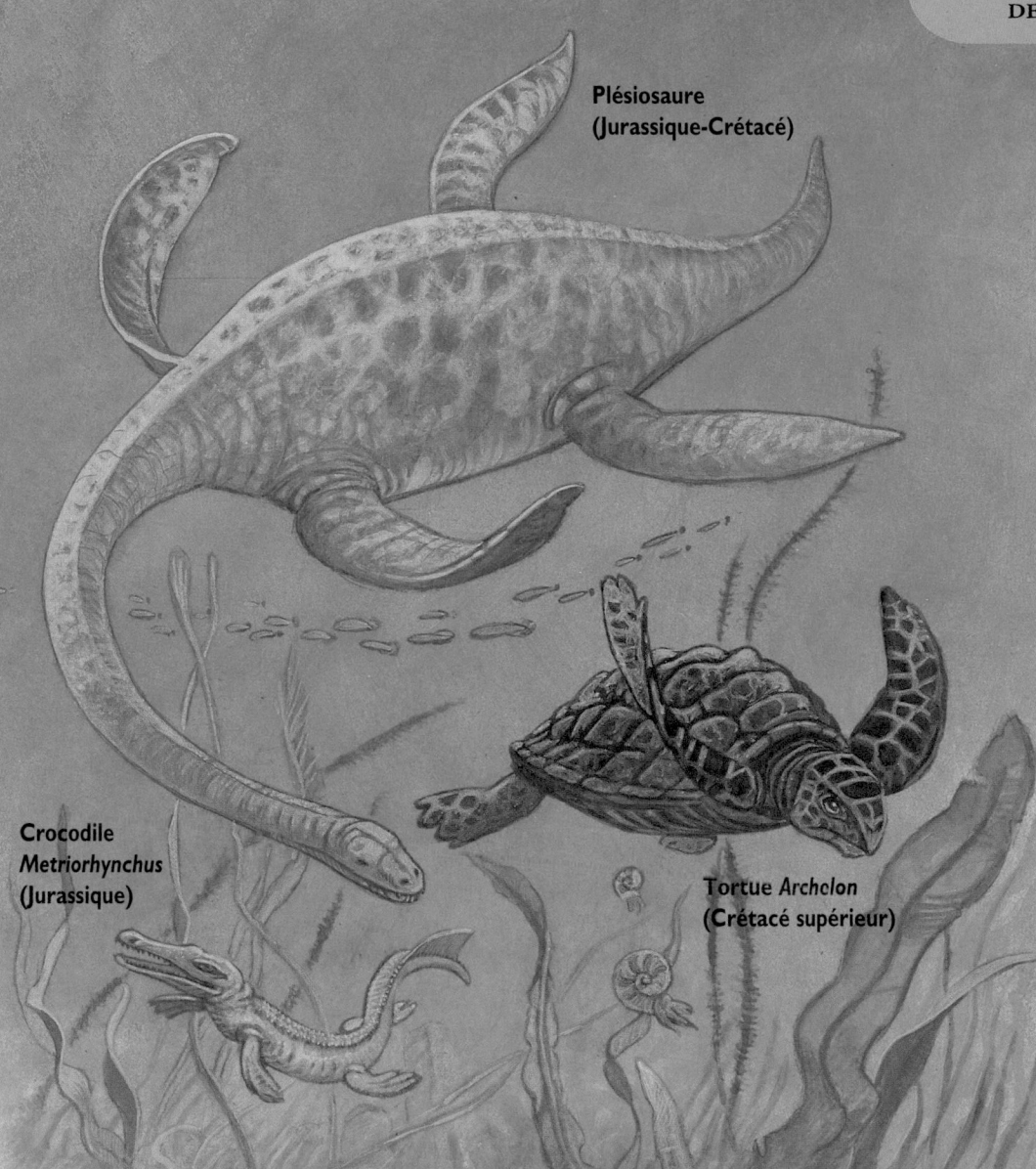

Plésiosaure
(Jurassique-Crétacé)

Crocodile
Metriorhynchus
(Jurassique)

Tortue *Archelon*
(Crétacé supérieur)

NARINES SOUS-MARINES

Tous ces reptiles respiraient à l'aide de poumons et non de branchies. Ils venaient donc régulièrement renouveler leurs réserves d'air en surface. Les narines des pliosaures semblent trop petites pour cela, mais les paléontologues supposent qu'elles avaient une autre fonction. Ces animaux nageaient la gueule entrouverte, l'eau passant dans des ouvertures dans le palais et ressortant par les narines situées un peu plus en arrière. Les odeurs étaient analysées au passage. Les pliosaures pouvaient ainsi repérer les proies à l'odorat.

L'eau est évacuée par les narines externes

Les pliosaures respiraient probablement par la bouche, les narines leur servant à repérer leurs proies, même sous l'eau !

Les mosasaures

Ces cousins des lézards et des varans apparaissent au Crétacé. Mesurant de 1 à 15 m de long, ils se distinguent par leur longue queue aplatie verticalement qui assurait leur propulsion. Ils se servaient aussi de leurs membres transformés en palettes natatoires. Ils se nourrissaient de poissons et d'autres reptiles. Certains d'entre eux avaient de grosses dents broyeuses, peut-être adaptées à la capture des ammonites.

Crocodiles, serpents et tortues

Tous ces reptiles sont caractéristiques de l'ère secondaire et ont disparu à la fin du Crétacé. D'autres espèces nous sont plus familières. Il existait de nombreuses espèces de crocodiles marins, assez différentes des espèces actuelles, des serpents marins au corps aplati en hauteur et des tortues marines. *Archelon*, une tortue du Crétacé supérieur dépassait 4 m de long.

Les dents des airs

Les ptérosaures sont des reptiles qui partageaient le milieu aérien avec les oiseaux. Certains d'entre eux ont été les plus grands animaux volants qui aient jamais existé.

Les ptérosaures

On en connaît une centaine d'espèces, qui se répartissent en deux groupes principaux. Les Rhamphorhynchoïdés se distinguent par leur longue queue, leur cou court et leurs bec armé de dents. Certains d'entre eux ont la taille d'un moineau et d'autres dépassent 2 m d'envergure. Ils sont surtout abondants au Trias et s'éteignent à la fin du Jurassique.

Les Ptérodactyloïdés apparaissent au Jurassique et se diversifient jusqu'à la fin du Crétacé. Leur queue est courte ou absente et leur grosse tête est portée par un long cou recourbé. Chez *Pteranodon*, le grand bec est contrebalancé par une longue crête osseuse dirigée vers l'arrière. Elle servait peut-être de gouvernail, pour compenser l'absence de queue, ou de contrepoids à la masse du bec. Il s'agissait peut-être aussi d'un ornement réservé aux mâles ou aux femelles.

Pterodactylus (Europe, Jurassique supérieur) mesurait 75 cm d'envergure. Sur ce fossile, on voit bien le long doigt qui soutenait le voile de peau.

CHAUDES AILES

Le vol battu demande beaucoup d'énergie musculaire. Pour certains paléontologues, ce type de vol ne peut être pratiqué que par des animaux à sang chaud, capables de produire cette énergie de façon constante et pendant de longues périodes. Une température constante suppose un système d'isolation pour éviter un refroidissement rapide, surtout en altitude. Des fossiles montrent que le corps des ptérosaures était couvert de poils et non d'écailles, comme une fourrure isolante.

De grands voiliers

L'aile est un mince voile de peau soutenue par le quatrième doigt de la main, très allongé. Au cours de leur évolution, certains ptérodactyles deviennent très grands, mais les os des bras et les vertèbres se creusent de cavités et s'allègent beaucoup. Ainsi, *Quetzalcoatlus* avait une envergure de 11 à 15 m mais ne pesait pas plus qu'un homme. L'étude de leurs articulations a montré que les ptérosaures pouvaient battre des ailes pour s'élever dans les airs. Ils étaient certainement capables de planer pendant des heures en tirant parti des courants d'air chaud.

Quetzalcoatlus n'est connu que par quelques os du bras (en rouge sur le dessin). Leur taille permet d'estimer son envergure. Leur forme l'apparente à *Pteranodon*.

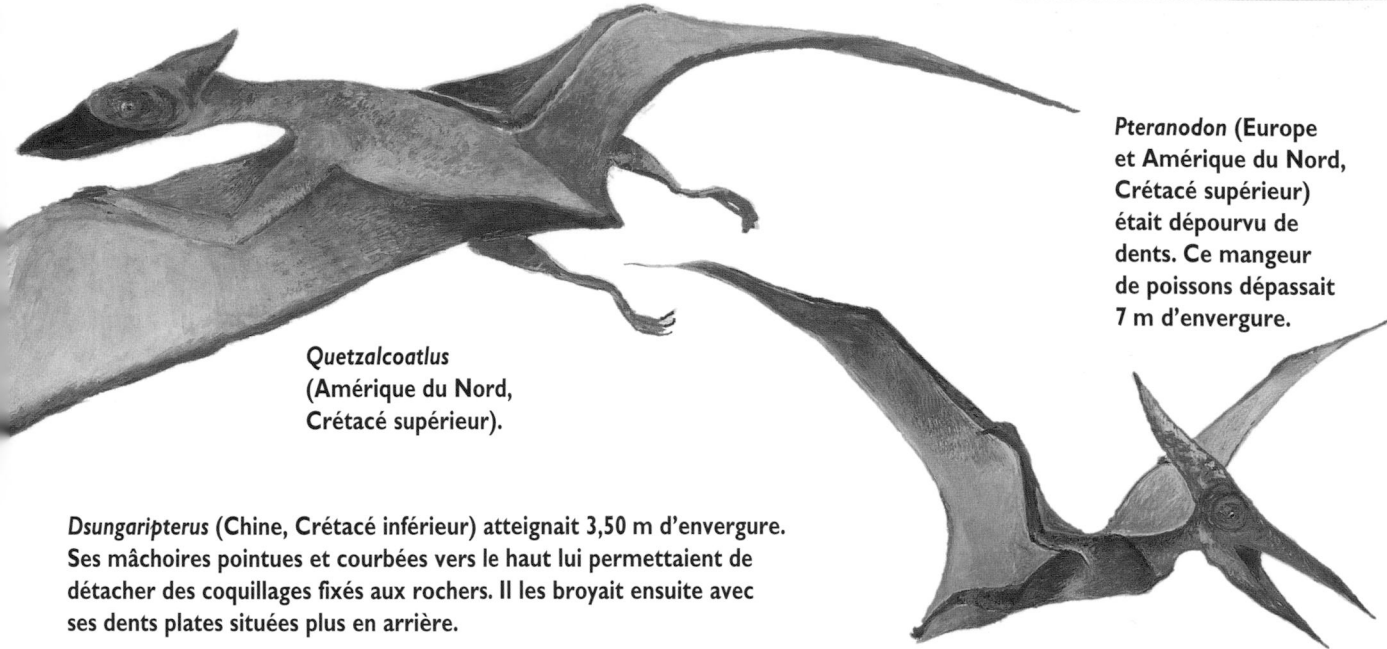

Pteranodon (Europe
et Amérique du Nord,
Crétacé supérieur)
était dépourvu de
dents. Ce mangeur
de poissons dépassait
7 m d'envergure.

Quetzalcoatlus
(Amérique du Nord,
Crétacé supérieur).

Dsungaripterus (Chine, Crétacé inférieur) atteignait 3,50 m d'envergure.
Ses mâchoires pointues et courbées vers le haut lui permettaient de
détacher des coquillages fixés aux rochers. Il les broyait ensuite avec
ses dents plates situées plus en arrière.

Des traces attribuées à
des ptérosaures laissent
penser qu'à terre, ils se
déplaçaient à 4 pattes,
en repliant l'extrémité
de leur aile vers le haut.

POSTE DE CONTRÔLE

Des paléontologues
ont réalisé des
reconstructions
informatiques
de cerveaux
de ptérosaures.
Ces moulages virtuels
montrent que les
centres visuels étaient
importants et que le
sens de l'odorat était
moins développé.
Le cervelet occupait
une grande place. Cette
partie du cerveau est
notamment responsable
de la coordination
des mouvements. Cela
permet de penser que
les ptérosaures étaient
d'excellents voiliers,
capables de décoller et
d'atterrir avec précision.

Amateurs de poisson

Plusieurs contenus stomacaux fossiles recèlent des poissons, mais les ptérosaures
ne pouvaient sans doute pas nager sous l'eau. Ils pêchaient peut-être en vol en
faisant glisser leur bec juste sous la surface de l'eau. Certains d'entre eux avaient
une poche de peau sous le bec, dans laquelle ils pouvaient conserver leurs prises
avant de les avaler ou de les rapporter au nid. Les becs des ptérosaures montrent
aussi une grande diversification au cours de l'ère secondaire. *Pterodaustro* avait
de longues dents fines, qu'il utilisait probablement pour filtrer le plancton dans
les marais côtiers, comme les flamants roses. Les grands ptérosaures dépourvus
de dents, comme les ptéranodons ou *Quetzalcoatlus*, étaient peut-être charognards.

À l'ombre des dinos

La sarigue actuelle
ressemble à certains petits
mammifères de l'ère
secondaire.

Petits mammifères du
Crétacé repérés par un
troodon. Ce prédateur était
sans doute actif la nuit. En
effet, les fossiles montrent
qu'il avait des yeux
particulièrement grands.

Les mammifères de l'ère secondaire
sont de petits animaux discrets, à l'allure
de musaraignes ou de sarigues. Ils se
ressemblent tous, mais ont pourtant
commencé à se diversifier. On distingue
déjà chez eux les caractéristiques des
grandes lignées actuelles de mammifères.

Petits et discrets

Les descendants des Cynodontes du Trias commencent
à avoir l'allure de véritables mammifères : ils portent une fourrure et allaitent leurs
petits. Les différentes lignées sont difficiles à distinguer car on n'en connaît le plus
souvent que quelques dents. La plupart d'entre eux ne sont pas plus gros qu'un rat,
mais quelques-uns atteignent la taille d'un renard. Ils se nourrissent d'insectes,
d'escargots, de vers et probablement aussi d'animaux morts. Quelques espèces sont
herbivores. D'après la forme de leurs pattes, on peut supposer que certains sont
de bons grimpeurs alors que d'autres creusent des galeries dans le sol. Ils devaient
être plus actifs la nuit, afin d'échapper à leurs principaux prédateurs, les « petits »
dinosaures carnivores, qui étaient bien plus gros qu'eux.

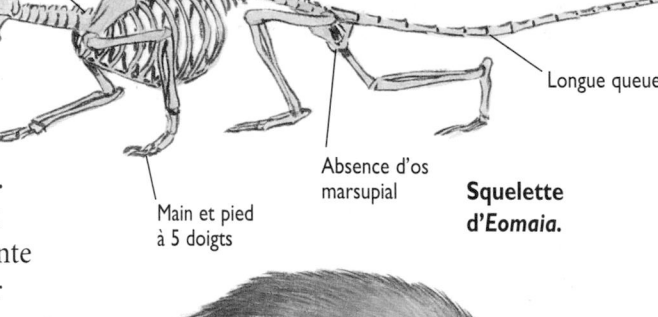

Articulation permettant
des mouvements dans
toutes les directions

Dents pointues
toutes différentes

Longue queue

Absence d'os
marsupial

**Squelette
d'*Eomaia*.**

Main et pied
à 5 doigts

La mère de l'aube

C'est ce que signifie *Eomaia*, le nom attribué au plus
ancien mammifère de type moderne qui ait été découvert.
Il vivait en Chine il y a 125 millions d'années. On connaît
son squelette entier et la roche a même conservé l'empreinte
de sa fourrure. Il mesurait à peu près 14 cm de long, pour
un poids de 20 à 25 grammes. Il grimpait facilement dans
les buissons, où il chassait des insectes. D'après la forme
de ses dents, on suppose que les femelles ne pondaient
pas d'œufs mais donnaient naissance à des petits qu'elles
allaitaient. *Eomaia* nous donne une bonne image
des ancêtres de tous les mammifères « modernes »,
qu'il s'agisse des vaches, des baleines ou des singes.

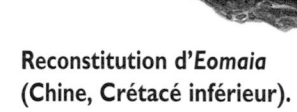

**Reconstitution d'*Eomaia*
(Chine, Crétacé inférieur).**

**Ce fossile d'*Eomaia* montre l'empreinte
de sa fourrure, autour du squelette.**

Les trois mammifères

C'est à l'ère secondaire que se sont séparées les trois lignées de mammifères que l'on
connaît aujourd'hui : les Monotrèmes, les Marsupiaux et les Placentaires. Les premiers
sont représentés uniquement par l'ornithorynque et les échidnés. Ils pondent des
œufs, mais allaitent leurs petits, un mélange de caractéristiques reptiliennes et
mammaliennes. Les marsupiaux donnent naissance à des petits encore à l'état larvaire,
qui achèvent leur développement dans la poche marsupiale de leur mère, accrochés
aux tétines. Ils comprennent de nombreuses espèces australiennes (kangourous,
koalas, etc.) et quelques espèces américaines (sarigues ou opossums). Chez
les mammifères placentaires, les embryons restent bien plus longtemps
dans le ventre de leur mère, nourris par l'intermédiaire d'un organe
spécial, le placenta. Le mode de reproduction n'est pas visible sur les
fossiles, mais leurs os permettent de les distinguer les uns des autres.

Repenomamus.

PAS SI PETITS

Certains mammifères
n'étaient pas si petits !
Repenomamus mesurait
1 m de long, pour un
poids d'une douzaine
de kilos. Découvert en
2004 en Chine, il vivait
au Crétacé inférieur.
Il était robuste et trapu
et se nourrissait de
petits animaux, un peu
comme les blaireaux
actuels. L'un des
fossiles montre que
l'animal avait mangé
un jeune psittacosaure.
Certains mammifères
n'étaient donc pas
seulement des proies
pour les dinosaures
carnivores, mais des
concurrents : c'est
une vision vraiment
nouvelle des relations
entre mammifères
et dinosaures !

La fin d'un monde

190
Fantaisies

188
Un événement
planétaire

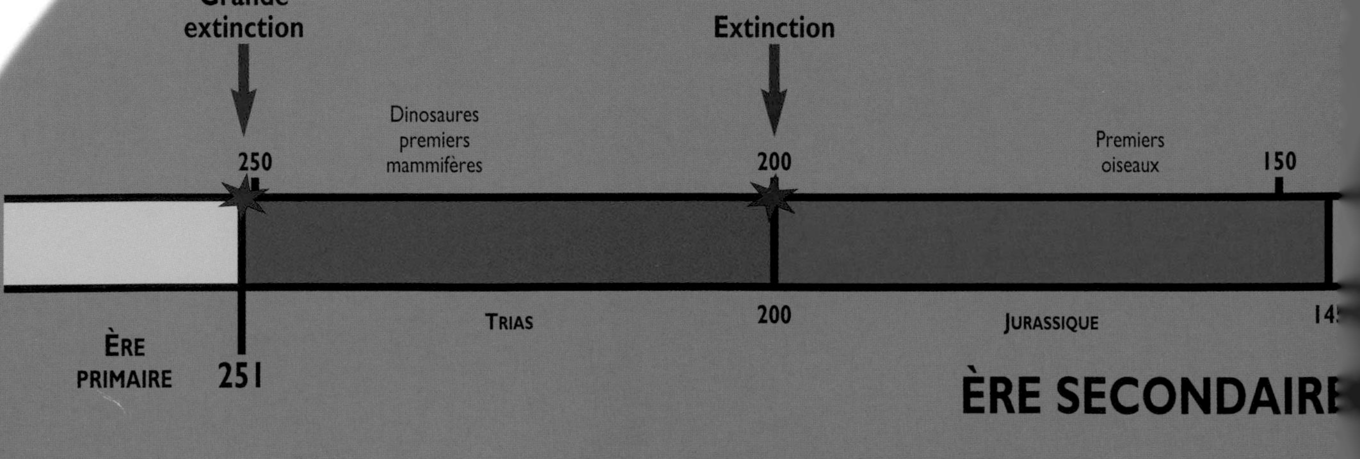

Grande
extinction

Extinction

Dinosaures
premiers
mammifères

Premiers
oiseaux

250

200

150

**ÈRE
PRIMAIRE**

251

TRIAS

200

JURASSIQUE

14:

ÈRE SECONDAIRE

La disparition des dinosaures est l'un des événements les plus étonnants de l'histoire de la vie. Depuis des dizaines de millions d'années, ils étaient parfaitement adaptés à leur milieu et se diversifiaient lentement, sans le moindre concurrent sérieux. Si des animaux aussi puissants ont pu disparaître brutalement, cela ne pourrait-il pas nous arriver aussi ?

192
Le vagabond
du ciel

194
Climat et volcans

196
Le grand hiver

Grande extinction

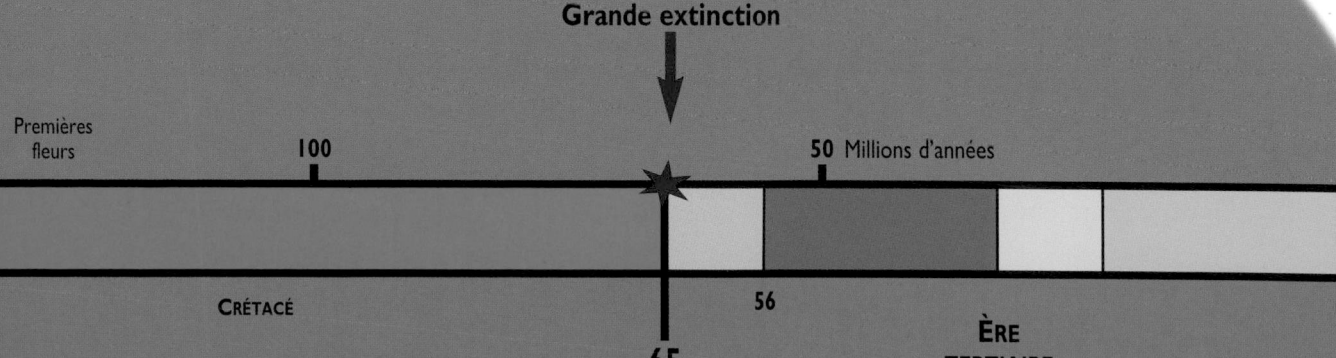

Premières fleurs

100

50 Millions d'années

CRÉTACÉ

56

65

ÈRE
TERTIAIRE

0

Fossile de *Dilophosaurus*. Aucun fossile de dinosaure n'a été trouvé dans des roches de moins de 65 millions d'années.

Un événement planétaire

Il y a 65 millions d'années, un événement a provoqué la disparition d'une grande partie de la faune de la Terre. Cette catastrophe biologique a laissé des traces encore bien lisibles : les fossiles enfouis dans le sous-sol.

LA LIMITE K-T

Les paléontologues ont beaucoup étudié la transition entre ère secondaire et ère tertiaire. Les Anglo-Saxons nomment cette limite « K-T », pour Crétacé-Tertiaire (K représente le Crétacé, car le C désigne une autre période, le Cambrien). Même sans tenir compte des fossiles, les géologues repèrent cette limite par un changement dans la nature des roches du sous-sol. La sédimentation a en effet subi des perturbations du fait d'importantes variations du niveau de la mer.

Disparitions

Dans les roches d'âge secondaire, les géologues trouvent des fossiles de dinosaures, de petits mammifères, d'oiseaux, de poissons ou de coquillages. Les roches situées juste au-dessus, donc un peu plus récentes, contiennent à peu près les mêmes fossiles mais avec des exceptions surprenantes. Les paléontologues n'y ont découvert aucun os de dinosaure comme si ces animaux avaient brutalement disparu à la fin du Crétacé. La limite entre les deux niveaux a été datée de 65 millions d'années.

Inventaire

Les paléontologues ont effectué un bilan précis des faunes terrestres et marines, avant et après cette limite. Globalement, trois espèces sur quatre disparaissent, mais les différentes familles ne sont pas également touchées. Les dinosaures et les ptérosaures sont totalement éliminés. Les mammifères subissent de fortes pertes, mais certaines espèces survivent. Dans les océans, les mosasaures et les plésiosaures sont anéantis (les ichthyosaures étaient éteints depuis plus de 30 millions d'années). Chez les mollusques, il ne subsiste plus aucune espèce d'ammonite, de bélemnite ou de rudiste.

Falaise de Zumaya (Espagne).
L'une des strates est une fine couche d'argile
grise qui marque le passage de l'ère secondaire
à l'ère tertiaire. Les fossiles sont très différents
de part et d'autre de cette limite.

Une catastrophe sélective

Cette grave crise biologique touche tous les milieux
mais sélectionne ses victimes. Presque tous les
animaux terrestres de plus de 25 kilos disparaissent.
Les petits dinosaures sont eux aussi éliminés mais pas
leurs cousins lézards, ni les serpents. Les animaux de
petite taille et à température constante, mammifères
ou oiseaux, résistent nettement mieux, de même que
les insectes ou les escargots. De nombreux animaux
d'eau douce échappent à la mort, même d'assez
grands crocodiles. En mer, des nautiles survivent
bien qu'ils soient de proches cousins des ammonites.
Les mollusques bivalves (la famille des huîtres et des
moules), les oursins, les étoiles de mer, les crustacés
et les poissons sont touchés, mais de nombreuses
espèces franchissent la limite Crétacé-Tertiaire.
Les espèces planctoniques sont gravement atteintes
et sont rapidement remplacées par les espèces
qui ont survécu.

Question de rythme

Pour comprendre ce qui s'est passé, il est important
de savoir si la disparition des animaux s'est effectuée
progressivement, au cours d'une très longue période,
ou bien en quelques années, voire en quelques mois.
On a longtemps supposé que les dinosaures avaient
lentement décliné pendant plusieurs millions
d'années avant leur disparition finale. On connaît
maintenant plus de 70 espèces de dinosaures qui
vivaient juste avant la crise, ce qui semble s'opposer
à l'hypothèse d'une extinction graduelle. Mais
d'autres familles semblent avoir vu leurs effectifs
diminuer peu à peu, avant de disparaître
définitivement à la fin du Crétacé.

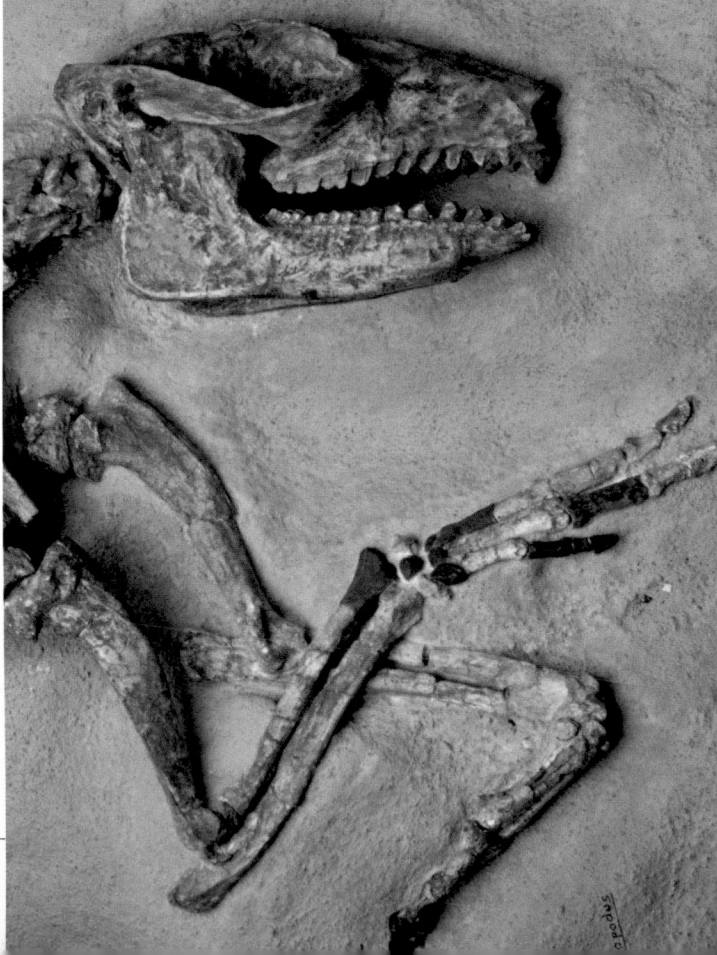

Fossile de notongulé. Avant 65 millions d'années,
les grands mammifères sont absents des archives fossiles.

Fantaisies

Certaines histoires ont une apparence scientifique, mais sont tout aussi fantaisistes : les dinosaures auraient été empoisonnés par les fleurs récemment apparues ou anéantis par un nouveau virus. Cela ne peut expliquer ni la mort d'un grand nombre d'espèces différentes (et pas seulement des dinosaures), ni même la mort d'une seule espèce !

Dès la découverte de leurs premiers fossiles, il était évident que les dinosaures avaient disparu depuis bien longtemps. Mais comment des animaux aussi imposants avaient-ils pu être éliminés de la surface de la Terre ? Pour trouver une explication, l'imagination n'a pas tardé à prendre le pas sur la science…

Inadaptation ?

Les dinosaures ont longtemps été considérés comme des animaux trop gros, trop lents ou trop stupides, en somme inadaptés à leur environnement et incapables par nature de survivre. Ils ont pourtant vécu pendant 165 millions d'années, évoluant sans montrer de signes évidents d'inadaptation ! On a aussi supposé que les changements de température avaient perturbé leur reproduction : on sait par exemple que les œufs de crocodiles donnent des mâles ou des femelles selon la température du sable dans lequel ils sont enterrés. Ainsi, les dinosaures n'auraient plus donné naissance qu'à des mâles. Mais cela n'explique pas pourquoi les crocodiles ont survécu et pas les dinosaures !

Dinosaures ayant mangé des champignons vénéneux.

Dinosaures ne trouvant pas de place dans l'arche de Noé.

CONTES DE FÉES

La disparition des dinosaures est un événement tellement surprenant dans l'histoire de la vie qu'il est naturel d'en chercher les causes. Il est tentant d'imaginer toutes sortes d'hypothèses qui peuvent paraître convaincantes. Mais la plupart d'entre elles ne reposent sur aucune preuve ou ne tiennent pas compte des faits observés. Ce sont en fait de simples contes de fées que l'on ne peut ni prouver ni rejeter, en dehors d'un mode de pensée scientifique.

Compétition ?

Selon une autre version de l'inadaptation des dinosaures, ils ont été vaincus dans la « lutte pour la vie ». Les petits mammifères ont mangé tous leurs œufs, provoquant évidemment leur disparition. Cette histoire de géants évincés par des petits mammifères plus malins a longtemps plu au public, probablement parce que nous sommes nous-mêmes des mammifères malins ! Mais les archives fossiles montrent que les mammifères prennent le dessus après la disparition des dinosaures et non avant.

Fournaise ?

De nombreux paléontologues pensent que l'une des causes probables de la catastrophe est la chute d'une météorite géante sur notre planète. Cette hypothèse a parfois été poussée à l'extrême. On a ainsi imaginé que l'explosion avait réchauffé l'atmosphère jusqu'à plus de 50 °C, une température fatale pour la plupart des animaux terrestres. Le choc aurait aussi pu libérer d'énormes quantités de méthane jusque-là enfouies sous les profondeurs océaniques. Ce gaz aurait alors déclenché d'immenses incendies sur l'ensemble des terres émergées. Mais on voit mal comment les oiseaux auraient survécu à cette fournaise, alors qu'ils ne peuvent se cacher ni sous l'eau ni sous terre.

On appelle souvent « dinosaure » quelque chose de gros, à la fois mal conçu et totalement dépassé et qui sera donc amené à disparaître tôt ou tard ! Cette comparaison repose sur la vieille idée que les dinosaures étaient inadaptés à leur environnement et que leur extinction était inéluctable.

Dinosaures exterminés par des extra-terrestres.

Dinosaures grillés dans un incendie mondial.

Une explication globale

Ces histoires ne tiennent pas compte de l'ensemble des observations effectuées par les chercheurs. L'explication doit prendre en compte non seulement l'extinction des dinosaures, mais aussi la disparition de nombreux autres animaux terrestres ou marins. Il faut aussi comprendre pourquoi certains groupes survivent mieux que d'autres. Qu'est ce qui a pu tuer à la fois les tyrannosaures et les foraminifères du plancton ? Pourquoi les ptérosaures ont-ils disparu et pas les oiseaux ?

Le vagabond du ciel

Depuis 1980, les géologues ont accumulé les indices prouvant qu'une météorite géante s'est écrasée sur la Terre, il y a 65 millions d'années. Cet événement pourrait être le responsable de la grande crise biologique de la fin du Crétacé.

Reconstitution d'une grosse météorite en route pour la Terre.

Le cratère correspondant à la limite Crétacé-Tertiaire est centré sur le village de Chicxulub, au Mexique. La mesure des anomalies de la gravité montre les 2 anneaux concentriques habituels pour les grands cratères.

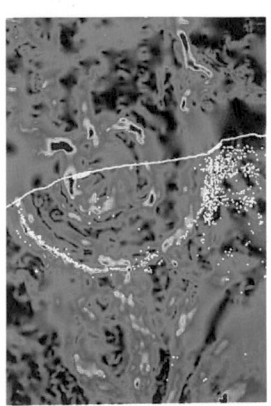

Des preuves

La première preuve est venue de l'iridium, un métal extrêmement rare dans les roches terrestres mais bien plus abondant dans les météorites. Des géologues ont mesuré une concentration anormale d'iridium dans une mince couche de roches situées précisément à la limite entre Crétacé et ère tertiaire. Cette anomalie a été observée dans plusieurs sites répartis sur la Terre entière. Les sédiments marins qui se sont déposés à la même époque ont livré d'autres indices comme des cristaux de quartz « choqués », semblables à ceux que l'on trouve au fond des cratères de météorites. Les géologues ont aussi trouvé des gouttelettes de roches fondues par la violence de l'impact, appelées microtectites.

Minéral choqué. Au moment de l'impact, l'énorme pression provoque de fines stries caractéristiques dans les cristaux des roches.

L'HIVER NUCLÉAIRE

Vers 1980, le monde vivait sous la menace d'un conflit nucléaire entre l'URSS et les États-Unis. Des chercheurs ont montré que l'explosion des stocks d'armes nucléaires des 2 pays aurait des conséquences similaires à celles de la météorite qui a frappé la Terre il y a 65 millions d'années. Personne ne serait sorti vainqueur d'un tel conflit, car les conditions de vie de la planète auraient été bouleversées, avec une baisse de 99 % de la lumière solaire au niveau du sol et une chute dramatique de la température. Cette menace d'un « hiver nucléaire » a frappé les esprits et certainement contribué au désarmement entrepris à l'époque.

Une mince couche noire, riche en iridium, formée après une roche du Crétacé (en dessous) et une roche de l'ère tertiaire (au-dessus).

Un cratère souterrain

La concentration de quartz choqués est particulièrement forte dans la région du golfe du Mexique, mais aucun cratère n'est visible en surface. Des sondages ont révélé la présence d'un cratère enfoui à 1 000 m sous terre. De légères anomalies de la gravité et du magnétisme terrestre ont permis d'en dessiner les contours. Le cratère a été recouvert par des sédiments qui se sont déposés par la suite. Son diamètre est estimé à près de 200 km, ce qui correspondrait au choc provoqué par une météorite de 10 km de diamètre ! L'âge de ce cratère est précisément celui de la couche riche en iridium : 65 millions d'années !

Le *Meteor Crater* de l'Arizona mesure 1200 m de diamètre. Il a été formé par la chute d'une météorite d'envrion 60 m de diamètre, il y a 50 000 ans.

MÉTÉORITES

La Terre reçoit environ 100 tonnes de météorites par jour. La plupart sont de simples grains de poussière, mais chaque année plusieurs milliers de météorites de plus de 1 kg tombent sur le sol, dont une centaine de plus de 100 kg ! On estime que notre planète rencontre une météorite de 10 km de diamètre tous les 100 millions d'années environ. Le débat sur les causes de l'extinction des dinosaures intervient aussi dans notre appréciation des dangers que court la Terre à circuler dans sa course intersidérale !

La catastrophe

La chute, à 60 000 km/h, d'une météorite de cette taille a provoqué un choc équivalent à 5 milliards de fois l'énergie dégagée par la bombe atomique lancée sur Hiroshima ! L'impact a instantanément tué toute vie à plusieurs milliers de kilomètres à la ronde. Ses effets ont très vite touché le monde entier. L'onde de choc a provoqué des tremblements de terre et des raz-de-marée tout autour de la Terre. Les roches pulvérisées dans l'explosion, provenant de la météorite et de la croûte terrestre, se sont dispersées dans l'atmosphère, masquant la lumière du soleil pour de longs mois. Une longue nuit glaciale s'est alors abattue sur notre planète.

Climat et volcans

S'il est pratiquement certain qu'une météorite géante ait frappé la Terre, cela ne prouve pas que l'explosion soit la cause unique de l'extinction des dinosaures. D'autres hypothèses sont avancées par les paléontologues.

CONTROVERSE

Certains paléontologues pensent que le cratère de Chicxulub a été creusé 300 000 ans avant l'extinction des dinosaures. Il serait plus petit qu'on ne le pense et la météorite n'aurait eu que des effets locaux. Ces chercheurs supposent que d'autres impacts se sont produits par la suite, à la limite Crétacé-Tertiaire et 100 000 ans après. Mais d'autres scientifiques doutent que plusieurs énormes météorites aient pu frapper la Terre en si peu de temps.

En 1991, l'éruption du Pinatubo (Philippines) a provoqué une baisse de 0,5 °C de la température moyenne de l'atmosphère mondiale. C'était l'une des plus fortes éruptions du siècle, et pourtant de faible intensité par rapport au volcanisme du Deccan.

Climat

À la fin du Crétacé, le niveau marin s'est abaissé d'une centaine de mètres. Les mers peu profondes qui bordaient les continents ont alors été asséchées, provoquant la disparition de nombreuses espèces marines. La surface des continents a beaucoup augmenté ce qui a modifié le climat. Les animaux ont été confrontés à des hivers plus froids et des étés plus chauds et secs. Contrairement aux effets d'une météorite, cette crise s'est déroulée sur une longue période. Il est cependant peu probable qu'à eux seuls ces bouleversements aient pu provoquer une extinction aussi générale.

Laves et cendres

À la même époque, la Terre a subi un épisode volcanique particulièrement important. On observe aujourd'hui d'énormes accumulations de basalte dans le Deccan, en Inde. Cette roche formée par refroidissement de lave volcanique couvre des centaines de milliers de kilomètres carrés. L'épaisseur du basalte atteint par endroits plusieurs milliers de mètres, ce qui montre l'importance des éruptions. Celles-ci se sont produites à la même époque que la chute de la météorite, mais se sont étalées sur plus de 100 000 ans. Un volcanisme aussi intense peut agir sur le climat terrestre. En effet, les projections de cendres forment des nuages sombres qui interceptent la lumière du soleil. De plus, certains gaz émis par les volcans provoquent des pluies acides et peuvent aussi modifier le climat.

Traps du Deccan (Inde). Ces formes sont caractéristiques des anciennnes coulées de laves basaltiques.

CATASTROPHISME

L'hypothèse d'une météorite a redonné vie au vieux débat sur l'importance des catastrophes dans l'histoire de la Terre. L'abandon du « catastrophisme » au cours du XIXᵉ siècle avait permis à la géologie de progresser car les chercheurs devaient décrire des mécanismes réels et progressifs pour expliquer les phénomènes terrestres au lieu d'invoquer des catastrophes impossibles à prouver. Le recours à une explication « catastrophique » a donc été difficile à accepter pour beaucoup de géologues.

Coup de grâce

L'hypothèse « volcan » ressemble un peu à l'hypothèse « météorite », au moins dans ses effets : un assombrissement de l'atmosphère et une baisse globale de la température. La différence essentielle est la durée de l'événement : quelques mois pour la météorite, plusieurs centaines de milliers d'années pour les volcans. Il est en fait difficile de choisir entre ces deux hypothèses car il faudrait pouvoir déterminer la vitesse d'extinction des animaux, ce qui est justement l'un des points de désaccord entre les paléontologues. La plupart d'entre eux pensent cependant que les trois événements se sont effectivement produits et ont conjugué leurs effets. La chute de la météorite n'aurait-elle fait que donner le « coup de grâce » à des écosystèmes déjà très éprouvés par le changement global du climat et un volcanisme particulièrement intense ?

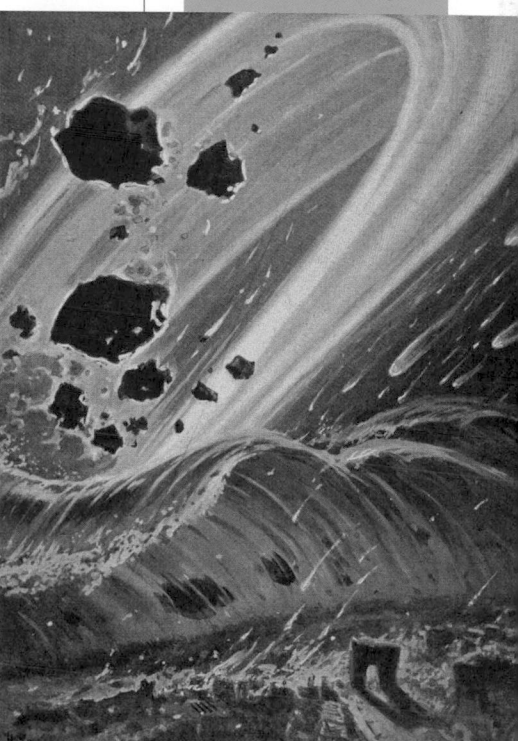

Vue imaginaire d'une pluie de météorites provoquant une catastrophe planétaire !

Le grand hiver

ADAPTATION OU CHANCE ?

Il est impossible de s'adapter à des événements à la fois rares et catastrophiques : la sélection naturelle ne peut agir que si elle est suffisamment lente et faible pour ne pas provoquer la mort immédiate de tous les individus de l'espèce ! Les animaux sont décimés au hasard, mais certaines espèces sont favorisées. Elles ne sont pas adaptées à la chute d'une météorite, mais sont simplement plus aptes à résister aux nouvelles conditions de vie créées par l'événement.

Grâce aux indices accumulés par les paléontologues, on peut imaginer ce qui s'est passé à la fin du Crétacé. L'hypothèse d'une Terre plongée dans l'obscurité permet d'expliquer une grande partie des faits observés par les chercheurs.

Une longue nuit

Les poussières provenant de l'explosion de la météorite ou les cendres des volcans ont assombri le ciel pendant plusieurs mois, peut-être plusieurs années. Faute de lumière, les plantes ont dépéri, privant de nourriture les grands herbivores terrestres. La température a chuté, provoquant la mort de nombreux animaux. En mer, les chaînes alimentaires ont été bouleversées pour les mêmes raisons : les minuscules algues planctoniques ont péri, ainsi qu'une grande partie du plancton animal. Les consommateurs de plancton, comme les petites ammonites, sont rapidement morts de faim, suivis par les prédateurs, grandes ammonites et reptiles marins.

Mangeurs de débris

Cette hypothèse explique la meilleure survie des animaux
d'eau douce. Les chaînes alimentaires des milieux
aquatiques reposant plus sur les débris de plantes que
sur la végétation vivante. Les petits animaux vivant dans
la vase consomment la matière organique qui s'accumule
au fond des marais et des fleuves. Ils servent de proies
aux poissons eux-mêmes chassés par les tortues et les
crocodiles. Ces derniers apprécient aussi les cadavres
d'animaux morts. Même si toutes les plantes meurent,
la faune aquatique peut subsister assez longtemps.
De plus, ces animaux sont capables de supporter des périodes de sécheresse en vie
ralentie, bien cachés dans la boue. C'est le cas de certains poissons, de crapauds,
d'insectes ou même de crocodiles. En mer, des mangeurs de débris, comme les
crabes ou les étoiles de mer, ont pu continuer à se nourrir presque normalement.
Sur la terre ferme, les plus petits animaux ont trouvé des graines, des débris végétaux
et des cadavres d'animaux qui les ont nourris pendant quelques mois. Réfugiés
au fond de leurs terriers, ils pouvaient aussi résister plus efficacement au froid.

Les survivants

Certaines caractéristiques biologiques ont permis aux animaux de mieux supporter
les conséquences de la chute de la météorite. Ainsi, les espèces à température
constante, comme les mammifères et les oiseaux, sont moins dépendantes
de la température extérieure, ce qui expliquerait leur meilleure survie. De même,
les espèces qui vivent au bord de la mer subissent quotidiennement d'énormes
variations d'humidité et de température. Elles sont donc habituées à supporter
de grands changements de leur environnement.

**Loir en hibernation.
Certains mammifères
passent l'hiver en vie
ralentie. Cette aptitude
pourrait les sauver
en cas de catastrophe !**

**Un obscurcissement
de l'atmosphère, intense
mais de courte durée,
permet d'expliquer
le bouleversement des
chaînes alimentaires
terrestres et marines.
Il permet aussi de
comprendre comment
certains animaux ont
survécu. Mais on n'a
aucune preuve directe
d'un tel événement !**

Le temps des mammifères

204

Chevaux, tapirs
et rhinos

202

Le petit peuple
des hautes branches

200

Un monde
nouveau

Premières baleines

Premiers
singes

60

50

40

CRÉTACÉ

PALÉOCÈNE

56

ÉOCÈNE

ÈRE SECONDAIRE

65

ÈR

Après la disparition des reptiles géants, le monde devait paraître presque vide aux yeux des survivants. En quelques millions d'années, les oiseaux et les mammifères vont combler les manques. Les nouvelles faunes qui vont peupler les continents et les océans seront encore plus riches et diverses que les précédentes. C'est le temps des chevaux, des singes et des baleines !

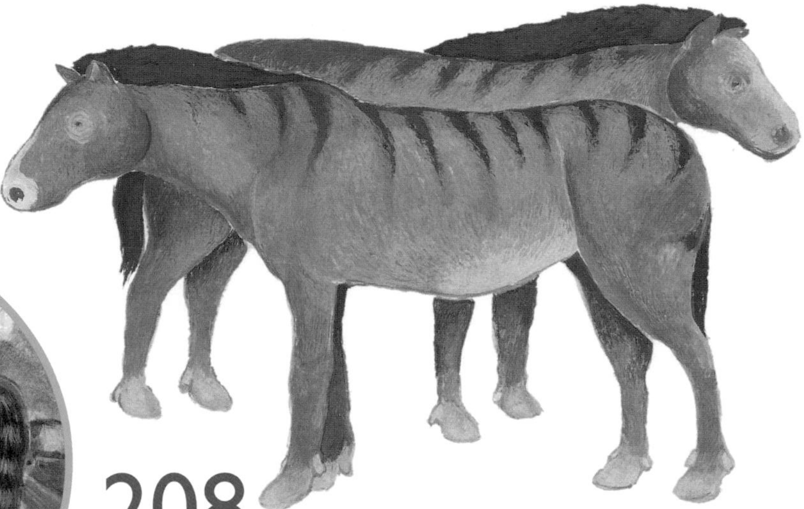

206
Baleines coureuses

208
Dangereux oiseaux

210
La grande coupure

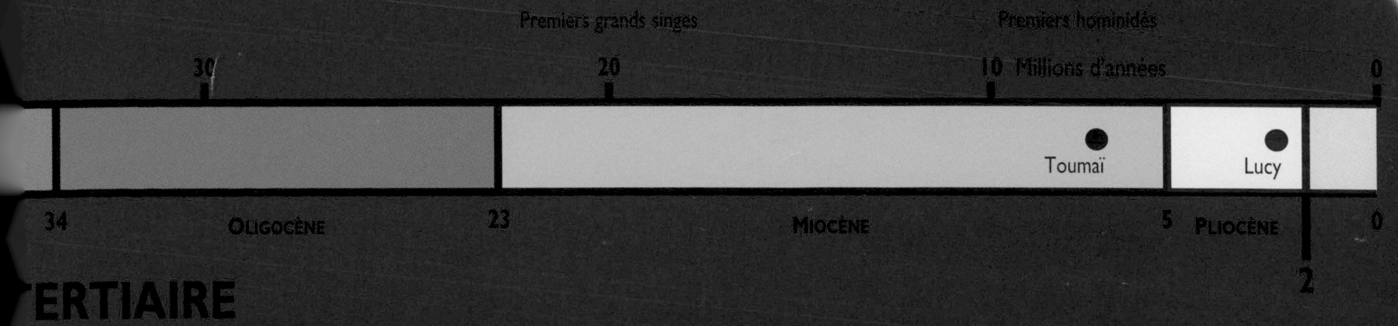

Premiers grands singes

Premiers hominidés

30   20   10   Millions d'années   0

Toumaï

Lucy

34   OLIGOCÈNE   23   MIOCÈNE   5   PLIOCÈNE   0

2

ERTIAIRE

Un monde nouveau

NICHES ÉCOLOGIQUES

Dans la nature, les espèces ne sont pas distribuées au hasard. Chaque milieu comprend des petites espèces et des grandes, des herbivores, des carnivores et des mangeurs de débris, des coureurs et des grimpeurs, etc. Chaque espèce occupe une « niche écologique » précise, qui n'est pas simplement son habitat, mais aussi tout ce dont elle a besoin pour vivre, comme sa nourriture et le climat qu'elle supporte. Si un rôle n'est pas assuré, la place est rapidement occupée par une nouvelle espèce, par évolution sur place d'une espèce déjà présente ou par l'arrivée d'animaux d'une autre région.

Après l'hécatombe qui marque la fin du secondaire s'ouvre une ère nouvelle. Les Mammifères, qui étaient jusque-là restés très discrets, vont connaître une évolution étonnante, bien plus rapide et variée que celle des dinosaures.

Une bonne croissance

Depuis longtemps, la famille des Mammifères avait donné naissance à des lignées différentes, comme les Marsupiaux et les Placentaires. Mais au début de l'ère tertiaire, cette diversité concerne surtout leur mode de reproduction et n'est pas encore très visible : les espèces sont toutes de petite taille et d'apparence peu variée. Leur évolution va brusquement s'accélérer. Leur taille moyenne passe d'environ 100 g à près de 1 kg. Cela ne signifie pas que toutes les espèces grandissent, mais que certaines d'entre elles deviennent nettement plus grandes que leurs ancêtres. Les premiers « géants », de la taille des hippopotames actuels, apparaissent en moins de 10 millions d'années.

Icaronycteris

Hyaenodon

Paramys

Innovations

Parallèlement, le nombre d'espèces augmente brutalement. Certaines familles évoluent vers des types écologiques nouveaux : 15 millions d'années après le début de l'ère tertiaire, les Mammifères comptent parmi eux des coureurs, des sauteurs, des nageurs, des fouisseurs, des planeurs et même de véritables animaux volants. Ils se répartissent sur toute la terre et occupent tous les milieux, des déserts brûlants aux pôles glacés ; ils envahissent la cime des arbres, les marais d'eau douce, les océans et les hautes montagnes. Quelques innovations vont se révéler très importantes pour leur succès biologique, comme les grandes incisives des rongeurs, les carnassières des carnivores ou les ailes des chauves-souris.

Profiteurs

La disparition des dinosaures et de nombreuses autres espèces a laissé un vide. Il n'existe plus sur la terre ferme ni de grands herbivores ni de grands carnivores. Comme la nourriture disponible est plus abondante et que les prédateurs sont bien moins nombreux, l'évolution vers des formes plus grandes est moins risquée qu'à l'époque des dinosaures et devient même très avantageuse. Avec une sélection moins intense, des formes vraiment nouvelles peuvent apparaître sans être aussitôt éliminées. Elles ont le temps de s'adapter aux nouveaux prédateurs qui sont eux-mêmes en train d'évoluer. Les Mammifères n'ont pas remplacé les dinosaures parce qu'ils étaient mieux adaptés : ils ont simplement profité de leur disparition !

À l'Éocène (vers – 50 millions d'années), la faune comprend déjà les principales catégories écologiques de Mammifères : grands ongulés herbivores (*Hyracodon*), grands carnivores (le créodonte *Hyaenodon*), rongeurs (*Paramys*), primates (*Plesiadapis*), petits carnivores grimpeurs (*Miacis*), gros herbivores amphibies (*Coryphodon*), cétacés (*Protocetus*), chauves-souris (*Icaronycteris*).

Plesiadapis

Protocetus

Coryphodon

Hyracodon

Miacis

Carpolestes a été décrit en 2002. Il avait la taille d'un hamster et des dents semblables à celles des rongeurs, trop différentes de celles des singes pour pouvoir le considérer comme leur véritable ancêtre.

Le petit peuple des hautes branches

Des petits mammifères ont commencé à exploiter un milieu nouveau, la cime des arbres. Ils y trouvent une nourriture presque inépuisable ainsi qu'un abri sûr contre les prédateurs.

PRIMATES

Les plus anciens primates connus ont environ 55 millions d'années, mais l'étude de l'ADN des espèces actuelles laisse penser que leur origine date d'il y a 80 millions d'années, au milieu du Crétacé. Pour certains paléontologues, cette date est trop ancienne : l'ADN serait une horloge trop peu précise pour évaluer de telles durées. Pour d'autres, cet écart entre les dates disparaîtra au fur et à mesure de la découverte de nouveaux fossiles.

Pouce opposable

Carpolestes vivait à la fin du Paléocène, il y a 56 millions d'années, dans les forêts d'Amérique du Nord. Il est connu par un squelette exceptionnellement complet pour un petit mammifère aussi ancien. Ses longs doigts et son pouce opposable lui permettaient de grimper facilement à la cime des arbres, mais ses coudes n'étaient pas suffisamment souples pour qu'il ait pu bondir de branche en branche. Il ne pouvait sans doute pas évaluer les distances avec précision car ses yeux étaient situés sur les côtés de la tête. *Carpolestes* appartient au groupe des Plésiadapiformes, qui sont de proches parents des premiers singes.

Comme des singes

À l'Éocène, les primates sont abondants dans les forêts chaudes et humides du monde entier. Ils ressemblent alors plus à des lémuriens qu'à de vrais singes. Beaucoup d'entre eux avaient de grands yeux qui leur permettaient d'être actifs la nuit. Ils pourchassaient leurs proies, essentiellement des insectes, dans les hautes branches des arbres, mais par la suite, ils ont évolué vers un régime alimentaire à base de feuilles et de fruits. Dans les arbres, ces petits primates rencontraient de proches cousins, les Dermoptères ou lémurs volants, et des chauves-souris. Toutes ces espèces ont en commun un os de la cheville dont la forme permet au pied d'agripper les branches. Par la suite, cette aptitude a été perdue par certaines espèces, dont la nôtre !

Le maki est un lémurien qui vit à Madagascar. Les lémuriens actuels ressemblent beaucoup aux premiers primates, qui vivaient il y a 50 millions d'années.

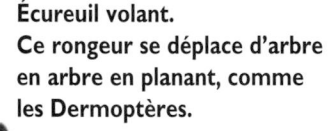

Écureuil volant.
Ce rongeur se déplace d'arbre
en arbre en planant, comme
les Dermoptères.

Le colugo, ou galéopithèque,
est l'un des rares dermoptères actuels.
Chez ces espèces, les bras sont également
reliés au cou et les jambes à la queue, ce qui
augmente la surface portante de leur « aile ».

Planeurs et volants

Les Dermoptères vivent encore aujourd'hui dans les forêts tropicales. Lorsqu'ils s'élancent d'une branche, ils étendent leurs quatre membres de manière à tendre une « voile » de peau qui relie les poignets, les chevilles et la queue. Ils peuvent ainsi planer sur plus de 100 m. On reconnaît leurs ancêtres à leurs dents, mais on ne sait pas vraiment s'ils étaient capables de planer. À l'inverse, les plus anciennes chauves-souris connues étaient déjà capables de battre des ailes. Leurs ancêtres étaient probablement proches de *Carpolestes* ou des Dermoptères, mais on n'a pas encore découvert de fossiles « intermédiaires », qui permettraient de comprendre comment ils sont passés de l'état d'animal grimpeur à celui d'animal volant !

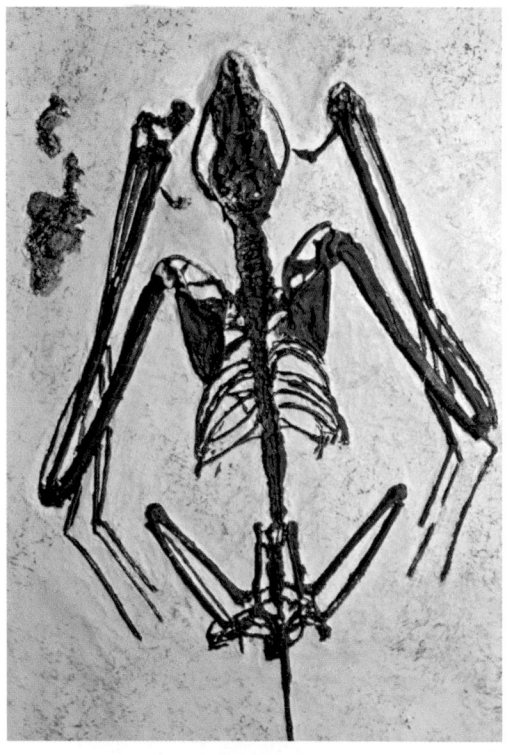

La plus ancienne chauve-souris connue est la petite *Icaronycteris* (12 cm de long) qui vivait, il y a 45 millions d'années, en Amérique du Nord. Elle ressemblait déjà beaucoup à certaines chauves-souris actuelles, mais avait conservé des caractéristiques archaïques comme des dents très nombreuses.

VIVRE EN TROIS DIMENSIONS

Les animaux qui vivent à la cime des arbres se déplacent dans 3 dimensions et non 2 comme le font les animaux terrestres. Ils sont donc confrontés à un danger supplémentaire, le risque de chute. Ce mode de vie suppose des adaptations particulières, comme un cerveau de grande taille et des yeux dirigés vers l'avant permettant d'évaluer les distances rapidement et sans erreur. La vision des couleurs est une autre innovation, utile pour repérer facilement les fruits et les jeunes feuilles, plus tendres et plus nourrissantes.

Chevaux, tapirs et rhinos

À l'Éocène, apparaissent plusieurs lignées d'animaux à sabots. Parmi eux, les Périssodactyles vont connaître un grand succès pendant la première moitié de l'ère tertiaire, avec les ancêtres des chevaux, des tapirs et des rhinocéros.

Phenacodus, ou une espèce très semblable, est à l'origine de tous les Périssodactyles.

Heptodon (à droite) et *Hyrachius* (ci-dessous).

Les fossiles de ces animaux ne donnent qu'une image tronquée de la diversité de ce groupe à l'Éocène. Ils se ressemblaient mais n'occupaient pas exactement les mêmes milieux. Ils ne mangeaient pas non plus les mêmes plantes. Cette spécialisation évitait une concurrence trop intense qui aurait abouti à la disparition de plusieurs espèces.

Une image de l'ancêtre

Ces animaux sont aujourd'hui très différents, mais leurs ancêtres se ressemblaient beaucoup. Les fossiles montrent que ces trois lignées n'en formaient qu'une il y a 60 millions d'années. Elles descendent, en fait, d'une unique espèce ancestrale qui n'est pas encore connue, mais que l'on peut imaginer. Elle ressemblait probablement à *Phenacodus*, un herbivore de la taille d'un mouton qui vivait à cette époque. Ses doigts étaient protégés par des petits sabots. Cette espèce était abondante en Amérique du Nord et en Eurasie.

Les trois lignées

Heptodon vivait, il y a 55 millions d'années, en Amérique du Nord. Ce tapir primitif mesurait seulement 1 m de long. Ses membres et son crâne sont similaires à ceux des gros tapirs actuels, mais il n'avait pas leur petite trompe caractéristique. L'un de ses proches cousins, *Hyrachius*, était l'un des premiers rhinocéros. Plus récent qu'*Heptodon*, il était un peu plus grand et ses dents ressemblaient plus à celles des rhinocéros, mais il n'avait pas de corne. Il vivait en Amérique du Nord et en Europe. L'ancêtre du cheval le plus lointain que l'on connaisse est *Hyracotherium*, un herbivore de la taille d'un renard, qui vivait il y a 55 millions d'années. Tous ces animaux avaient un air de famille, mais leurs lignées se sont ensuite nettement séparées.

Hyracotherium (Eurasie et Amérique
du Nord, Éocène). Cette espèce a
également été nommée *Eohippus*
(« cheval de l'aube »).

Plus grands, plus rapides

Avec son dos arrondi et son cou court,
Hyracotherium n'avait pas vraiment l'allure d'un
cheval. De plus, ses pattes portaient quatre doigts à l'avant
et trois à l'arrière. Il vivait en forêt et se nourrissait de feuilles. Parmi ses
descendants, certaines espèces ont évolué vers des formes plus grandes. Leurs
pattes se sont allongées et le nombre de doigts s'est réduit, passant de 4 à 3 puis
à un seul à chaque membre. Il y a 20 millions d'années, leur régime alimentaire
a changé : les mangeurs de feuilles ont laissé la place à des brouteurs d'herbe,
une nourriture bien plus dure qui nécessite des dents à croissance continue. L'un
de ces descendants d'*Hyracotherium* est *Merychippus*, qui vivait, il y a 15 millions
d'années, en Amérique du Nord.

PAIRS OU IMPAIRS

Chez les
Périssodactyles,
le nombre des doigts
est souvent réduit
à 3 (tapirs, rhinocéros)
ou 1 doigt (cheval).
Les Artiodactyles sont
également des animaux
à sabots (ongulés), mais
leurs pattes portent
sur 2 doigts (vache) ou
4 (cerf ou sanglier, par
exemple). Ces 2 lignées
descendent d'un même
ancêtre, mais celui-ci
est encore inconnu.

LE BUISSON DES CHEVAUX

L'histoire du cheval
n'est pas une évolution
en ligne droite
qui aurait vu la
transformation d'un
petit herbivore de forêt
en destrier de grande
taille. Leur arbre
généalogique est en
fait un buisson touffu
dans lequel apparaissent
et disparaissent des
dizaines d'espèces
différentes, qui se
sont presque toutes
éteintes. Il ne reste
plus aujourd'hui que
quelques espèces :
les chevaux, les zèbres
et les ânes, de très
proches cousins
puisqu'ils peuvent
encore s'hybrider.

Merychippus est un
cheval à 3 doigts
mesurant 1 m au garrot.
C'est l'un des premiers
chevaux à manger
seulement de l'herbe.

Baleines coureuses

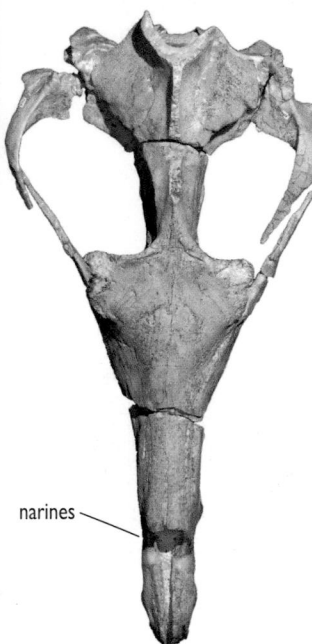

Basilosaurus (Éocène supérieur, vers – 45 millions d'années).

Crâne fossile d'*Artiocetus* trouvé au Pakistan (– 47 millions d'années). Cette baleine primitive n'avait pas d'évent mais des narines à l'avant du museau.

narines

Ambulocetus (– 50 millions d'années) a des caractéristiques de Cétacé, mais il avait le mode de vie d'une otarie.

Les ancêtres des baleines et des dauphins galopaient sur la terre ferme ! Des fossiles récemment découverts nous permettent d'imaginer comment des quadrupèdes terrestres se sont transformés en Cétacés.

La reine des baleines

Malgré son nom (« le roi des reptiles »), *Basilosaurus* était un Mammifère. Il avait la taille d'une baleine mais sa mâchoire était armée de dents et non de fanons. À la différence des cétacés actuels, il ne possédait pas de véritable évent, mais des narines situées au milieu du museau. Il devait donc sortir en partie la tête de l'eau pour respirer. Il se propulsait à l'aide de sa longue queue flexible et ses bras étaient transformés en nageoires. Il possédait aussi deux pattes postérieures, qui ne pouvaient lui servir ni à marcher ni à nager, car elles étaient bien trop petites. Les Cétacés ont par la suite perdu toute trace extérieure de leurs membres postérieurs, comme le montrent les fossiles plus récents. Longtemps, les paléontologues n'ont pas pu décrire les premières étapes de l'évolution des baleines, faute de fossiles.

Les sabots des baleines

Un fossile d'*Ambulocetus* a été trouvé au Pakistan en 1994. Cet animal vivait, il y a 50 millions d'années, dans une région côtière. De la taille d'une grosse otarie, il menait une vie amphibie, mi-terrestre, mi-aquatique. Il se déplaçait sans doute facilement à terre et, pour nager, il palmait de haut en bas avec ses fortes pattes postérieures. Sa queue était trop courte pour jouer un rôle dans ses déplacements sous-marins. C'était un carnivore dont les dents étaient très semblables les unes aux autres, comme celles des dauphins. *Pakicetus*, lui aussi trouvé au Pakistan, est un peu plus ancien et ses mœurs étaient moins aquatiques. Les petits os de l'oreille interne prouvent qu'il s'agit bien d'un Cétacé, mais l'articulation de la cheville montre une adaptation à la course typique des ongulés (animaux à sabots).

Le premier squelette presque complet de *Basilosaurus*, mesurant 18 m de long, a été découvert en Égypte, en avril 2005. Tous les os fossiles sont soigneusement emballés avant d'être expédiés aux États-Unis où ils seront étudiés. Ils seront ensuite exposés dans un musée, en Égypte.

Squelette de *Dorudon*, un **C**étacé primitif proche de *Basilosaurus* mais plus petit (5 m de long). Ses pattes postérieures comportent encore les pieds et les orteils. Plusieurs fossiles ont été trouvés en Égypte.

Narine

Patte postérieure très réduite, mais complète

Transformation

Après la disparition des reptiles marins, il restait une place disponible aux côtés des requins pour d'autres grands prédateurs. *Ambulocetus* devait exploiter le milieu côtier, et se nourrir de poissons, de crabes ou de mollusques, un peu comme les otaries actuelles. L'évolution a favorisé une adaptation de plus en plus poussée au milieu marin, provoquant la réduction progressive des pattes postérieures et la transformation des bras et de la queue en nageoires. Les narines ont progressivement migré vers le sommet de la tête, donnant finalement les évents des baleines. L'oreille a également subi des modifications permettant aux animaux de bien entendre les sons sous l'eau. Cette transformation d'animaux parfaitement terrestres en animaux franchement marins s'est déroulée en quelques millions d'années !

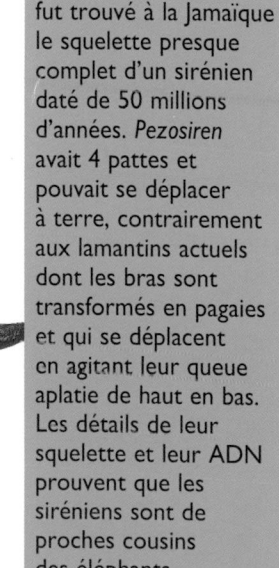

Pezosiren mesurait 2 m de long. Il était herbivore et avait l'allure d'un petit hippopotame.

VACHES MARINES

L'origine des Lamantins était aussi mystérieuse que celle des Cétacés jusqu'en 2001, lorsque fut trouvé à la Jamaïque le squelette presque complet d'un sirénien daté de 50 millions d'années. *Pezosiren* avait 4 pattes et pouvait se déplacer à terre, contrairement aux lamantins actuels dont les bras sont transformés en pagaies et qui se déplacent en agitant leur queue aplatie de haut en bas. Les détails de leur squelette et leur ADN prouvent que les siréniens sont de proches cousins des éléphants et non des cétacés.

Dangereux oiseaux

Après la disparition des tyrannosaures, le monde n'en avait pas fini avec les prédateurs géants ! Les savanes de l'Éocène étaient hantées par de terrifiants rapaces coureurs, aussi féroces que leurs ancêtres dinosauriens.

Géants coureurs

Les os d'un grand oiseau fossile ont été découverts à Meudon, près de Paris, en 1855. *Gastornis* mesurait plus de deux mètres de haut et était armé d'un énorme bec de rapace. Il possédait de longues pattes minces armées de fortes griffes et de très petites ailes. Il courait sans doute très bien, mais était incapable de voler. *Gastornis*, qui vivait à l'Éocène, n'était pas le seul oiseau de ce type. *Diatryma*, l'un de ses proches cousins, vivait en Europe et en Amérique du Nord. D'autres espèces, des *Phororhacos*, vivaient en Amérique du Sud. Certains d'entre eux atteignaient trois mètres de haut, avec une tête aussi grosse que celle d'un cheval !

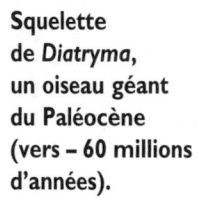

Squelette de *Diatryma*, un oiseau géant du Paléocène (vers – 60 millions d'années).

Un *Diatryma* dévore un *Hyracotherium*. Ce rapace terrestre était particulièrement puissant, avec des pattes massives armées de fortes griffes. D'autres espèces étaient plus légères, et quelques-unes ne dépassaient pas la taille d'une poule ! En Amérique du Sud, on en connaît une vingtaine d'espèces différentes.

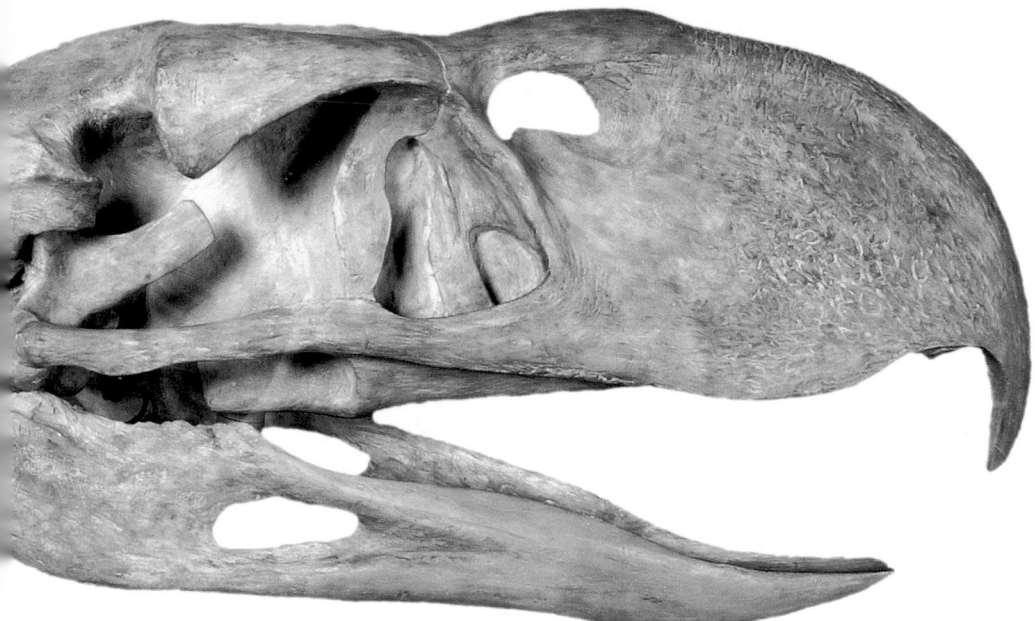

**Crâne de *Phororhacos*
(Amérique du Sud, vers – 17 millions d'années).**

Mangeurs de chevaux

Tous ces oiseaux vivaient dans
un environnement de forêts peu denses et de savanes où leur rapidité leur
permettait de courser leurs proies. Ces grands rapaces terrestres capturaient
et dévoraient des petits mammifères, tels que les *Hyracotherium*, les ancêtres des
chevaux. Les paléontologues se sont demandé si ces oiseaux n'étaient pas plutôt
des mangeurs de graines, utilisant leur bec comme des perroquets
plutôt que comme des aigles, mais l'étude des mouvements des
mâchoires a montré qu'ils étaient carnivores. Ils se nourrissaient
probablement aussi de cadavres, comme les vautours.

Prédateurs

Dans les écosystèmes du début de l'ère tertiaire, la place des
grands prédateurs terrestres était inoccupée. Les mammifères
étaient encore bien trop petits pour jouer ce rôle et les oiseaux
ont évolué plus rapidement dans cette direction. Cela s'est produit
de façon indépendante sur plusieurs continents, mais c'est en
Amérique du Sud que ces oiseaux ont eu le plus grand succès.
Évoluant à l'écart des autres continents, ces rapaces sont restés
sans concurrents sérieux ni prédateurs pendant des dizaines de
millions d'années ! Ailleurs dans le monde, ils ont été remplacés
par les grands mammifères carnivores, qui les ont éliminés soit
en les privant de leurs proies habituelles, soit en les prenant
eux-mêmes pour proies.

**Les cariamas sont aujourd'hui les plus proches parents des *Phororhacos*.
Ils tuent leurs proies en les frappant plusieurs fois contre le sol.
Ce comportement est peut-être un héritage de leurs dangereux ancêtres.**

PERDRE LE VOL

Être capable de voler
présente des avantages
mais aussi des
inconvénients. Ce
mode de déplacement
demande en effet
beaucoup d'énergie,
et nécessite donc
une alimentation
particulièrement riche.
En revanche, le vol
permet d'échapper
aux prédateurs (si eux-
mêmes ne volent pas)
et d'accéder à de
nouvelles sources
de nourriture. Dans
l'histoire des oiseaux,
l'évolution a provoqué
plusieurs fois la perte du
vol, souvent lorsque ces
animaux se sont trouvés
isolés, sans prédateurs.

La grande coupure

Andrewsarchus (Asie, vers – 40 millions d'années) est le plus grand mammifère carnivore terrestre connu. Ce Condylarthre mesurait 4 m de long et pesait 1 tonne.

À la fin de l'Éocène, vers – 34 millions d'années, les continents sont tous séparés les uns des autres. Cet écartement a provoqué un refroidissement général du climat qui a été fatal pour de nombreuses espèces.

AFRIQUE

AUSTRALIE

AMÉRIQUE DU SUD

ANTARCTIQUE

Le courant marin qui circule autour de l'Antarctique existe toujours aujourd'hui.

Refroidissement global

Alors que l'Éocène avait commencé par une période chaude, la fin de cette période est marquée par un refroidissement moyen de 10 °C dans les océans. Les pôles se couvrent d'une épaisse couche de glace et les climats sont profondément modifiés. Lors de la période suivante, l'Oligocène, le climat est globalement plus froid et plus sec qu'à l'Éocène. Dans de nombreuses régions du monde, les savanes et les steppes remplacent les forêts. Cette modification des ressources alimentaires perturbe les espèces herbivores, et indirectement, leurs prédateurs.

Transformations

Des espèces évoluent en s'adaptant aux nouvelles conditions. Les petits herbivores de forêts sont remplacés par de grandes espèces qui se nourrissent d'herbe et non plus de feuilles. L'extension des prairies favorise les grands animaux capables de courir vite et longtemps. De plus, les herbes sont moins nutritives et usent rapidement les dents. Pour se nourrir d'herbe, il faut en consommer de grandes quantités. Les dents à croissance continue apparaissent dans plusieurs lignées distinctes, comme les rongeurs et les chevaux. C'est une adaptation très utile pour compenser l'usure rapide des molaires chez les herbivores.

Les Uintathères vivaient probablement comme les rhinocéros actuels. Leur tête portait des protubérances osseuses recouvertes de peau. Ils étaient aussi armés de longues canines.

PALÉOTEMPÉRATURES

Les coquilles des animaux microscopiques du plancton marin permettent aux paléontologues d'évaluer la température des océans du passé. En effet, le calcaire des coquilles contient plusieurs sortes d'atomes d'oxygène, l'oxygène 16 et l'oxygène 18, qui diffèrent par la composition des noyaux des atomes. La proportion d'oxygène 18 dépend du volume total des océans, qui lui-même varie avec la quantité de glace qui recouvre les pôles. Une grande proportion d'oxygène 18 indique ainsi une période froide. On peut alors connaître avec précision les variations de la température moyenne de l'atmosphère.

Crâne d'*Uintatherium* (États Unis, vers – 45 millions d'années).

Une nouvelle faune

Cette période, appelée par les paléontologues, la « grande coupure », va provoquer la disparition de nombreuses espèces. Elle touche notamment des familles de mammifères archaïques, caractéristiques du début du tertiaire : les Multituberculés, les Condylarthres, les Uintathères disparaissent ou se réduisent largement. Parallèlement, d'autres groupes commencent à dominer la faune, comme les Rongeurs, les Ruminants ou les Carnivores modernes. Par la suite, la diversité des mammifères ne redeviendra jamais aussi forte qu'à l'Éocène.

Grandes familles

220
Rongeurs

218
Dents
de sabre

216
Nouveaux
troupeaux

214
Le retour
des géants

Premières baleines   Premiers singes

60   50   40

CRÉTACÉ   PALÉOCÈNE   56   ÉOCÈNE

ÈRE SECONDAIRE   65   ÈR

Mastodontes, balouchithères, tigres à dents de sabre, les géants sont de retour ! Ce ne sont pas les espèces que nous connaissons, mais si nous pouvions les rencontrer, nous leur trouverions un air de famille. Ce monde des mammifères est pratiquement le nôtre. Parmi les grands singes qui évoluent dans les forêts de l'ère tertiaire se trouvent d'ailleurs nos ancêtres directs !

222

Trompes
et défenses

224

Grands
singes debout

226

L'île continent

Premiers grands singes   Premiers hominidés

| 30 | 20 | 10 millions d'années | 0 |

Toumaï   Lucy

| 34 | OLIGOCÈNE | 23 | MIOCÈNE | 5 | PLIOCÈNE | 0 |

2

ERTIAIRE

Le retour des géants

LES AVANTAGES D'ÊTRE GRAND

Les grands animaux ont moins de prédateurs et trouvent plus facilement à se nourrir. Autre avantage, ils dépensent moins d'énergie à maintenir leur température constante. Un mulot se réchauffe ou se refroidit beaucoup plus vite qu'un *Megatherium* et doit donc s'alimenter plus souvent : 100 000 mulots pèsent autant qu'un *Megatherium* mais consomment 40 fois plus de nourriture ! Cependant, la quantité globale de végétation nécessaire aux très grands herbivores est si importante qu'ils ne peuvent pas être très nombreux. L'espèce est donc plus vulnérable en cas de crise, par exemple en cas de changement climatique.

Au cours de l'ère tertiaire, l'évolution des mammifères a produit des formes de plus en plus diverses. Dans plusieurs familles, elle a abouti à la naissance de véritables géants, comparables aux plus grands dinosaures.

Rhinocéros géant

Bien que dépourvu de cornes, le *Baluchitherium* (« la bête du Baluchistan », au Pakistan) est un rhinocéros. C'est le plus grand représentant connu de ce groupe, et probablement le plus grand mammifère terrestre de tous les temps. Il mesurait plus de 5 mètres à l'épaule et pouvait brouter les feuilles des arbres à plus de 8 mètres. Il était aussi haut qu'une girafe, mais beaucoup plus lourd : on estime son poids à plus de 15 tonnes, soit autant que cinq éléphants actuels. Certains de ses os portent les traces de morsures de crocodiles, dont on trouve les fossiles sur le même site. Malgré sa taille, le *Baluchitherium* n'était pas à l'abri des prédateurs.

Le terrible porc

Les Entélodontes étaient des cousins des sangliers et des phacochères. Ces porteurs de sabots avaient une tête énorme, souvent hérissée d'excroissances osseuses. Leurs dents montrent qu'ils étaient sans doute omnivores, se nourrissant de petits animaux, de plantes et de racines qu'ils pouvaient déterrer avec leurs défenses. Au début du Miocène, vers – 20 millions d'années, les forêts d'Amérique du Nord abritaient *Daeodon* (« dents destructrices »), également appelé *Dinohyus* (« le terrible porc »). Il mesurait 2 mètres de haut, pour un poids d'environ 1,5 tonnes. Malgré son allure de phacochère, il était probablement charognard, avec de puissantes mâchoires lui permettant de broyer les os des animaux morts. Comme les hyènes, il tuait sans doute aussi de gros animaux.

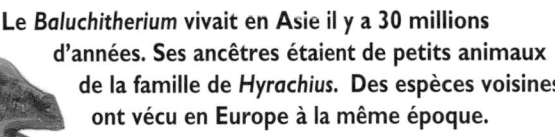

Le *Baluchitherium* vivait en Asie il y a 30 millions d'années. Ses ancêtres étaient de petits animaux de la famille de *Hyrachius*. Des espèces voisines ont vécu en Europe à la même époque.

La grande bête

Le *Megatherium*, (« grande bête »), appartient comme les paresseux actuels à la famille des édentés. Contrairement à ses petits cousins qui vivent dans les arbres, le *Megatherium* se tenait à terre car cet énorme herbivore n'aurait certainement pas pu grimper. Il se déplaçait à quatre pattes, mais pouvait se dresser pour se nourrir, un peu comme les iguanodontes. Ses griffes impressionnantes lui servaient probablement à attirer à lui les branches des arbres pour en manger les feuilles. Son crâne montre la trace de puissants muscles masticateurs. Il vivait en Amérique du Sud, il y a un million d'années.

Le *Megatherium* atteignait 6 m de long et pesait 3 tonnes, autant qu'un éléphant d'Asie. Il s'est éteint il y a à peine 10 000 ans.

Tendances

L'apparition de mammifères géants a longtemps été interprétée comme une « tendance » de l'évolution vers des animaux de plus en plus grands. En fait, les animaux évoluent dans différentes directions. S'ils sont de petite taille à l'origine , il est évident qu'il apparaîtra davantage d'animaux plus grands que d'animaux encore plus petits ! Dans certains cas, l'évolution provoque au contraire une réduction de la taille des animaux.

Arsinoitherium (Asie, – 35 millions d'années) avait la taille d'un rhinocéros, mais ne lui était pas apparenté. Ses 2 cornes étaient creuses et recouvertes de peau.

Nouveaux troupeaux

HERBE DURE

L'herbe est un végétal qui pousse à partir de sa base, d'autant plus vite qu'elle est coupée souvent (c'est ce qui se passe lorsqu'on tond une pelouse). Si le climat permet cette repousse tout au long de l'année, les mangeurs d'herbe ne manquent jamais de nourriture.
Mais l'herbe est riche en grains de silice, minuscules et très durs, qui usent rapidement les dents. Cette alimentation demande donc des adaptations particulières de la denture.

À la fin de l'Éocène, le climat terrestre devient globalement plus froid et plus sec. Les prairies et les savanes prennent la place des forêts. Les animaux s'adaptent et de nouvelles familles d'herbivores remplacent les anciennes espèces.

Étranges cornus

Les protocératidés étaient des cousins des chameaux et des lamas. Ils sont présents en Amérique dès le début de l'Éocène, il y a 55 millions d'années. Leur squelette et leurs dents sont assez primitifs, mais la plupart des espèces portent d'étranges cornes sur la tête. Ainsi, le *Synthetoceras* portait une corne fourchue sur le museau et une paire de cornes supplémentaires sur la tête. Comme ces ornements sont en général absents chez les femelles, ils étaient probablement plus utiles pour les combats entre mâles que pour se défendre contre les prédateurs.

Synthetoceras **(Amérique du Nord, vers – 6 millions d'années). Sa corne fourchue était sans doute plus utile pour séduire les femelles que pour se battre !**

Le triomphe des Ruminants

Il y a 35 millions d'années, un nouveau groupe d'herbivores à sabots apparaît en Asie : les Ruminants. Leur estomac spécialisé leur permet de digérer plus facilement l'herbe dure des prairies. Ils acquièrent également des dents à croissance continue, ce qui compense l'usure rapide due à la mastication.
La plupart d'entre eux portent des cornes ou des bois. Très vite, de nombreuses espèces colonisent l'Amérique et l'Afrique. Les ancêtres des girafes, des cerfs, des vaches et des antilopes font leur apparition.

Défenses anti-aériennes

Hoplitomeryx vivait à la fin du Miocène dans une île méditerranéenne. Il avait la taille d'une chèvre et portait cinq cornes sur le crâne. L'une d'entre elles était située au milieu du front, ce qui est très inhabituel chez les Ruminants. Il avait aussi deux longues canines en forme de défenses. Les combats entre mâles ne semblent pas suffisants pour expliquer cette surabondance d'armes. Les paléontologues ont cherché des fossiles de prédateurs qui auraient vécu sur la même île. Les seuls animaux dangereux étaient deux très grands rapaces, un aigle et un hibou. Le danger venant du ciel, cela explique peut-être l'impressionnante panoplie crânienne d'*Hoplitomeryx* !

Hoplitomeryx
(Italie, – 7 millions
d'années).

CORNES ET BOIS

Les bois des cerfs sont constitués d'os et tombent chaque année. Chez la plupart des Cervidés, seuls les mâles portent des bois. Chez les bovins, les cornes sont, au contraire, permanentes et portées par les 2 sexes. Elles sont constituées d'un cornillon osseux recouvert de corne. Chez les Protocératidés et les girafes, les cornes ne tombent pas non plus, mais sont recouvertes de peau. Sur les fossiles, il est assez aisé de distinguer ces 3 types de « cornes ».

Sivatherium (**Afrique et Asie, de – 2 millions d'années à – 10 000 ans**).

La girafe-élan

Parmi les girafes primitives, l'une des plus grandes espèces était le *Sivatherium*, qui vivait cn Inde, il y a plusieurs centaines de milliers d'années. Moins haut mais beaucoup plus massif qu'une girafe, il était également doté d'un museau proéminent et de larges cornes qui rappellent étrangement l'élan ! Avec le temps, les *Sivatherium* sont devenus plus petits. Leurs descendants ont vécu jusqu'à l'époque des hommes préhistoriques qui les ont représentés sur les parois des grottes, au Sahara.

Crâne de *Sivatherium*.
La forme de l'ouverture
nasale (en haut à droite) suggère
qu'il avait le museau bombé d'un élan.

Dents de sabre

Au fur et à mesure que les herbivores deviennent plus grands et s'arment de cornes et de défenses, les carnivores évoluent eux aussi. Les prédateurs les plus impressionnants sont les terribles tigres à dents de sabre.

Miacis
(Eurasie et Amérique du Nord, vers – 45 millions d'années). Ce petit carnivore avait l'allure d'une fouine ou d'une martre.

Carnassières

Les premiers carnivores comme *Miacis* étaient de petits animaux qui grimpaient facilement dans les arbres à la recherche de leurs proies. Leurs descendants se reconnaissent à leurs carnassières. Ces dents, particulièrement grosses et tranchantes, fonctionnent comme des cisailles. Elles sont invariablement constituées de la quatrième prémolaire supérieure et de la première molaire inférieure. Une première lignée de carnivores va donner naissance aux loups, aux ours et aux phoques. Une deuxième lignée donnera les hyènes et les félins.

AVANT LES CARNIVORES

À l'Éocène, les grands prédateurs étaient représentés par les créodontes, comme *Hyænodon*. Ils appartiennent à une autre lignée que les carnivores actuels : leur cerveau était plus petit et leurs molaires étaient différentes. Certains créodontes étaient de petits carnivores rappelant les fouines. D'autres ressemblaient aux hyènes actuelles. Cette famille a disparu au fur et à mesure de l'évolution de plus en plus spécialisée des félins et des autres vrais carnivores.

Megistotherium, un énorme créodonte, probablement charognard (Afrique, vers – 15 millions d'années).

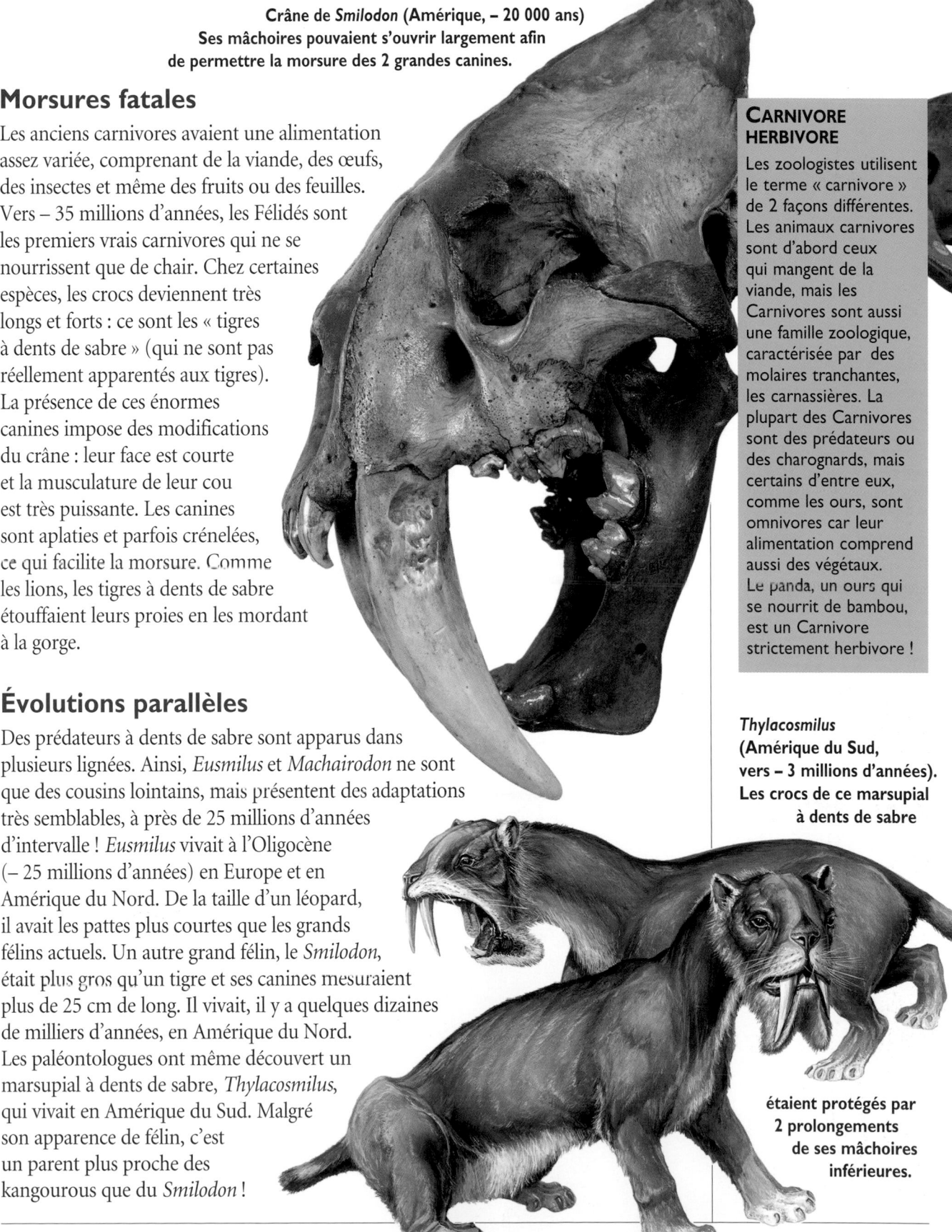

Crâne de *Smilodon* (Amérique, – 20 000 ans)
Ses mâchoires pouvaient s'ouvrir largement afin
de permettre la morsure des 2 grandes canines.

Morsures fatales

Les anciens carnivores avaient une alimentation assez variée, comprenant de la viande, des œufs, des insectes et même des fruits ou des feuilles. Vers – 35 millions d'années, les Félidés sont les premiers vrais carnivores qui ne se nourrissent que de chair. Chez certaines espèces, les crocs deviennent très longs et forts : ce sont les « tigres à dents de sabre » (qui ne sont pas réellement apparentés aux tigres). La présence de ces énormes canines impose des modifications du crâne : leur face est courte et la musculature de leur cou est très puissante. Les canines sont aplaties et parfois crénelées, ce qui facilite la morsure. Comme les lions, les tigres à dents de sabre étouffaient leurs proies en les mordant à la gorge.

Évolutions parallèles

Des prédateurs à dents de sabre sont apparus dans plusieurs lignées. Ainsi, *Eusmilus* et *Machairodon* ne sont que des cousins lointains, mais présentent des adaptations très semblables, à près de 25 millions d'années d'intervalle ! *Eusmilus* vivait à l'Oligocène (– 25 millions d'années) en Europe et en Amérique du Nord. De la taille d'un léopard, il avait les pattes plus courtes que les grands félins actuels. Un autre grand félin, le *Smilodon*, était plus gros qu'un tigre et ses canines mesuraient plus de 25 cm de long. Il vivait, il y a quelques dizaines de milliers d'années, en Amérique du Nord. Les paléontologues ont même découvert un marsupial à dents de sabre, *Thylacosmilus*, qui vivait en Amérique du Sud. Malgré son apparence de félin, c'est un parent plus proche des kangourous que du *Smilodon* !

CARNIVORE HERBIVORE

Les zoologistes utilisent le terme « carnivore » de 2 façons différentes. Les animaux carnivores sont d'abord ceux qui mangent de la viande, mais les Carnivores sont aussi une famille zoologique, caractérisée par des molaires tranchantes, les carnassières. La plupart des Carnivores sont des prédateurs ou des charognards, mais certains d'entre eux, comme les ours, sont omnivores car leur alimentation comprend aussi des végétaux. Le panda, un ours qui se nourrit de bambou, est un Carnivore strictement herbivore !

Thylacosmilus (Amérique du Sud, vers – 3 millions d'années). Les crocs de ce marsupial à dents de sabre étaient protégés par 2 prolongements de ses mâchoires inférieures.

Rongeurs

DENTS TRANCHANTES

Les rongeurs ont tous des incisives à croissance continue qui s'aiguisent les unes contre les autres. Très tranchantes, elles leur permettent de découper des morceaux de nourriture ou d'attaquer le bois, comme le font les castors. Plus en arrière, la mâchoire porte des molaires à crêtes d'émail très dures, avec lesquelles ils broient leur nourriture.

Epigaulus
(**Amérique du Nord, vers – 15 millions d'années**).

Aujourd'hui, les Rongeurs représentent presque la moitié de toutes les espèces de Mammifères. Ils étaient encore plus diversifiés pendant la préhistoire.

Kryptobataar est un **Multituberculé** de Mongolie, de la fin du **Crétacé**. Malgré son aspect, on voit qu'il n'est pas un **Rongeur**, car ses incisives inférieures sont plus grandes que les supérieures.

Pseudo-rongeurs

La principale caractéristique des Rongeurs est la double paire d'incisives qui leur permet de ronger les racines et les fruits durs. Mais d'autres animaux ont présenté ce type de dentition, sans être parents des Rongeurs. C'est le cas des Multituberculés, des petits mammifères primitifs qui apparaissent à l'époque des dinosaures, vers – 150 millions d'années. Ce sont les premiers mammifères végétariens. Ils donnaient probablement naissance à des petits très peu développés, un peu comme les Marsupiaux. Les vrais rongeurs ne deviendront vraiment importants qu'après la disparition des derniers multituberculés, vers – 30 millions d'années.

Envahisseurs

Les premiers rongeurs connus sont de petits animaux qui dépassent à peine la taille d'un lapin. Ils apparaissent en Asie à l'Éocène, vers – 50 millions d'années. Ils se répandent dans le monde entier, et finiront même par atteindre l'Australie. Ils se diversifient de façon étonnante, en occupant tous les milieux et en se spécialisant. Certaines espèces deviennent semi-aquatiques, comme les castors, et d'autres vivent dans les arbres. D'autres encore, comme *Epigaulus*, vivent dans de profonds terriers. Ce rongeur d'Amérique du Nord creusait le sol avec ses grosses griffes et portait une paire de cornes sur le museau. On ne sait pas s'il s'en servait pour creuser ou pour se défendre.

Le *Palaeocastor* vivait dans les plaines du Nebraska (États-Unis) au Miocène. Ce parent des castors ne construisait pas de barrages, mais il creusait des terriers en forme d'hélice, à plus de 2,5 m sous terre.

Des moulages naturels des terriers du *Palaeocastor* ont été découverts, contenant les squelettes fossiles de leurs occupants.

Un cochon d'Inde géant

À côté d'innombrables espèces minuscules, apparaissent d'énormes rongeurs qui remplacent les antilopes ou les bovins, là où ces familles sont absentes. Ainsi, *Phoberomys* est aujourd'hui le plus grand rongeur connu. Un squelette complet a été découvert au Venezuela en 2003. Il est daté du Miocène, vers – 7 millions d'années. On estime qu'il pesait près de 700 kilos, dix fois plus que le capybara, le plus gros rongeur actuel. Les autres fossiles trouvés sur le site indiquent qu'il vivait dans des marécages. Mais sa grande taille ne devait pas suffire pour le protéger des prédateurs : les crocodiles qu'il côtoyait atteignaient 10 m de long !

Phoberomys vivait au Miocène, vers – 7 millions d'années.

NAVIGATEURS

Phoberomys est un Caviomorphe, la famille du cochon d'Inde et du capybara. Ces rongeurs semblent avoir colonisé l'Amérique du Sud au début de l'Oligocène, vers – 30 millions d'années. Comme ce continent était alors une île, ils ont probablement traversé la mer à bord d'un arbre tombé dans un fleuve, poussés par les courants. S'ils sont passés par l'Amérique du Nord, ils n'ont eu à franchir qu'un étroit bras de mer. En fait, leur origine est plus probablement africaine, mais l'Atlantique mesurait alors près de 1000 km de large !

Trompes et défenses

Phiomia
(Afrique, vers
– 26 millions d'années).
Cet éléphant primitif
à la courte trompe vivait
en forêt. Il mesurait
2,50 m au garrot.

Les éléphants
actuels sont les
derniers descendants
d'une grande famille, les Proboscidiens. Leur
histoire est bien sûr aussi celle des défenses et
d'un organe très original : la trompe.

Les éléphants primitifs

Moeritherium vivait en Afrique entre – 37 et – 28 millions d'années.
De la taille d'un cochon, il avait de courtes pattes et un corps
massif, semblable à celui d'un hippopotame. Comme lui, il passait
probablement beaucoup de temps dans l'eau. Chaque mâchoire portait
deux incisives fortes et longues, comme des petites défenses. *Moeritherium*
n'avait pas de trompe, mais peut-être une lèvre supérieure épaisse et mobile.
Un peu plus tard, à l'Oligocène, apparaissent des espèces plus grandes et plus
lourdes, comme *Phiomia*, qui est aussi l'un des premiers à porter une trompe.

LES GROSSES TÊTES

Une grosse tête
ne peut pas être portée
par un long cou, pour
des raisons d'équilibre
et de puissance
musculaire. Mais un
grand animal à cou
court serait très limité
dans ses mouvements
pour atteindre la
végétation. C'est là
que la trompe se révèle
très utile. Chez les
éléphants, elle provient
de la fusion du nez et
de la lèvre supérieure.
Avec les fossiles,
on peut supposer
son existence d'après
la position reculée
des narines et la forme
du crâne, en comparant
avec les éléphants
actuels.

Moeritherium ressemble
à ce que pourrait être
l'ancêtre des éléphants.

Deinotherium
(Eurasie et Afrique, de − 23 à − 2 millions d'années).
Ces défenses servaient peut-être à déterrer des racines.

Deinothères et Gomphothères

Au cours de leur évolution, les Proboscidiens se divisent en plusieurs familles qui gardent des points communs. Les pattes sont disposées en colonne, ce qui leur permet de mieux supporter leur poids. Le crâne devient de plus en plus gros, mais pas beaucoup plus lourd car l'os se creuse de cavités remplies d'air. La trompe et les défenses s'allongent. Selon les espèces, ce ne sont pas toujours les mêmes dents qui se transforment. Ainsi, les défenses des Deinothères sont situées sur la mâchoire inférieure et pointent vers le bas. Les paléontologues pensent que leur trompe était peu développée. Les Gomphothères portaient quatre défenses assez longues. La forme du crâne et la position des narines montrent qu'ils possédaient également une trompe.

Platybelodon
(Eurasie et Afrique, de − 12 à − 5 millions d'années).

Pelles et pics

Chez *Platybelodon*, les défenses de la mâchoire inférieure sont aplaties en forme de pelle. D'après les traces d'usure, on suppose qu'il s'en servait pour arracher l'écorce des arbres ou qu'il saisissait des branches avec sa trompe et les frottait sur ses défenses pour les couper. Comme pour les éléphants actuels, elles avaient probablement plusieurs usages et servaient peut-être dans les combats entre mâles. Dans d'autres lignées, les défenses inférieures disparaissent et la mâchoire se raccourcit beaucoup. Chez *Anancus*, une espèce du sud de la France, les défenses supérieures sont pointées vers l'avant et atteignent 3 m de long.

ÉLÉPHANTS VOYAGEURS

Au début du Miocène, vers − 20 millions d'années, des Proboscidiens sortent d'Afrique et prolifèrent en Europe et en Asie. Certains d'entre eux entrent en Amérique par la Sibérie, qui était alors reliée à l'Alaska. Ils donneront naissance aux mastodontes américains, des « éléphants » de forêt. Les Gomphothères seront également à l'origine des éléphants et des mammouths qui, plus tard, atteindront l'Amérique du Sud.

Anancus
(Eurasie, de − 12 à − 2 millions d'années).

Grands singes debout

Proconsul.

L'évolution des singes du Miocène intéresse beaucoup les paléontologues, car c'est parmi eux que se cache notre ancêtre, qui est aussi celui des chimpanzés et des gorilles.

Proconsul

Les petits singes sont nombreux en Asie, en Europe et en Afrique. À la fin de l'Oligocène (vers – 25 millions d'années), une nouvelle lignée prend de plus en plus d'importance. On les nomme Hominoïdes, car ils seront à l'origine des grands singes les plus proches de l'homme et de l'homme lui-même. Le *Proconsul* africain vit dans les arbres et se nourrit de fruits. Il s'agit en fait d'un groupe d'espèces assez variées. Leur taille s'étend de celle d'un macaque à celle d'un chimpanzé. Ces singes sont dépourvus de queue, mais leur cerveau est bien plus gros, à taille comparable, que chez la plupart des mammifères de leur époque.

Pierolapithecus

En 2004, une nouvelle espèce de grand singe a été découverte en Catalogne (Espagne). Le fossile, daté d'environ 13 millions d'années, est exceptionnellement complet. *Pierolapithecus* pesait à peu près 55 kilos, comme un chimpanzé femelle. Il grimpait facilement, mais ses mains assez courtes indiquent qu'il ne pouvait pas se balancer de branche en branche. À terre, il se déplaçait à quatre pattes. Les caractéristiques de son squelette montrent qu'il est très proche de l'ancêtre commun des chimpanzés, des gorilles et de l'homme.

Sivapithecus

Les Hominoïdes se sont également installés en Asie, où ils ont donné naissance à plusieurs familles de grands singes. Le sivapithèque est apparenté à l'orang-outan. Comme ce dernier, il vivait en forêt, en climat chaud et humide, et se nourrissait de feuilles. Les restes fossiles d'un autre singe, le ramapithèque, ont été trouvés dans la même région du nord de l'Inde et datés de la même période (entre – 12 et – 7 millions d'années). Il était plus petit, avec des dents moins fortes. Les paléontologues ont finalement conclu qu'il s'agissait du mâle et de la femelle de la même espèce, *Sivapithecus* !

Reconstitution d'une femelle *Pierolapithecus* et de son petit.

Reconstitution d'un *Sivapithecus* ressemblant à un orang-outan. Son crâne (ci-dessous) a en effet le même museau projeté vers l'avant que son parent actuel.

Toumaï

Entre – 10 et – 4 millions d'années, les fossiles sont rares et presque exclusivement africains. *Sahelanthropus,* surnommé Toumaï, a été trouvé au Tchad et daté de 6 à 7 millions d'années. La forme de son crâne laisse penser qu'il se déplaçait sur ses deux jambes et non à quatre pattes. Il s'agit peut-être d'un ancêtre de l'homme, mais certains paléontologues pensent qu'il appartient plutôt à la lignée des gorilles. D'autres espèces, plus récentes, montrent également des signes de bipédie. Même s'ils sont dressés sur leurs jambes, ils ont encore l'aspect de grands singes.

Crâne de Toumaï (à gauche). La calotte cranienne évoque celle d'un gorille, mais la face assez plate semble annoncer celle des premiers hommes.

YETI ?

Une mandibule et quelques dents sont les seuls restes connus d'un autre singe asiatique, le gigantopithèque. Il mesurait 3 m de haut, mais se déplaçait probablement à 4 pattes. Les premiers hommes l'ont sans doute rencontré dans les forêts chinoises, il y a quelques centaines de milliers d'années. Certains le soupçonnent même d'être encore vivant. Il serait réfugié dans l'Himalaya, et est plus connu sous le nom de... Yéti !

Une famille de gigantopithèques. Comme on n'en connaît qu'un fragment de mâchoire, cette reconstitution est hypothétique !

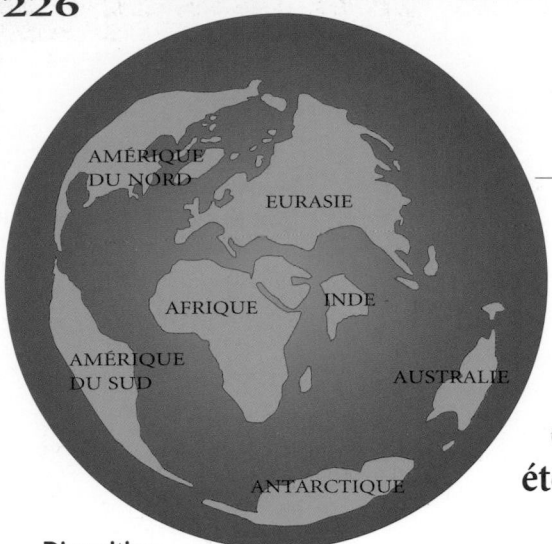

L'île continent

Les mammifères australiens sont presque tous des Marsupiaux, qui sont peu représentés dans la faune des autres continents. Leur évolution a suivi une voie parallèle et a abouti à des animaux à la fois très différents et étonnamment semblables aux autres mammifères.

Disposition des continents à l'Éocène, vers – 40 millions d'années. L'Australie est isolée. L'océan Atlantique est encore assez étroit. L'Inde est toujours au large de l'Asie.

Un long isolement

Les Marsupiaux descendent des mammifères archaïques du Crétacé. On ne sait pas s'ils sont nés en Asie ou en Amérique du Nord, mais on constate qu'ils sont présents en Australie au début de l'Éocène, vers – 55 millions d'années. Ils sont passés par l'Amérique du Sud et l'Antarctique qui étaient encore reliés à l'Australie. L'Antarctique connaissait alors un climat tempéré, sans la moindre calotte glaciaire. Vers – 40 millions d'années, l'Australie s'est complètement séparée de l'Antarctique. La faune australienne a alors commencé sa longue période d'isolement, évoluant à l'écart du reste du monde. Comme les autres mammifères, les Marsupiaux se sont diversifiés et ont occupé des niches écologiques très variées.

Thylacoleo

Diprotodon

Marsupiaux herbivores

Les diprotodontes étaient des herbivores lourdement bâtis, avec de courtes pattes antérieures. Ils broutaient les feuilles des arbres et des buissons. Le plus grand avait la taille d'un hippopotame et pesait près de 2,5 tonnes. Il occupait des zones marécageuses, mais d'autres espèces vivaient en forêt. Les kangourous qui paraissent si typiques de l'Australie ne sont apparus que très tardivement, vers – 5 millions d'années. Leur évolution est liée à l'aridité croissante de l'Australie. Les forêts ont été remplacées par des prairies et de nouvelles espèces sont nées à partir de petits marsupiaux peu spécialisés. Les kangourous jouent le même rôle écologique que les Ruminants sur les autres continents.

Le lion marsupial

Le plus grand carnivore marsupial qui ait vécu en Australie est *Thylacoleo*, qui ressemblait un peu à un lion. Cependant, ses puissantes mâchoires ne portaient pas de grandes canines, mais des incisives en forme de crocs. De la taille d'un léopard, il se nourrissait à partir des troupeaux de diprotodontes et de kangourous. Comme chez tous les autres marsupiaux, la femelle portait une poche ventrale dans laquelle ses petits achevaient leur développement. Ce « lion » marsupial était un plus proche parent des kangourous que des véritables félins !

Dangereux varan

Thylacoleo avait un concurrent, un varan géant qui pouvait à l'occasion se révéler très dangereux. *Megalania* était en fait le plus grand carnivore terrestre australien : 5 à 6 m de long, pour un poids de 600 kilos. Il avait probablement le même type de comportement que l'actuel varan de Komodo, se nourrissant de cadavres d'animaux, mais également capable de chasser des animaux de grande taille.

DISPARITION

Cette grande faune australienne a disparu peu à peu, au fur et à mesure de la transformation du climat qui est devenu très aride. L'arrivée de l'homme en Australie, il y a environ 40 000 ans, a probablement contribué à ces disparitions. On a ainsi retrouvé des os de diprotodonte qui semblent avoir été nettoyés par des humains.

Paysage australien au Pléistocène, il y a quelques centaines de milliers d'années. Les premiers habitants humains de l'Australie, vers – 50 000 ans, ont pu rencontrer certains de ces animaux.

Procoptodon

Megalania

Le temps de l'homme

234
La faune des
terres froides

232
Un bipède sans
fourrure

230
Les
glaciations

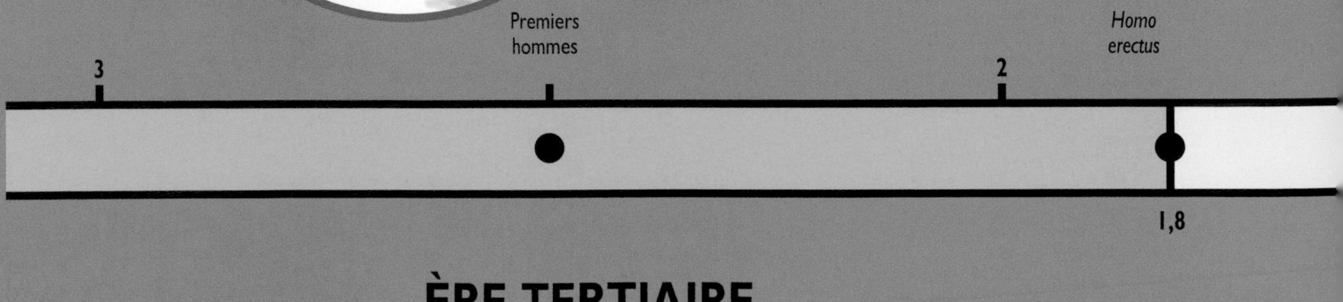

Premiers
hommes

*Homo
erectus*

3

2

1,8

ÈRE TERTIAIRE

L'ère quaternaire correspond à deux nouveautés importantes : la succession régulière de périodes glaciaires et l'apparition de l'homme. Ces deux événements vont conjuguer leurs effets et provoquer la disparition d'un grand nombre d'espèces, incapables de supporter les rapides changements climatiques et gravement perturbées par les activités humaines. Nous assistons en direct à une nouvelle grande crise biologique !

236
La deuxième
Amérique

238
Des nains
et des géants

240
Le temps
des chasseurs

242
Un héritage
en danger

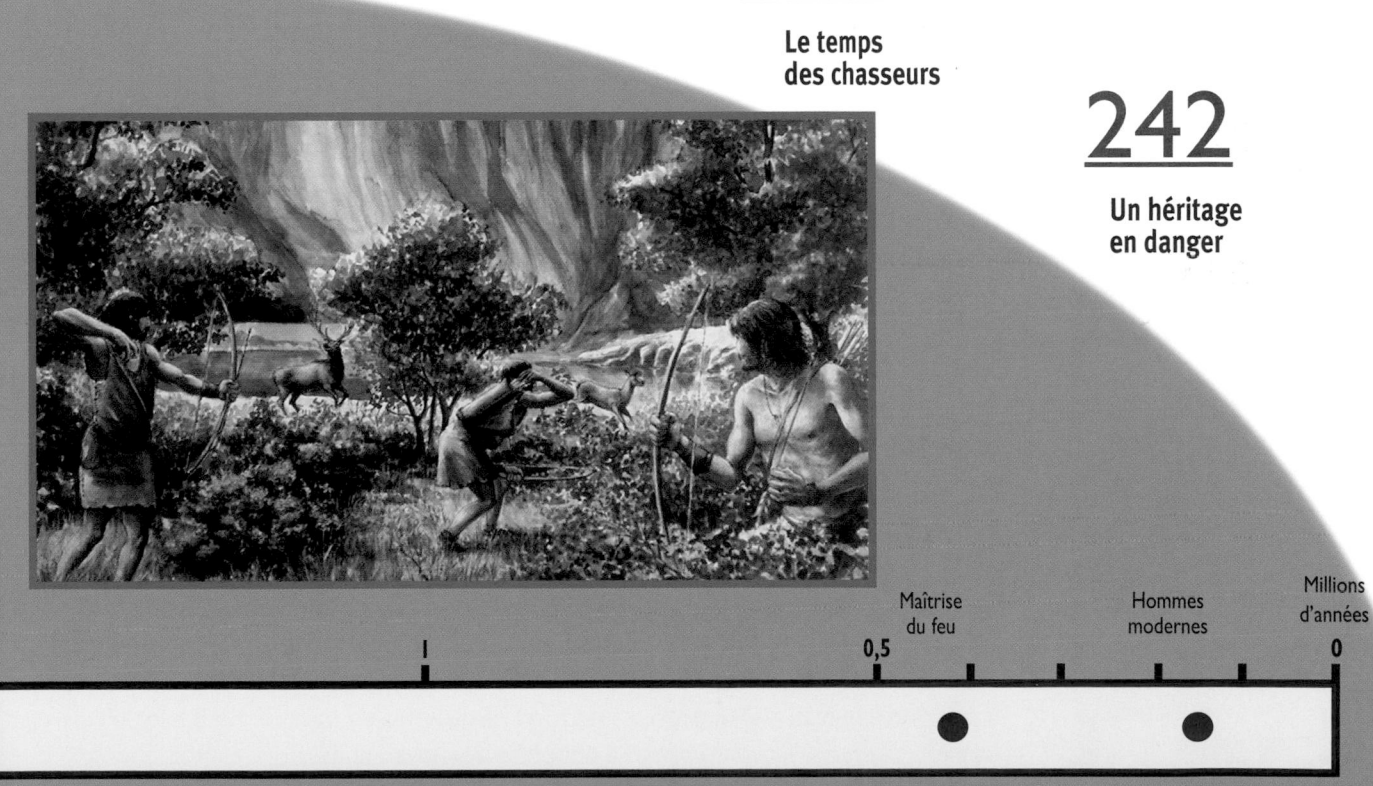

Maîtrise
du feu

Hommes
modernes

Millions
d'années

0,5

1

0

0

ÈRE QUATERNAIRE

Les glaciations

Carte de l'Europe glaciaire.

Il y a 20 000 ans, le nord de l'Europe était recouvert d'une couche de glace de 3 000 m d'épaisseur.

L'ÈRE QUATERNAIRE

Cette période géologique est extrêmement courte comparée aux autres ères : elle dure seulement 1,8 millions d'années, alors que l'ère tertiaire s'est étendue sur 63 millions d'années. Même si elle n'est en fait qu'un simple prolongement de l'ère tertiaire, c'est l'époque à laquelle l'homme est apparu : cela flatte notre orgueil de la considérer comme une nouvelle ère !

Depuis 2 millions d'années, la Terre connaît une alternance régulière de périodes froides et de périodes chaudes. Ces variations climatiques ont eu des conséquences importantes pour la faune du monde entier.

Terres émergées lors de la baisse du niveau de la mer

Glaciers

Cycles climatiques

La température à la surface de la Terre dépend de la quantité de chaleur qui parvient du Soleil. Or, l'énergie solaire qu'elle reçoit n'est pas constante. En effet, la distance de la Terre au Soleil varie en cours d'année, mais aussi à long terme. De plus, l'axe de rotation de la Terre est plus ou moins incliné, ce qui modifie le déroulement des saisons. Depuis 2 millions d'années, ces variations provoquent un cycle assez régulier de périodes froides, les glaciations, et de périodes chaudes, dites interglaciaires. Chaque cycle dure environ 100 000 ans. La dernière glaciation a commencé il y a 120 000 ans et s'est achevée il y a 10 000 ans. La température moyenne du globe était inférieure de 4 °C à l'actuelle, et jusqu'à 10 °C dans certaines régions, comme le nord de la France.

**COUPURE
DE COURANT**
Les climatologues
cherchent les causes
du refroidissement
global du climat.
Le contact créé il y a
2,5 millions d'années
entre l'Amérique
du Nord et l'Amérique
du Sud pourrait avoir
joué un rôle. En effet, la
fermeture de ce passage
a sans doute modifié les
courants océaniques et
la répartition des masses
d'air, chaudes et froides,
à la surface de la Terre.

Deux rennes nageant,
sculptés sur une defense
de mammouth, il y a
12 000 ans. Les rennes
étaient alors nombreux
dans le sud de la France.

Le niveau de la mer

Lors d'une période glaciaire, une partie de l'eau de la planète est stockée sous
forme de glace, ce qui provoque une baisse importante du niveau de la mer,
120 m lors des périodes les plus froides. Il y a 20 000 ans, le tracé des côtes était
donc très différent. L'Angleterre n'était séparée de la France que par un grand fleuve
qui coulait de la mer du Nord vers l'Atlantique. L'Asie était reliée à l'Amérique
du Nord car le détroit de Béring était à sec. De nombreuses îles étaient devenues
accessibles aux animaux. À la fin de chaque période glaciaire, une partie des glaciers
situés aux pôles ou sur les montagnes fondent et le niveau de la mer remonte.

Un temps froid et sec

Les glaciations sont favorables à l'apparition de nouvelles espèces, par exemple
de grands animaux capables d'accumuler des réserves qui leur permettent de
résister aux longs hivers dépourvus de végétation. Cependant, lorsque le climat
se refroidit, beaucoup d'animaux meurent ou se déplacent vers des régions plus
chaudes. Certaines espèces survivent dans des « refuges », des zones au climat
plus doux. Les régions tropicales sont elles aussi touchées par les glaciations.
Elles deviennent un peu plus froides et surtout, plus sèches. Le changement
de végétation qui en résulte accélère l'évolution. C'est ainsi que sont nés dans
la savane africaine d'étranges singes bipèdes, bavards et ingénieux, nos ancêtres !

Le renne est adapté
à un climat froid.

Un bipède sans fourrure

L'évolution de l'homme n'est pas simplement l'histoire de la transformation d'un singe en être humain. Pendant presque toute notre histoire, plusieurs espèces d'hommes ont vécu côte à côte. Aujourd'hui, il ne reste plus que nous, *Homo sapiens*.

Australopithèques (Afrique, – 3 millions d'années).

Les australopithèques

À partir de – 4 millions d'années, les fossiles de grands singes révèlent une histoire plus complexe qu'on ne l'imaginait autrefois. Il est difficile de reconnaître notre ancêtre parmi les différentes espèces d'australopithèques qui coexistent en Afrique à cette époque. La plus célèbre d'entre eux est représentée par Lucy, un squelette presque complet trouvé en 1974. Lucy mesurait 1,30 m de haut, grimpait encore aux arbres, mais à terre se déplaçait sur ses deux jambes. Les mâles étaient plus grands et plus forts que les femelles. Ces australopithèques se nourrissaient de racines, de feuilles et de petits animaux qu'ils capturaient. Certains paléontologues pensent que cette espèce est à l'origine des êtres humains, mais d'autres la considèrent comme une parente plus éloignée.

Hommes debout

Des restes fossiles datés de 2,5 millions d'années montrent que certains Hominidés ont alors acquis un crâne un peu plus grand et une face plus réduite que celles des australopithèques. On les a nommé *Homo habilis*, « hommes habiles », car on a découvert sur les mêmes sites des outils de pierre grossièrement taillés. Un peu plus tard apparaissent, toujours en Afrique, des hommes plus grands et qui se déplacent comme les hommes modernes. Ces *Homo erectus*, « hommes dressés », colonisent l'Europe et l'Asie. Ils donnent eux-mêmes naissance à plusieurs espèces d'hommes, tels les néandertaliens qui occupent l'Europe et les hommes modernes, *Homo sapiens*.

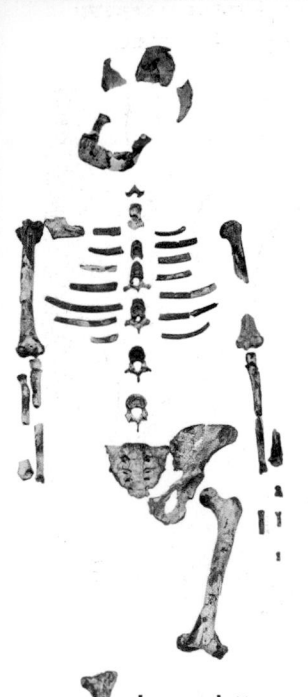

Le squelette de Lucy, une australopithèque, a été daté de 3,2 millions d'années.

Le crâne KNM-ER 1470 : homme archaïque ou singe bipède ?

Homme ou singe

Il est en fait très difficile de distinguer un homme archaïque d'un australopithèque. Les paléontologues ont utilisé différents critères : la bipédie, l'augmentation de la taille du cerveau, la fabrication d'outils, le langage. Aucun de ces éléments n'est à lui seul suffisant pour définir un homme. Ainsi, on connaît de nombreux singes fossiles plus ou moins bipèdes. De même, comme l'augmentation de la taille du cerveau est progressive, il est difficile de fixer un seuil décisif. Quant aux outils, on sait aujourd'hui que les chimpanzés utilisent parfois des pierres pour casser des noix. Il n'existe en fait pas de limite tranchée entre les grands singes et les premiers hommes !

Singe parleur

Ces Hominidés communiquaient certainement entre eux, comme le font tous les singes. Les chimpanzés utilisent des sons et des gestes dans leur vie quotidienne pour communiquer avec les membres de leur groupe. Ils ne peuvent pas articuler des mots, mais sont capables d'apprendre de nombreux mots dans des langages artificiels. Leurs capacités dépassent ce dont ils ont réellement besoin dans les conditions naturelles ! Le langage articulé proprement humain dépend des facultés intellectuelles mais aussi de l'anatomie du larynx. Comme celui-ci se fossilise très mal, on ne sait pas quand le langage proprement humain est apparu.

UN CRÂNE CONTROVERSÉ

Un crâne trouvé en 1972 à Koobi Fora (Kenya) a reçu le nom de KNM-ER 1470. Pour certains paléontologues, il s'agit d'un homme, *Homo habilis*, mais pour d'autres, c'est un australopithèque. D'autres encore soutiennent qu'il s'agit d'un descendant de *Kenyanthropus platyops*, une espèce récemment découverte. Les fossiles sont rares et en mauvais état, ce qui explique ces difficultés d'interprétation.

Les premiers hommes ont fabriqué des outils de pierre pour dépecer les grands animaux.

La faune des terres froides

Un renne mangé par un lion ! Ce n'est pas une erreur zoologique, mais une originalité due aux glaciations. Dans l'Europe d'il y a 30 000 ans, des animaux du grand nord voisinent avec des espèces d'origine tropicale adaptées au froid.

Megaceros.
Ce cerf atteignait 2 m au garrot et ses bois dépassaient 3,50 m d'envergure.

Troupeaux du nord

Au nord du continent eurasiatique, de la France à la Sibérie, le sol reste gelé toute l'année. La végétation est réduite à un tapis de bruyère, de mousse et de lichen, la toundra. Un peu plus au sud règne la steppe, une vaste prairie de hautes herbes, parsemée de quelques bouleaux et de pins. La steppe nourrit des troupeaux de rennes, de chevaux sauvages et de bisons, ainsi que des mammouths et des rhinocéros laineux. Les hommes chassent tous ces animaux, ainsi que des bouquetins et des cerfs. Ils rencontrent parfois de petits groupes de mégacéros, des cerfs géants bien plus imposants que le cerf européen actuel. Ils atteignaient 2 m au garrot et leurs bois dépassaient 3,50 m d'envergure.

Paysage de steppe froide (Europe, – 20 000 ans).

Mammouth laineux

Rhinocéros laineux

Renne

Hyène des cavernes

Ours des cavernes

Cheval

Bison

Loup

Glouton

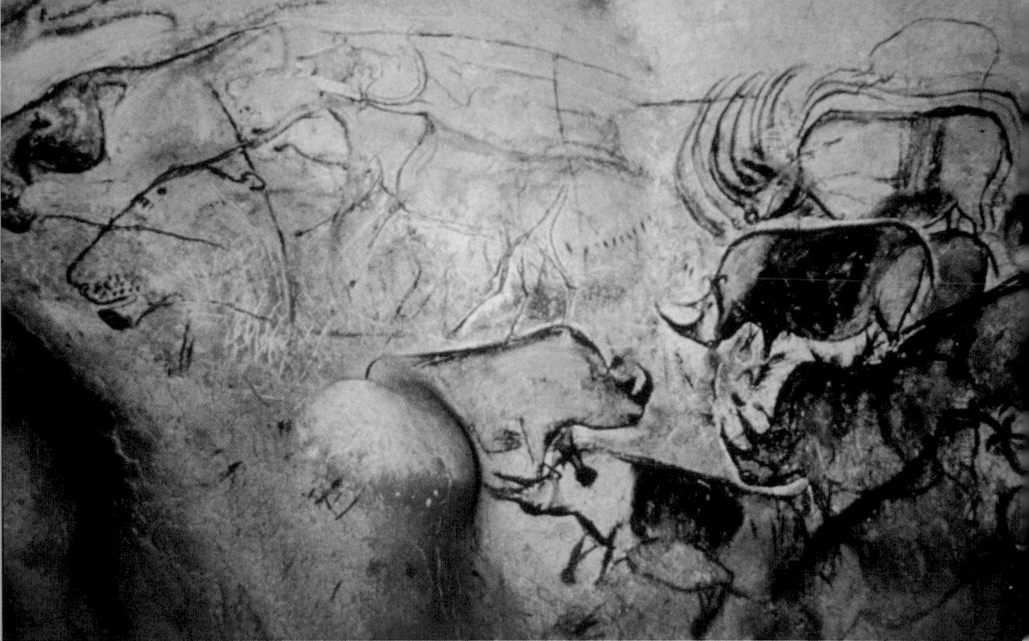

Dans la grotte Chauvet, des lions et des ours voisinent avec des rhinocéros.

Une Europe peu sûre

Ces troupeaux attirent de dangereux prédateurs, comme le redoutable lion des cavernes. Il n'avait pas de dents de sabre, mais était nettement plus gros que le lion actuel. Ses descendants étaient encore vivants en Grèce, il y a 2 000 ans. Dans les grottes, le sol argileux a souvent conservé des ossements d'ours et de hyènes, qui alternent avec des traces d'occupation humaine. Ces prédateurs occupaient en effet les mêmes abris que les humains. L'ours des cavernes était très grand mais probablement plus herbivore que son cousin l'ours brun. En Autriche, une grotte contenait les restes de 30 000 ours sans doute morts pendant leur hibernation.

Le géant des steppes

Après être sortis d'Afrique, les éléphants ont longtemps vécu en Europe. Ils se sont adaptés à ce nouvel environnement froid en évoluant vers de nouvelles espèces, les mammouths. Le plus grand de tous était le mammouth des steppes qui mesurait 5,5 m au garrot. Il a disparu vers – 300 000 ans, remplacé par le mammouth laineux. De la taille d'un éléphant d'Asie (3 m au garrot), celui-ci était couvert d'une épaisse fourrure avec des poils dépassant 1 m de long. Ses oreilles étaient très petites, ce qui réduisait ses pertes de chaleur. Il se nourrissait d'herbe, de mousse et de rameaux arrachés aux arbustes qui parsemaient la steppe. Des traces d'usure sur ses longues défenses courbes laissent penser qu'il s'en servait pour dégager la neige avant d'arracher les touffes d'herbe avec sa trompe.

MAMMOUTH SURGELÉ

Des mammouths et des rhinocéros laineux presque entiers ont été trouvés en Sibérie. Ils sont morts brutalement, noyés dans un marécage ou enfouis dans une coulée de boue. Congelés dans la terre depuis des milliers d'années, ils ont encore la peau et la chair sur les os. Des paléontologues ont ainsi goûté la chair d'un grand bison préhistorique mort en Alaska, il y a 36 000 ans !

Mammouth congelé découvert en Sibérie en 2002. Surnommé Yukagir, ce mâle est mort il y a environ 20 000 ans . Il est assez bien conservé et fait l'objet d'études approfondies qui visent à mieux connaître les mammouths.

La deuxième Amérique

L'Amérique du Sud est restée isolée de l'Amérique du Nord pendant 60 millions d'années. La faune a évolué à part jusqu'au moment où les mouvements de la croûte terrestre ont mis en contact ces deux continents. Pour les animaux, ce fut un choc !

Les ongulés sud-américains

Les condylarthres sont à l'origine de l'ensemble des Ongulés actuels (animaux à sabots). Ils étaient présents en Amérique du Sud avant son isolement et ont donné naissance à des Ongulés originaux, comme les Litopternes et les Notongulés. Au début de l'Éocène, les premiers litopternes étaient de petits herbivores de la taille d'un lapin à celle d'une gazelle. L'une des dernières espèces est le grand *Macrauchenia*, qui portait sans doute une petite trompe. Parmi les Notongulés, le *Toxodon* était un herbivore de la taille d'un rhinocéros. Quelques familles étaient moins importantes, mais ont donné naissance à des espèces surprenantes. Avec ses défenses et sa courte trompe, *Pyrotherium* ressemblait aux éléphants archaïques qui vivaient en Afrique de l'autre côté de l'Atlantique ! Dans des régions tropicales humides très semblables, l'évolution s'est traduite par l'apparition de formes équivalentes.

Toxodon
(de – 5 à – 2 millions d'années).
Il se nourrissait d'herbe et de feuilles.
La famille des Notongulés comportait de nombreuses espèces, dont la taille s'étendait de celle d'un lapin à celle d'un rhinocéros.

Macrauchenia (vers – 2 millions d'années) avait l'allure d'un dromadaire, mais son crâne indique qu'il était muni d'une courte trompe.

Pyrotherium (vers – 30 millions d'années). Cet herbivore mesurait 1,50 m au garrot.

Prédateurs à poche

Des marsupiaux se sont également trouvés isolés. Comme chez leurs cousins australiens, les femelles portaient une poche marsupiale où se développaient leurs petits. Mais leur évolution a suivi d'autres voies qu'en Australie. Les principales espèces américaines sont les Borhyænidés, des prédateurs ressemblant un peu à des chiens ou à des ours. Courts sur pattes, ils ne couraient sans doute pas très vite. Leur mâchoire était semblable à celle des hyènes avec de long crocs et des molaires puissantes. Autre marsupial, le « tigre » à dents de sabre, *Thylacosmilus*, était l'un des plus gros prédateurs du continent.

Le grand échange

Vers – 2,5 millions d'années, les mouvements de l'écorce terrestre soulèvent l'isthme de Panama qui relie les deux Amériques. De nombreux mammifères nord-américains passent au sud : mastodontes, chevaux, tapirs, pécaris, lamas, souris, ours, félins, etc. Cette invasion provoque la disparition brutale de tous les mammifères herbivores sud-américains. Les marsupiaux carnivores sont eux aussi remplacés par les prédateurs venus du nord.
Une migration en sens inverse se produit en même temps, mais de faible ampleur. La seule trace qui en subsiste est la présence de tatous et d'opossums en Amérique du Nord.

ÉLIMINATION

Les félins et les autres carnivores qui arrivent en Amérique du Sud ont sans doute directement provoqué la disparition de certaines espèces leur ayant servi de proies. Mais les herbivores sont probablement aussi coupables ! Les lamas sont entrés en compétition avec les litopternes. Ils ne les ont pas dévorés, mais les ont privés de nourriture en les chassant des milieux qui leur étaient favorables.

Doedicurus était un herbivore apparenté aux tatous. Ce glyptodonte mesurait 4 m de long et portait une armure osseuse pesant à elle seule plus d'une tonne. Sa tête était protégée d'un casque d'os et sa queue portait une massue épineuse, comme les ankylosaures de l'ère secondaire !

Des nains et des géants

Les îles sont des laboratoires de l'évolution : les animaux sont isolés et vivent dans un environnement différent de leur terre d'origine. Ils évoluent alors dans des directions bien distinctes et parfois surprenantes.

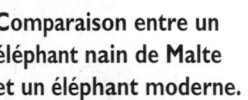

Comparaison entre un éléphant nain de Malte et un éléphant moderne.

PEUPLEMENT

Les éléphants sont arrivés dans les îles méditerranéennes à pied, pendant une période glaciaire. Les îles étaient alors reliées au continent du fait de la baisse du niveau de la mer. En Californie ou en Indonésie, des éléphants ont dû traverser un bras de mer, car ils nagent fort bien ! D'autres animaux arrivent dans les îles sur des « radeaux » naturels de branchages. Les oiseaux et les chauves-souris utilisent la voie des airs, et apportent parfois, dans la boue qui couvre leurs pattes, des insectes, des vers ou des escargots.

Crâne fossile et reconstitution de *Megaladapis*, un lémurien géant de Madagascar. Il a disparu il y a 2 000 ans.

Éléphants nains

Au Quaternaire, des îles de Méditerranée ont abrité des éléphants qui atteignaient à peine 1 m au garrot. Leurs fossiles découverts à Malte ou en Sicile étaient bien ceux d'animaux adultes car ils portaient de longues défenses. Sur d'autres îles, les éléphants étaient un peu plus grands, mais tous descendaient d'une même espèce, l'éléphant antique, qui vivait alors en Europe. Dans les îles, ces animaux ne rencontraient pas le moindre prédateur dangereux, mais ne trouvaient pas non plus beaucoup de nourriture. Les éléphants de grande taille étaient rapidement éliminés faute de pouvoir se nourrir convenablement. Les plus petits étaient au contraire favorisés et ont transmis leurs caractéristiques à leurs descendants. En quelques dizaines ou centaines de générations, la population tout entière est devenue naine !

Lémuriens géants

À l'inverse, il peut être avantageux pour des petites espèces de grandir, si la nourriture est suffisante et si cela ne les rend pas plus vulnérables aux prédateurs. Madagascar est une grande île séparée de l'Afrique depuis la fin du Jurassique. À l'ère tertiaire, elle abrite une faune différente de celle du continent africain, notamment des lémuriens, des primates d'aspect archaïque. Sur leur île, ces lémuriens ne rencontraient ni grands prédateurs ni singes qui auraient pu les concurrencer. Ainsi, *Megaladapis* était un lémurien mangeur de feuilles qui atteignait presque la taille d'un gorille.

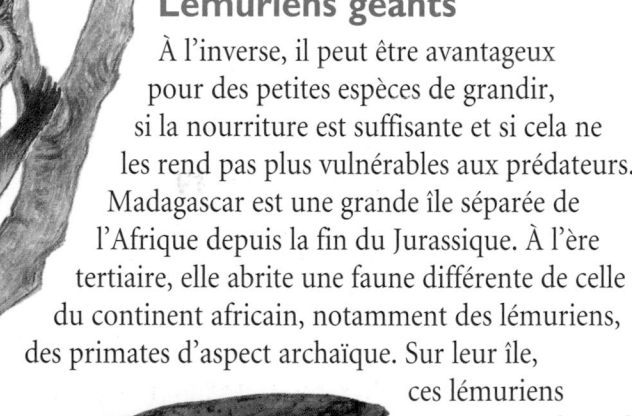

L'homme de Flores

En 2004, des paléontologues ont découvert les fossiles de très petits hommes
sur l'île de Flores (Indonésie). Ils ne mesuraient que 1 m de haut. D'après la
forme de leur crâne, ils sont apparentés aux *Homo erectus*. Les squelettes sont
datés de – 38 000 à – 18 000, ans mais ils étaient peut-être présents dans l'île
depuis longtemps. On suppose qu'ils descendaient des *Homo erectus* qui étaient
présents en Asie depuis 1,5 millions d'années. Ils ont apparemment suivi le même
chemin évolutif que les éléphants méditerranéens : restés plusieurs centaines
de milliers d'années sur une île sans prédateurs notables, leur taille a fortement
diminué. À l'écart, ils ont vécu bien plus longtemps que les *Homo erectus* de Java
et ont probablement rencontré des hommes modernes.

Hommes de Flores
observés par un homme
moderne (*Homo sapiens*).
Avec leurs squelettes,
on a trouvé des os de
Stegodon, un très petit
éléphant, et de varans
géants. On sait encore
peu de choses de ces
très petits *Homo erectus*,
mais ils prouvent que
l'évolution de l'homme
a été plus diversifiée
qu'on ne le croyait.

Le temps des chasseurs

Moa de Nouvelle-Zélande. Il dépassait 3 m de haut et était dépourvu d'ailes.

CHERS DISPARUS

Quelques espèces récemment éteintes :

- **Amérique du Nord**
  - Cheval
  - Chameau
  - Mastodonte
  - Castor géant
  - Smilodon
  - Lion américain
  - Guépard américain
  - Mammouth américain
- **Amérique du Sud**
  - Mégathérium
  - Glyptodonte
- **Australie**
  - Procoptodon
  - Thylacoléo
  - Mégalania
- **Europe**
  - Mammouth laineux
  - Rhinocéros laineux
  - Cerf géant
  - Éléphant nain
  - Hippopotame nain
- **Madagascar**
  - Lémurien géant
  - *Aepyornis*

Dans la vie des hommes préhistoriques, la chasse à joué un rôle très important jusqu'à la domestication du bétail.

De nombreux grands animaux se sont éteints entre – 50 000 et – 10 000 ans. Or, cette période correspond aussi à la colonisation des continents par l'homme moderne. Est-il responsable de ces disparitions ou bien existe-t-il d'autres causes ?

Mort d'un grand oiseau

Les *Genyornis* sont des oiseaux terrestres de grande taille qui vivaient en Australie depuis des millions d'années. Ils ont brusquement disparu, il y a environ 50 000 ans. Les causes les plus probables de cet événement pourraient être un changement climatique ou bien l'arrivée d'un nouveau prédateur. En Australie, le climat est devenu nettement plus froid et aride il y a 20 000 ans, mais on n'observe aucun bouleversement important au cours des millénaires précédents. En revanche, les premières traces d'activité humaine sont datées d'environ 50 000 ans, ce qui coïncide avec la disparition des *Genyornis*. Un oiseau similaire, le moa, vivait à cette époque en Nouvelle-Zélande, une île voisine de l'Australie. Les moas sont restés vivants jusqu'à l'arrivée des premiers occupants de l'île, il y a environ 500 ans. Il semble donc évident que les hommes ont directement provoqué l'extinction de ces grands oiseaux faciles à chasser.

Hommes et extinctions

L'importance des extinctions de la fin du Quaternaire est variable selon les régions. Elles sont rares en Afrique et en Asie, où les animaux ont évolué depuis très longtemps avec les hommes. On n'en observe pas non plus dans les océans, alors très peu touchés par les activités humaines. Au contraire, les Amériques, l'Australie, Madagascar et de nombreuses îles ont été fortement touchées. L'Australie a ainsi perdu 60 espèces de mammifères, d'oiseaux et de reptiles, toutes éteintes avant – 40 000 ans. Cependant, l'homme n'est pas responsable de toutes les extinctions. Ainsi, en Amérique du Nord, 75 % des grands mammifères se sont éteints, mais certains d'entre eux ont disparu bien avant l'arrivée de l'homme sur ce continent, il y a 13 ou 15 000 ans.

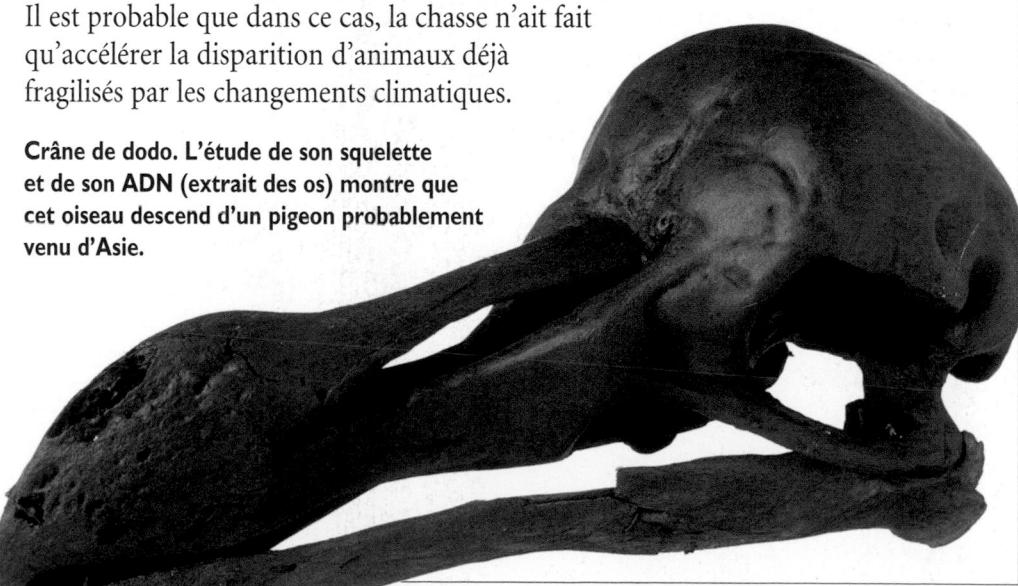

Le dodo pesait plus de 25 kg. Il se nourrissait de plantes basses, de graines et de fruits. Avant l'arrivée de l'homme, il n'avait aucun prédateur naturel.

Climat défavorable

Dans certains cas, ce n'est pas le refroidissement du climat qui a été dramatique, mais au contraire le réchauffement global qui s'est produit à la fin de la glaciation. En effet, la steppe a été remplacée au nord par la toundra et plus au sud par la forêt boréale. Ces environnements ne conviennent pas du tout au mammouth ou au rhinocéros laineux, qui se nourrissent presque exclusivement d'herbe. Il est probable que dans ce cas, la chasse n'ait fait qu'accélérer la disparition d'animaux déjà fragilisés par les changements climatiques.

Crâne de dodo. L'étude de son squelette et de son ADN (extrait des os) montre que cet oiseau descend d'un pigeon probablement venu d'Asie.

INVOLONTAIREMENT

Le dodo était un gros oiseau terrestre, lent et incapable de voler. Il vivait seulement sur quelques îles de l'océan Indien, comme la Réunion ou l'île Maurice. Le dernier dodo est mort vers 1740. Les chasseurs en avaient décimé un grand nombre, mais avaient été aidés par des animaux amenés, volontairement ou non, sur les bateaux. Les rats sont ainsi des destructeurs d'œufs très efficaces. Les chiens, les chats ou les porcs ont eux aussi tué de nombreux animaux, incapables de s'adapter à ces nouveaux prédateurs.

Un héritage en danger

Depuis plus de 3,5 milliards d'années, la vie n'a cessé de se transformer. La biodiversité actuelle est l'héritage de cette longue évolution, mais elle est gravement menacée par les activités humaines.

Imprévisible !

Le mouvement de l'évolution n'est pas terminé et ne s'arrêtera pas tant qu'il restera des êtres vivants sur Terre. Les animaux continuent d'évoluer, même si notre vie est trop courte pour que nous puissions nous en rendre compte ! On peut tenter d'imaginer ce que les espèces actuelles seront devenues dans 100 millions d'années, mais la nature est totalement imprévisible. À l'époque des dinosaures, qui aurait parié sur les insignifiants petits mammifères qui couraient entre leurs pattes ? Qui aurait pu prévoir qu'ils donneraient naissance à des animaux aussi étranges et merveilleux que l'éléphant, l'ornithorynque ou l'homme ? Dans 100 millions d'années, il n'est pas du tout certain que nous soyons encore présents sur Terre, ni même les Mammifères. Quels animaux seront alors les maîtres de la planète : les descendants des rats ? des fourmis ? des pieuvres ?

Bonobo. Cette espèce a longtemps été confondue avec le chimpanzé. Comme les gorilles et les orangs-outans, ces 2 grands singes sont gravement menacés par la destruction de leur habitat, la chasse et la propagation de virus dans leurs populations réduites et affaiblies. La disparition de nos plus proches cousins serait un symbole dramatique de la gravité de l'extinction qui touche la faune mondiale.

L'un des derniers thylacines, dans un zoo au début du XXᵉ siècle. Accusé d'attaquer les moutons des éleveurs australiens, ce grand carnivore marsupial a été volontairement exterminé.

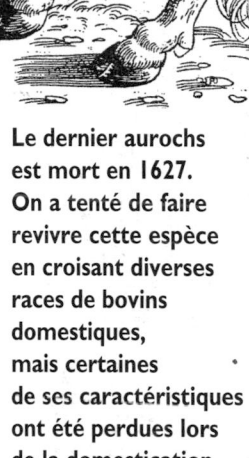

Morts ou presque

Le dernier pigeon migrateur américain est mort le 1er septembre 1914 au zoo de Cincinnati (États-Unis). Le dernier thylacine, un « loup » marsupial, a été tué en 1961 en Tasmanie (Australie). L'inventaire des espèces disparues s'allonge toujours et de nombreux animaux sont proches de l'extinction. La moitié des reptiles et des amphibiens sont menacés, comme un quart des mammifères : les tigres, les chimpanzés ou les gorilles pourraient dans quelques dizaines d'années être réduits à l'état de quelques survivants dans les jardins zoologiques. De plus en plus d'espèces sont protégées par des lois internationales. Leur avenir est assuré, au moins à court terme. C'est le cas de la baleine bleue, des rhinocéros ou du panda. Mais la chasse n'est pas la seule cause des disparitions.

Le dernier aurochs est mort en 1627. On a tenté de faire revivre cette espèce en croisant diverses races de bovins domestiques, mais certaines de ses caractéristiques ont été perdues lors de la domestication. La disparition d'une espèce est une perte définitive !

Chevaux de Prjevalski.

La 6ᵉ extinction

La destruction de leur environnement tue bien plus d'animaux encore que les chasseurs. L'exploitation des forêts tropicales, l'assèchement des zones humides, l'emprise de plus en plus forte des villes et des routes font plus de dégâts encore que les braconniers. La faune terrestre ne se réduit pas aux grands mammifères et aux oiseaux : d'innombrables poissons, insectes ou vers disparaissent avant même d'avoir été observés par les zoologistes. Tout au long de l'histoire de la vie, de nouvelles espèces sont sans cesse apparues et d'autres ont disparu, mais de nos jours, l'homme accélère gravement le rythme naturel des extinctions. On estime que la vitesse de disparition des espèces est aujourd'hui 1000 fois supérieure à ce qui s'est passé pendant la préhistoire. Certains scientifiques considèrent que la Terre vit actuellement la 6ᵉ grande extinction de son histoire !

DOMESTICATION

Comme beaucoup d'autres espèces, le cheval a failli s'éteindre à la fin de la dernière glaciation. Il a totalement disparu d'Amérique et n'a survécu en Asie que sous la forme d'une relique, le cheval de Prjevalski. Par « chance », il a été domestiqué et a donc survécu. De même l'aurochs, le bovin sauvage européen, a disparu au XVIIᵉ siècle, mais il est toujours présent sous la forme de ses descendants domestiques, les vaches !

Glossaire

A

Adaptation : modification d'une espèce animale (ou végétale) en réponse à un changement de l'environnement et permettant une meilleure survie ou une plus grande efficacité dans la reproduction des individus.

ADN : molécule présente dans les cellules des êtres vivants, portant les informations nécessaires pour leur croissance et leur fonctionnement.

Amphibien : groupe de vertébrés à peau lisse, pondant des œufs et vivant une partie de leur vie dans l'eau. Les grenouilles et les salamandres sont des Amphibiens.

Apparition : une espèce « apparaît » à une époque qui correspond à l'âge des plus anciens fossiles trouvés.

B

Bactérie : être unicellulaire, ni animal ni végétal. Des cellules bactériennes se sont parfois fossilisées, ainsi que les traces de l'activité des bactéries.

Biodiversité : diversité du Vivant. On peut estimer la biodiversité par le nombre d'espèces présentes dans un milieu ou sur la Terre.

Biologie : science du fonctionnement et de la reproduction des êtres vivants.

Bipédie : mode de déplacement d'un animal sur ses deux pattes postérieures.

C

Cambrien : première période de l'ère primaire, correspondant à la présence des premiers fossiles d'animaux (depuis la définition du Cambrien, des fossiles encore plus anciens ont été découverts).

Carbonifère : période de l'ère primaire marquée par le développement important des forêts et l'apparition des premiers reptiles.

Cellule : tous les êtres vivants sont constitués d'une cellule unique ou d'un ensemble de cellules. Les animaux unicellulaires sont microscopiques et ont rarement été fossilisés. Les animaux pluricellulaires apparaissent probablement vers − 1 milliard d'années.

Cénozoïque : ère « de la vie récente », qui regroupe les ères tertiaire et quaternaire.

Charognard : animal qui se nourrit des cadavres d'autres animaux.

Colonisation : envahissement progressif d'un milieu par une nouvelle espèce ou par un groupe d'espèces.

Crétacé : dernière période de l'ère secondaire, dont la fin est marquée par l'extinction des dinosaures et de nombreux autres groupes zoologiques.

D

Datation : mesure de l'ancienneté des roches et des fossiles qu'elles contiennent.

Dévonien : période de l'ère primaire marquée par l'apparition des premiers Tétrapodes.

Diversification : apparition de plusieurs espèces par évolution d'une espèce ancestrale. La biodiversité augmente alors.

E

Écosystème : ensemble constitué par un milieu et les animaux, les plantes et les bactéries qui y vivent. L'écosystème est aussi défini par les relations qui existent entre le milieu et les êtres vivants, ainsi que les relations des êtres vivants les uns avec les autres.

Embryon : animal au début de sa vie, en cours de développement à l'intérieur d'un œuf ou dans le ventre de sa mère.

Éocène : période de l'ère tertiaire marquée par une forte diversification des Mammifères.

Ère : grande division du temps dans l'histoire de la Terre.

Érosion : usure des roches par la pluie, le vent, les rivières ou par la mer.

Espèce : pour les biologistes, une espèce est un groupe d'animaux capables de se reproduire entre eux ou descendant les uns des autres. Les paléontologues comparent, entre eux, les ossements fossiles pour estimer s'ils appartiennent à une ou à plusieurs espèces.

Eurasie : continent regroupant l'Europe et l'Asie.

Évolution : histoire des transformations d'une espèce animale ou végétale au cours du temps. Au sens large, l'évolution est aussi l'histoire de la vie depuis son apparition sur Terre.

F

Famille : ensemble d'espèces qui présentent des caractéristiques communes. Une famille regroupe plusieurs genres.

Faune : ensemble des animaux qui vivent dans la même région ou à la même époque.

Flore : ensemble des végétaux qui vivent dans la même région ou à la même époque.

Fossile : restes d'une plante ou d'un animal conservés dans le sous-sol après sa mort. Les parties dures, et parfois des organes mous, se conservent et se transforment lentement en roche.

Fossilisation : transformation en fossiles de restes d'animaux ou de végétaux enfouis dans un sédiment ou dans le sol.

G

Gène : fragment de chromosome, constitué d'ADN, contenant l'information essentielle pour la production d'une substance nécessaire pour l'organisme.

Génétique : étude des gènes.

Genre : ensemble d'espèces qui présentent des caractéristiques communes héritées de la même espèce initiale.

Géologie : étude des roches et du sous-sol.

Gondwana : « super-continent » regroupant l'Amérique du Sud, l'Afrique, l'Antarctique et l'Australie, au cours de l'ère secondaire.

H

Herbivore : animal qui se nourrit de végétaux (feuilles, fruits, racines, algues, herbe, etc).

Hominidés : famille de primates comprenant les chimpanzés, les gorilles et les êtres humains ainsi que leurs ancêtres, tels que les australopithèques.

Glossaire (suite)

I

Individu : pour un biologiste, c'est un représentant d'une espèce animale (ou végétale).

Insectivore : animal qui se nourrit d'insectes.

J

Jurassique : période de l'ère secondaire, au cours de laquelle apparaissent les grands Sauropodes.

L

Locomotion : mode de déplacement d'un animal.

M

Mammalien : qui a des caractéristiques similaires à celles des Mammifères (comme la structure de la mâchoire).

Mammifère : groupe de vertébrés à la peau généralement couverte de poils et qui allaite ses petits. Le chat et la baleine sont des Mammifères.

Marsupiaux : mammifères qui naissent à l'état embryonnaire et achèvent leur développement dans la poche ventrale de leur mère. Le kangourou est un Marsupial.

Matière organique : matière qui compose les êtres vivants, animaux ou végétaux.

Mésozoïque : ère « de la vie du milieu », appelée aussi ère secondaire.

Miocène : période de l'ère tertiaire, au cours de laquelle apparaissent les premiers Hominidés.

Mutation : modification d'un gène, souvent néfaste à l'organisme, mais qui parfois permet une meilleure adaptation de l'animal à son milieu.

N

Naturaliste : avant le XXᵉ siècle, savant spécialisé dans les sciences de la nature. Ce terme n'est pratiquement plus employé aujourd'hui car les scientifiques sont très spécialisés : biologistes, paléontologues, zoologistes, botanistes, géologues, etc.

O

Oligocène : période de l'ère tertiaire, au cours de laquelle apparaissent les premiers grands singes.

Omnivore : animal qui se nourrit de végétaux et d'animaux.

Organisme : le corps d'un être vivant.

P

Paléontologie : science des êtres vivants de la préhistoire, fondée sur l'étude des fossiles.

Paléozoïque : ère « de la vie ancienne », appelée aussi ère primaire.

Pangée : continent unique au début de l'ère secondaire, formée par le regroupement de toutes les terres émergées.

Période : subdivision d'une ère. Par exemple, le Crétacé est la dernière période de l'ère secondaire. Une période est elle-même divisée : on distingue ainsi le Crétacé inférieur, le plus ancien, et le Crétacé supérieur, le plus récent. Les étages sont des divisions encore plus fines.

Permien : dernière période de l'ère primaire, marquée par une extinction qui touche 90 % des espèces animales.

Photosynthèse : production de matière organique par les végétaux chlorophylliens, à partir du gaz carbonique et grâce à l'énergie du soleil.

Plancton : ensemble des êtres vivants qui vivent en suspension dans l'eau, en mer ou en eau douce.

Pollinisation : fécondation d'une fleur femelle par le pollen d'une fleur mâle.

Population : ensemble des individus d'une espèce qui vivent dans la même région.

Précambrien : période de l'histoire de la Terre qui précède l'ère primaire.

Prédateur : animal qui chasse d'autres animaux pour se nourrir.

Préhistorique : au sens large, c'est ce qui concerne ce qui a précédé l'Histoire telle qu'elle a été écrite, donc tout ce qui s'est passé avant l'invention de l'écriture.

Primaire : l'ère primaire commence avec les plus anciens fossiles (ceux qui étaient connus à l'époque de la définition des ères) et s'achève avec la grande extinction de la fin du Permien.

Primate : ensemble des singes, des lémuriens et de leurs ancêtres.

Q

Quaternaire : l'ère quaternaire est marquée par la succession de périodes glaciaires et par l'apparition de l'homme. Elle est beaucoup plus courte que les autres.

S

Sauropodes : groupe de dinosaures quadrupèdes, herbivores, reconnaissables à leur long cou.

Secondaire : l'ère secondaire est le temps des dinosaures et des ammonites.

Sédiment : dépôt (de sable, d'argile ou d'autres matériaux) au fond de l'eau, dans un lac, une rivière ou la mer. Le sédiment peut contenir des restes d'animaux, comme des coquilles ou des os.

Sélection : élimination ou survie des individus dans un environnement, en fonction de leurs caractéristiques. C'est la sélection qui oriente l'évolution des espèces.

Silurien : période de l'ère primaire au cours de laquelle les plantes commencent à coloniser les continents.

T

Tectonique : ensemble des mouvements de l'écorce terrestre (séismes, formation des montagnes, déplacements des continents, etc).

Tertiaire : l'ère tertiaire est l'époque de plus grande diversification des Mammifères.

Théropodes : groupe de dinosaures bipèdes, presque tous carnivores.

Trias : première période de l'ère secondaire, au cours de laquelle apparaissent les premiers dinosaures et les premiers Mammifères.

V

Vertébrés : ensemble des animaux à squelette osseux interne. Les Poissons, les Amphibiens, les Reptiles, les Oiseaux et les Mammifères sont des Vertébrés.

Index

Index (suite)

Index (suite)

Index (suite)

Crédit photographique

Chapitre 1 P. 12 : Layne Kennedy / Corbis (bg) ; **p. 13** : Louie Psihoyos / Corbis (h) et Philippe Plailly / Eurelios (bd) ; **p. 14** : Corbis (bg) ; **p. 15** : Lowell Georgia / Corbis (hd) ; **p. 16** : Philippe Benoist / Eurelios (hg), Philippe Plailly / Eurelios(bg) ; **p. 17** : James L. Amos / Corbis (bd) ; **p. 18** : Natural History Museum, London (NHML) ; **p. 19** : Louie Psihoyos / Corbis (b) ; **p. 21** : Philippe Benoist / Eurelios (h) et Lester V. Bergman /Corbis (b) ; **p. 22** : Chris Hellier / Corbis (bg) et Jonathan Blair / Corbis (bd) ; **p. 23** : akg-images (h) ; **p. 24** : Michael Busselle / Corbis.

Chapitre 2 P. 28 : NHML (hg) ; **p. 29** : akg-images (h), Philippe Benoist / Eurelios (bd) ; **p. 30** : akg-images (b) ; **p. 31** : akg-images (mg) et (md), Thomas Marent / Eurelios (bd) ; **p. 32** : akg-images (hg) et (bg), NHML (md) ; **p. 33** : ND / Roger-Viollet (hg), Roy Morsch / Corbis (hd), Thomas Marent / Eurelios (bg), NHML (bd) ; **p. 34** : Geological Society / NHMPL (hg), Geological Society / NHMPL, NHML (bd) ; **p. 35** : NHML (h), Muséum des sciences naturelles, Bruxelles (bd) ; **p. 36** : NHML (hg) et (hd), D.R. (b) ; **p. 37** : D.R. (h) ; **p. 39** : D.R. (hd).

Chapitre 3 P. 42 : Louie Psihoyos / Corbis (hg), Raymond Gehman / Corbis (mg), Corbis (bg), Clive Druett Papillo / Corbis (bd) ; **p. 43** : Richard T. Nowitz / Corbis (hd) ; **p. 44** : JJP / Eurelios (h), John Conrad / Corbis (bg) ; **p. 44-45** : Philippe Plailly / Eurelios ; **p. 45** : Tom Brakefield / Corbis (hg), David A. Northcott / Corbis (hd), Jim Zuckerman / Corbis (bd) ; **p. 46** : Galen Rowell / Corbis (h) ; **p. 48** : Gallo images / Corbis (hg) ; **p. 48-49** : Gustavo Gilabert / Corbis SABA ; **p. 50** : Sylva Joao / Corbis Sygma (hg), Jonathan Blair / Corbis (bg), Tom Young / Corbis (bd) ; **p. 51** : Stephen Frink / Corbis (m et b) ; **p. 52** : Brownie Harris / Corbis (hg), Darrell Gulin / Corbis (m), Jeffrey L. Rotman / Corbis (bg), Peter Steiner / Corbis (bd) ; **p. 53** : M. Brega / Eurelios (m), Pat Doyle / Corbis (b) ; **p. 54** : Philippe Plailly / Eurelios (hg) ; **p. 55** : Corbis (h), Werner Forman /Corbis (b) ; **p. 56** : Maiman Rick / Corbis (hg), Jean-Pierre Sylvestre / Bios (m), Les Stone / Corbis (b) ; **p. 57** : Collection Roger-Viollet (h), Ed Bohon / Corbis (b).

Chapitre 4 P. 60 : Corbis (hg) ; **p. 61** : Roger Reissmeyer / Corbis (hd) ; **p. 62** : Bettmannn / Corbis (hg) ; **p. 63** : Lester V. Bergman / Corbis (h), Yvette Tavernier / Bios (b) ; **p. 64** : D.R. (hg), Roger Garwood & Trish Ainslie / Corbis (b) ; **p. 65** : D.R. (h), Douglas P. Wilson ; Franck Lane Picture Agency / Corbis (m), Dr. Jeremy Burgess / SPL / Cosmos ; **p. 67** : Jose-Javier Alvaro. (hg), D.R. (hd).

Chapitre 5 P. 71 : Philippe Plailly / Eurelios ; **p. 72** : James L. Amos / Corbis ; **p. 73** : Lionel Bret Eurelios (h), Georgette Douwma / SPL (bg), Layne Kennedy / Corbis (bd) ; **p. 74** : Kevin Schafer / Corbis (h), De Agostini /NHMPL (b) ; **p. 75** : Philippe Plailly / Eurelios (h), Rick Price / Corbis (b) ;

p. 76 : Brandon D. Cole / Corbis ; **p. 79** : D.R. (hg et mg), NHMPL (bd) ; **p. 81** : Daniel Heuclin / Bios ; **p. 83** : M. Brega / Eurelios (hd), Layne Kennedy / Corbis (mg) ; **p. 86** : James L. Amos / Corbis (mg), Kaj R. Svensson / SPL / Cosmos (b) ; **p. 87** : NHML (h).

Chapitre 6 P. 90 : Bettmann / Corbis (bg) ; **p. 91** : Dave Watts / Bios (hd), John Sibbick / NHML (b) ; **p. 92** : John Sibbick / NHML (h), Michael Long / NHML (b) ; **p. 93** : De Agostini / NHML (h), Sinclair Stammers / SPL / Cosmos (m), De Agostini / NHML (bg) ; **p. 98** : De Agostini / NHML (hg), J.-M. Labat / F. Rouquette / Bios, Marent / Eurelios (bd) ; **p. 99** : De Agostini / NHML (h et b).

Chapitre 7 P. 105 : D.R. (h) ; **p. 106** : NHML (hg), D.R. (m), NHML (bg) ; **p. 107** : Layne Kennedy / Corbis (hd), NHML (mg), Didier Dutheil / Corbis Sygma (b) ; **p. 110** : Art Andersen ; **p. 112** : Jim Page / North Carolina Museum of Natural Sciences / SPL / Cosmos ; **p. 112-113** : De Agostini / NHML (bm) ; **p. 114** : NHML (bg), Louie Psihayos / Corbis (m) ; **p. 116** : D.R. (h), De Agostini / NHML (b) ; **p. 117** : NHML (h), M. Brega / Eurelios (b).

Chapitre 8 P. 121 : John Sibbick / NHML (h), Tim White / NHML (b) ; **p. 123** : L. Betty-Nash (bg) ; **p. 124** : De Agostini (h) et John Sibbick (b) /NHML ; p. 125 : NHML (h) et (m) ; **p. 126** : Richard Cummins / Corbis (bg) ; **p. 127** : NHML (h), Fred Bruemmer / Bios (mg) ; **p. 128** : NHML (h), D.R. (b) ; **p. 129** : NHML (hd), DK Limited / Corbis (mg).

Chapitre 9 P. 132 : John Sibbick / NHML (b) ; **p. 133** : NHML (h), Geological Museum of China / NHML (md) ; **p. 134** : Louie Psihoyos / Corbis (hg), De Agostini / NHML (m) et (b) ; **p. 135** : John Sibbick / NHML (hg), Geological Museum of China / NHML (hd), Kevin Schafer / Corbis (b) ; **p. 136** : De Agostini / NHML (hg) ; **p. 137** : De Agostini / NHML (h), Jonathan Blair / Corbis (b) ; **p. 138** : John Sibbick / NHML (h) ; **p. 139** : James L. Amos / Corbis (h), Niall Benvie / Corbis (b) ; **p. 140-141** : John Sibbick / NHML (b).

Chapitre 10 P. 144 : NHML (h) ; **p. 145** : George H. H. Huey / Corbis (h), NHML (bd) ; **p. 146** : De Agostini / NHML ; **p. 147** : NHML (h) ; **p. 149** : De Agostini / NHML (b) ; **p. 150** : Louie Psihoyos / Corbis (hg), Dorling Kindersley (bd), NHML (md) ; **p. 152** : Louie Psihoyos / Corbis (h).

Chapitre 11 P. 156 : NHML (h) et (b) ; **p. 157** : NHML (b) ; **p. 158** : De Agostini / NHML (h) ; **p. 159** : NHML (hg), D.R. (hd), De Agostini / NHML (mg), NHML (bd) ; **p. 160** : John Sibbick / NHML (bg), NHML (bd) ; **p. 161** : NHML (b) ; **p. 162** : Dorling Kindersley (h), NHML (b) ; **p. 163** : De Agostini / NHML (hd), (bg) et (bd), John Sibbick / NHML (md) ; **p. 164** : NHML (h) ; **p. 165** : D.R. (mg), De Agostini / NHML (bd) ; **p. 166** : NHML (h), De Agostini / NHML (b) ; **p. 167** : De Agostini / NHML ; **p. 168** : Dorling Kindersley (hg) ; **p. 169** : NHML (hg) ; **p. 170** : NHML (h) et (bg) ;

Crédit illustrateurs